SUELI CARNEIRO

PREFÁCIO
CONCEIÇÃO EVARISTO

APRESENTAÇÃO
DJAMILA RIBEIRO

ESCRITOS DE UMA VIDA

 jandaíra

4ª REIMPRESSÃO

Copyright © 2019 Sueli Carneiro
Todos os direitos reservados à Editora Jandaíra, uma marca da Pólen Produção Editorial Ldta., e protegidos pela lei 9.610, de 19.2.1998.
É proibida a reprodução total ou parcial sem a expressa anuência da editora.

Este livro foi revisado segundo o Novo Acordo Ortográfico da Língua Portuguesa.

Direção editorial
Lizandra Magon de Almeida

Coordenadora editorial
Luana Balthazar

Preparação de texto
Lizandra Magon de Almeida

Revisão
Pólen Editorial

Capa e projeto gráfico
Alberto Mateus

Foto de capa
Christian Braga

Diagramação
Crayon Editorial

Dados Internacionais de Catalogação na Publicação (CIP)
Bibliotecária Juliana Farias Motta CRB7- 5880

C289e Carneiro, Sueli
   Escritos de uma vida / Sueli Carneiro; Prefácio Conceição Evaristo, Apresentação Djamila Ribeiro. -- São Paulo: Editora Jandaíra, 2023.
   296 p. 14 x 21 cm.

   ISBN: 978-85-98349-77-0

   1. Negras - Identidade racial – Brasil. 2. Mulheres – Condições sociais. 3. Feminismo. I. Evaristo, Conceição. II. Ribeiro, Djamila. III. Título.

CDD 305.4

---

jandaíra
www.editorajandaira.com.br
atendimento@editorajandaira.com.br
(11) 3062-7909

Sumário

APRESENTAÇÃO ▪ Djamila Ribeiro 5
PREFÁCIO ▪ Conceição Evaristo 7
INTRODUÇÃO 11

Mulher negra 13
O poder feminino no culto aos orixás 60
Gênero, raça e ascensão social 89
"Terra nostra" só para os italianos 103
Tempo feminino 106
Expectativas de ação das empresas para superar
a discriminação racial 117
Por um multiculturalismo democrático 136
Ideologia tortuosa 143
Gênero e raça na sociedade brasileira 150
A batalha de Durban 185
Mulheres em movimento 195
A obra civilizatória 220
Viva a constituição cidadã 224
Racismo, religião e crime 234
Estado laico, feminismo e ensino religioso
em escolas públicas 239
Política cultural e cultura política: contradições
e/ou complementaridades? 265
Mulheres negras e poder: um ensaio sobre a ausência . . 274
Pela permanência das cotas raciais
nas universidades brasileiras 287

Apresentação

Sueli Carneiro é um patrimônio histórico, cultural e político que desbravou matas e caminhos para a propagação do pensamento feminista negro e a luta por marcos civilizatórios e humanitários. Dentre suas lutas e passos que vêm de longe, podemos destacar a criação, junto com outras companheiras de luta da organização Geledés, a qual homenageia no próprio nome a irmandade de mulheres africanas, o sentido da luta travada pela política das mulheres da diáspora.

Encontros internacionais e nacionais de mulheres negras, direitos conquistados a duras penas que hoje são realidade no país, foram fruto da luta de Sueli Carneiro, ao lado de tantas companheiras de ativismo, tais como Lélia Gonzalez, Neusa Sousa Santos, Beatriz Nascimento, dentre tantas outras cujo trabalho deve ser lembrado e reverenciado sempre.

Entretanto, o país, que não cultiva suas memórias, tem imensa dificuldade em reconhecer os méritos e as lutas das pessoas pertencentes a grupos sociais oprimidos, principalmente quando estamos falando de mulheres negras. Quebrando essa desonrosa tradição nacional, temos o profundo orgulho de homenagear Sueli Carneiro em plena vida.

Dessa forma, o Selo Sueli Carneiro reconhece a importância e reverencia essa mulher fenomenal, como também abre as portas para a publicação de mulheres negras, sobretudo brasileiras, latino-americanas e caribenhas, cujas produções têm sido historicamente invisibilizadas.

Nada mais oportuno do que a desbravadora sair à frente mais uma vez e, portanto, o selo começa em excelente estilo com a própria homenageada na obra *Sueli Carneiro: escritos de uma vida*, fundamental para a compreensão histórica e política da luta das mulheres negras brasileiras a partir da produção da brilhante autora.

Na certeza que será o primeiro livro de muitos.

Ogunhê!

DJAMILA RIBEIRO
Coordenadora do Selo Sueli Carneiro

Prefácio

"Em legítima defesa"
Prefaciar a antologia *Sueli Carneiro: escritos de uma vida*, que reúne vários textos dessa grande intelectual de nossos dias, além de ser uma grande honra, é um exercício quase que desnecessário, já que os textos da filósofa falam por si só. Aceitei, entretanto, esse prazeroso desafio como um ato de celebração e agradecimento à vida que me dá a oportunidade de ser contemporânea de uma das vozes negras mais potentes da sociedade brasileira.

Em 2015, Sueli Carneiro escreveu e publicou no jornal *Correio Braziliense* um texto convocatório para a Marcha das Mulheres Negras realizada em Brasília no mesmo ano. A autora, enfaticamente, anunciava a marcha e afirmava os motivos das mulheres negras empreenderem aquele ato. O título do texto era: *Em legítima defesa*. Inspirada pelo título e pelo artigo, digo a Sueli Carneiro, que em legítima defesa leremos *Sueli Carneiro: escritos de uma vida*.

Leremos uma escrita que é concebida a partir da vivência e da experiência de uma mulher negra, que no ato mesmo da escritura executa um gesto de enfrentamento ao que ela com argúcia e veemência denuncia: o epistemicídio.

Tenho pronunciado a respeito, uma vez que se para as mulheres em geral escrever se torna um ato político, para as mulheres negras publicar se converte em um ato político também. Podemos ainda ampliar o sentido político de escrever e publicar, acrescentando o ato de ler. Promover os nossos textos entre nós mesmas e, para além de nós, investigar uma bibliografia não conhecida ou não recepcionada como objeto científico, mas que nos informa a partir de nosso universo cultural negro, insistir em apreender as informações contidas na obra, são atos de leitura que se transformam em atos políticos. Quando optamos por uma autoria e não por outra para compor o aparato crítico, as referências teóricas das pesquisas que pretendemos empreender, consequentemente vamos apresentar outras citações. Nesse sentido estamos compondo outra política de citação a partir de conhecimentos até então subjugados, como afirma Sueli Carneiro ao denunciar o espistemicído como:

> [...] conjunto de estratégias que terminam por abalar a capacidade cognitiva das pessoas negras, que conspiram sobre a nossa possibilidade de nos afirmarmos como sujeito de conhecimento, ou seja, todos os processos que reiteram que nós somos, por natureza, seres não muito humanos, e, portanto, não suficientemente dotados de racionalidade, capazes de produzir conhecimento e, sobretudo, ciência.

Precisamos escolher e nomear quem são as nossas Mestras e Mestres, e Sueli Carneiro é uma das grandes mentoras que devemos referenciar agradecendo seus ensinamentos.

A presente obra é uma oportunidade ímpar para quem já conhece os textos da Mestra, de relembrar informações já lidas e novamente captar partes de uma história que não pode ser esquecida. E para quem desconhece as lições, as aulas, os ensinamentos que Sueli Carneiro vem nos concedendo, esta é a hora. A boa hora em que a nossa munição precisa ter como alicerce e como fio de prumo os conhecimentos cunhados em nossas experiências de mulheres negras.

A obra, *Sueli Carneiro: escritos de uma vida*, nos oferece uma leitura fundamental de artigos que nos ajudam a pensar e a orientar as nossas ações no sentido de afirmação do nosso feminismo tão particular por ser negro. Destaco aqui o tão conhecido e necessário texto, *Enegrecer o feminismo: a situação da mulher negra na America Latina a partir de uma perspectiva de Gênero*.

O ativismo das mulheres negras enquanto protagonistas do Movimento de Mulheres no Brasil aparece no texto "Mulheres em movimento", e é outro excelente ensaio que compõe a obra.

A capacidade de articulação das mulheres negras brasileiras aparece registrada nos relatos referentes aos diversos encontros preparatórios para a III Conferência Mundial contra o Racismo, Discriminação Racial, Xenofobia e Intolerâncias Correlatas, realizada em Durban, no ano de 2001, no artigo "A Batalha de Durban".

Relembrando os enfrentamentos, os confinamentos sofridos pelas mulheres negras e mesmo a interdição pela morte física, como a de Marielle Franco, lemos "Mulheres Negras e poder: um ensaio sobre a ausência". O artigo nos relembra como a presença das mulheres negras em cargos políticos partidários tem sido dificultada pelo racismo brasileiro, presente mesmo dentro dos partidos de esquerda.

Os artigos citados e todos os outros não nomeados fazem de Sueli Carneiro uma *griot* da escrita e cumprem um especial papel junto às gerações mais novas. É preciso entender sempre que nossas ações atuais carregam fundamentos plantados no tempo. "Nossos passos vêm de longe", afirmamos sempre.

Bem-vindos os textos que compõem a obra *Sueli Carneiro: escritos de uma vida*. Merecida distinção, merecido reconhecimento a nossa sábia companheira das letras e da militância, cuja marca está também na fundação e na direção do Instituto Geledés, em seus mais de 30 anos existência.

Em legítima defesa, a nossa. É preciso ler Sueli Carneiro hoje e sempre. Leremos!

CONCEIÇÃO EVARISTO

combate

Introdução

Esta publicação é resultado da cobrança da honorável escritora Conceição Evaristo e do voluntarismo iansaniano de Djamila Ribeiro.

Nunca pensei ser escritora. Escrever sempre foi, para mim, uma chance ou condição de remover a trava que a timidez colocava em meu desejo de comunicar minha indignação frente às injustiças do mundo. Escrever me permitiu organizar e qualificar a reflexão que, na fala, se manifestava desconexa e irritadiça pela insegurança da oratória.

Depois tornou-se instrumento de combate, respondendo à necessidade de produção de argumentos para os confrontos que o racismo e o sexismo nos impuseram. Cada um dos meus escritos reflete um momento dessa luta, além da permanente disputa pela verdade histórica que se esconde atrás das narrativas construídas pelos opressores.

Vocações literárias verdadeiras, como Cidinha da Silva ou o poeta Arnaldo Xavier, apontavam descuido de linguagem presente em alguns textos, ratificando minha autopercepção de suposta escritora, o que sempre me fez postergar a ideia de publicar meus escritos.

Entretanto, certa vez, a nobre e generosa Conceição Evaristo, escritora consagrada, me fez a cobrança que somente as mais velhas podem fazer conosco. Ela me disse que já era hora de reunir textos que ela considerava "testados e aprovados", e evitar a repetição da tendência em nossa militância de pouco se ocupar com o registro e a memória da contribuição que cada uma e cada um de nós tem oferecido à árdua luta de combate ao racismo e às múltiplas formas de discriminação na sociedade brasileira.

Se a provocação de Conceição me trouxe o desejo de corresponder à inquirição da minha mais velha, sair da inércia para realizar o ato final necessitou do voluntarismo implacável de Djamila Ribeiro, que decretou a hora do acontecer.

Assim surge este livro ungido pela licença de minha mais velha Conceição Evaristo, por meio de quem tenho a pretensão de honrar a nossa geração de combatentes, em especial à memória de Abdias Nascimento e Lélia Gonzalez. Surge também desse acolhimento de minha mais nova, Djamila Ribeiro, em quem reconheço a generosidade das novas gerações com o nosso legado.

SUELI CARNEIRO

Mulher negra

1. Introdução

Originalmente publicado no livro *Mulher Negra: política governamental e a mulher*, volume que compõe a coleção Década da Mulher (1975-1985) organizada pela editora Nobel e o Conselho Estadual da Condição Feminina de São Paulo em 1985. Este artigo inaugurou os estudo sobre desigualdades entre as mulheres.

A intenção inicial deste trabalho era empreender uma análise da evolução da situação socioeconômica da mulher negra brasileira na Década da Mulher, em conformidade com os objetivos expressos na Conferência do Ano Internacional da Mulher, realizada no México, em 1975.

No entanto, tal avaliação fica prejudicada por alguns problemas característicos dos recenseamentos nacionais, tais como:

- A não coleta sistemática dos dados estatísticos desagregados no quesito cor pelos órgãos responsáveis pelo recenseamento da população brasileira, sendo um exemplo disso a ausência do quesito cor no recenseamento de 1970;
- As poucas tabulações que são divulgadas quando tal quesito é coletado, como é o caso do Censo de 1980;
- As mudanças de critério ocorridas de um recenseamento para outro, dificultando que os dados sejam facilmente comparáveis, ou sua compatibilização, como ocorre com os Censos de 50, 60 e 80[1]. As Pesquisas Nacionais de Domicílios – PNAD –, realizadas entre os Censos, se ressentem dos mesmos problemas de falta de continuidade do levantamento do quesito, alterações de critério ou simples omissão.

A PNAD de 1976, embora seja a que forneça maiores informações sobre a população negra e na qual mais se apoiam os estudos recentes sobre o negro, também não nos beneficiou quanto à intenção de fazer um diagnóstico evolutivo sobre a mulher negra, já que, posteriormente, somente na PNAD de 1982 foi-nos possível encontrar dados desagregados por cor, porém em menor quantidade que os existentes na PNAD de 1976, não permitindo que a comparação entre ambas fornecesse uma caracterização ampla das alterações havidas na situação da mulher negra brasileira.

Diante da precariedade dos dados estatísticos existentes sobre a população negra, e em particular sobre a mulher negra, torna-se inevitável que se reitere as críticas diversas vezes colocadas pelo Movimento Negro Brasileiro acerca do caráter político e ideológico de que se reveste essa "entrada" e "saída" arbitrária do quesito cor dos recenseamentos oficiais e do número

---

1 O Censo de 1980 oferece-nos apenas a variável cor por sexo e idade.

insignificante de tabulações que, a partir deles, são divulgadas quando esse quesito é recolhido.

Esse "tratamento" dispensado à população negra nas estatísticas oficiais faz parte de um elenco de estratégias que têm determinado a invisibilidade do negro nas diferentes esferas da vida nacional, através dos conhecidos mecanismos socialmente instituídos de discriminação racial.

Os esforços de integração do negro na sociedade brasileira esbarram constantemente na ausência, por parte dessa mesma sociedade, de um projeto efetivo de integração social do negro, como exaustivamente vem sendo demonstrado pelos estudos relativos ao negro brasileiro.

Outro viés característico das práticas discriminatórias presentes no Brasil consiste em que prevaleçam designações arbitrárias quanto à atribuição do quesito cor à população negra, pela recorrência a uma tipificação que visa fundamentalmente estabelecer fissuras em sua identidade étnica e cultural, através de sua partição em pretos, pardos etc., tal como define o IBGE a propósito do Censo de 80, "na investigação foram descriminadas as seguintes respostas: Branca, Preta, Amarela e Parda (mulata, mestiça, índia, cabocla, mameluca, cafuza etc.)"[2].

Essas diferenciações têm funcionado como:

- Fator de escamoteamento da importância numérica da população negra no conjunto da população brasileira;
- Fator de fragmentação da identidade racial do negro brasileiro;
- Instrumento indispensável no esforço oficial de embranquecimento do país.

---

2 Censo Demográfico. *Dados Gerais – Migração, Instrução, Fecundidade, Mortalidade*. São Paulo, volume 1, Tomo 4 nº 19, p. XXXVIII.

O segundo nível dessa questão, e complementar ao anterior, reside no fato de que os estudos mais atuais sobre o negro brasileiro revelam que as desigualdades sociais existentes entre brancos e não brancos (exclusive os amarelos), no Brasil, incidem de maneira aguçada sobre o segundo grupo, tornando irrelevantes os diferenciais socioeconômicos perceptíveis entre pretos e pardos, tal como se perceberá também ao longo deste trabalho, o que questiona o "valor" da miscigenação como fator de mobilidade social para o negro brasileiro, e torna pretos e pardos um grupo homogêneo quanto às desvantagens sofridas na sociedade brasileira.

Portanto, evidencia-se o caráter político e ideológico que essas diferenciações têm no interior dessa sociedade, assim como as suas consequências para a população negra em geral.

O Movimento Feminista Brasileiro produziu, por sua vez, embora de menor âmbito que os recenseamentos oficiais, inúmeras pesquisas, estudos de caso sobre a mulher durante esses dez anos. No entanto, a variável cor não foi incorporada de maneira sistemática nessa produção teórica de forma que as mulheres negras pudessem se beneficiar largamente dos estudos em questão.

Essa displicência com que a cor tem sido tratada, seja nas estatísticas oficiais, seja na produção teórica feminista, indica os níveis de contradição existentes entre negros e brancos na sociedade brasileira em geral, e entre mulheres brancas e negras em particular.

1.1. Procedimentos/objetivos

A coleta de dados secundários para a elaboração do presente trabalho nos conduziu a obter, junto ao Departamento de Indicadores Sociais (DEISO) do Instituto Brasileiro de Geografia e Estatística (IBGE), os dados referentes à População Economicamente

Ativa (PEA) de São Paulo e do Brasil, desagregados segundo cor, sexo, grupos ocupacionais e rendimento médio mensal.

A importância de tal informação, pela riqueza dos dados nela contidos e pelo fato dela não fazer parte das tabulações publicadas pelo IBGE no Censo de 1980, determinou que a tomássemos como fonte básica na qual se apoiou o presente trabalho.

Tal opção se tornou mais relevante ao considerar-se que esses dados se constituem em importante instrumento para a reflexão e atuação política do Movimento Feminista e do Movimento Negro quanto à elaboração de diretrizes políticas que visem à erradicação dessas duas perversões básicas da sociedade brasileira: o racismo e o sexismo.

Dessa forma, será aqui privilegiada a análise da:

- Situação educacional da mulher negra em São Paulo e no Brasil, a partir das informações fornecidas pelo Censo de 80 sobre a "População residente, por cor e sexo, segundo a situação do domicílio e anos de estudo"; donde se buscou identificar desvantagens raciais presentes no acesso à educação entre as mulheres;
- Estrutura ocupacional, tendo como universo de nosso estudo a População Economicamente Ativa (PEA) em São Paulo pela importância econômica que esse estado tem, do que decorre nele residirem as melhores oportunidades em termos de mercado de trabalho, sendo utilizados ainda os mesmos dados para o conjunto do país. Busca-se explicar, a partir desses dados, diferenças na participação da mulher negra em relação às demais no mercado de trabalho;
- Considerando-se que, embora seja mantida a desagregação por mulheres negras dos dados recolhidos, tais como eles aparecem nas tabulações elaboradas pelo IBGE, estará aqui designada a agregação de pretas e pardas, aparecendo ainda nas tabelas em que serão apresentados os resultados dessa somatória;

- Finalmente, procurou-se acentuar as repercussões políticas e ideológicas, manifestadas a partir do perfil socioeconômico encontrado para as mulheres negras.

2. Situação socioeconômica

2.1. Instrução

Apresentamos inicialmente os dados relativos à instrução, visto que essa variável se constitui como um dos fatores de mobilidade social.

A Tabela 1 mostra um quadro geral da situação de cada grupo étnico no processo educacional. As desigualdades educacionais existentes entre os grupos antecipam as desigualdades que serão percebidas em sua participação na estrutura ocupacional e na auferição de rendimento médio mensal.

As diferenças percebidas entre os grupos étnicos em nível de escolaridade em São Paulo indicam que cerca de 30% da população negra paulista é praticamente analfabeta, não ultrapassando a faixa de um ano de estudo, enquanto que, para brancos e amarelos, essa porcentagem decresce para 20% e 12,4%, respectivamente, na mesma condição.

Quando considerados os mesmos dados para o país, temos que quase 50% da população negra brasileira se encontra em estado de semianalfabetismo, contra 25% de brancos e 15,3% de amarelos em igual situação.

O grosso da população negra, seja em São Paulo, seja no Brasil, se concentra, em termos de instrução, na faixa de 0 a 4 anos de estudo, praticamente inexistindo nas faixas de escolaridade equivalente ao nível universitário.

Nos níveis médios de instrução, por volta de 18,5% dos negros em São Paulo e 13,6% no Brasil têm de 5 a 11 anos de estudo,

MULHER NEGRA

TABELA 1 Distribuição percentual dos grupos étnicos segundo anos de estudo (pessoas de 5 anos ou mais)

Fonte: IBGE, Censo 1980.
(*) preto + pardo
(**) inclusive os sem declaração
(Brasil + 260.122);
(São Paulo = 77.034)

Anos de estudo	Branco SP	Branco Brasil	Preto SP	Preto Brasil	Pardo SP	Pardo Brasil	Amarelo SP	Amarelo Brasil	Negro (*) SP	Negro (*) Brasil	Total (**) SP	Total (**) Brasil
sem instrução /1 ano	20	25	31	47,7	30	48	14,4	15,3	30,2	48	22,1	35
de 1 a 4	46	44,4	50,9	39,6	50,3	37,2	32,8	31,5	50,4	37,5	46,7	41,3
de 5 a 8	18,4	16,5	14,1	9,5	15,4	10,1	20,1	22,2	15,1	10	17,7	13,7
de 9 a 11	9,7	9,2	3,2	2,6	3,4	3,7	19,6	18,9	3,4	3,6	8,5	6,8
mais de 12	5,9	4,9	0,8	0,5	0,8	0,9	15	12,1	0,8	0,8	5	3,2
anos de estudo não determinados	0,06	0,05	0,02	0,02	0,02	0,03	0,1	0,04	0,02	0,03	0,05	0,04
sem declaração	-	-	-	-	-	-	-	-	-	-	-	-
Total (%)	100	100	100	100	100	100	100	100	100	100	100	100
Total (em mil)	16.449	56.583	1.032	6.185	3.995	38.693	439	698	5.028	44.879	21.994	102.421

comparados com 28% dos brancos em São Paulo e 25% no Brasil, e 39,7% dos amarelos em São Paulo e 41% no Brasil.

"Assim, em 1980, os brancos tinham 1,6 vezes mais chances que os pretos e pardos de completarem entre 9 e 11 anos de estudo e seis vezes mais chances de completarem 12 anos ou mais de estudo."[3]

Quanto ao desempenho superior da população de origem asiática em relação aos demais grupos raciais no processo educacional, Eduardo M. Suplicy indica que "[...] no Japão, especialmente a partir de 1870, com a Revolução Meiji, houve um esforço educacional que foi fundamental para arrancar aquele país do subdesenvolvimento. Era de se esperar, portanto, que os seus descendentes no Brasil se encontrassem em relativa vantagem com respeito à ponderável parcela da população à qual foram negadas por muito tempo as condição de acesso até mesmo à educação primária"[4].

2.1.1. Desigualdades entre mulheres na estrutura educacional

Tomando-se por referência os valores relativos encontrados para os diversos níveis de instrução por cor e sexo para o Estado de São Paulo (Tabela 2), percebe-se que as desigualdades entre os sexos, em termos de educação, mostram-se muito menores que as desigualdades raciais.

No grupo branco, as diferenças entre homens e mulheres variam de 0 a 3% contra as mulheres; no grupo negro, tal variação é de 0 a 5%; e entre os amarelos, de 2 a 5%.

No entanto, comparando-se apenas as mulheres ou homens segundo a cor, tais porcentagens aumentam de maneira significativa,

---

[3] HASENBALG, Carlos; VALLE SILVA, Nelson do. *Industrialização, Emprego e Estratificação Social no Brasil*, p.37.
[4] SUPLICY, Eduardo Matarazzo. "As Sequelas da Escravidão". In: *Folha de São Paulo*, 18/04/1982.

TABELA 2 Anos de estudo segundo sexo e cor - São Paulo (pessoas de 5 anos e mais)

	Homens				Mulheres			
	Branco	Preto	Pardo	Amarelo	Branca	Preta	Parda	Amarela
sem instrução ou menos de 1 ano	18,4	28,7	28,1	11	21,4	33,3	32	13,8
de 1 a 4	46,3	52,8	52	30,5	45,6	48,9	48,6	35,2
de 5 a 8	19	14,5	15,6	21	17,8	13,8	15,2	19,2
de 9 a 11	9,5	3,1	3,4	20,2	9,9	3,3	3,5	18,9
de 12 a 17 ou mais	6,7	0,8	0,9	17,1	5,2	0,7	0,8	12,7
anos de estudo não determinados	0,06	0,03	0,02	0,1	0,06	0,06	0,02	0,1
Total (%)	100	100	100	100	100	100	100	100
Total (em mil)	8.321	517	2.065	224	8.128	515	1.930	215

Fonte: IBGE. Censo Demográfico 1980.

ou seja, "as disparidades educacionais entre os sexos evoluem de uma maneira bastante diferente, havendo uma tendência clara no sentido das mulheres estarem se aproximando duma situação de igualdade educacional com os homens. Este processo está claramente relacionado à desigual distribuição de mulheres e negros na estrutura de classes e estratificação social e, possivelmente, a uma maior flexibilidade na redefinição no plano político e cultural, dos papéis sociais das mulheres".[5]

Observe-se na Tabela 2 que em torno de 32% das mulheres negras paulistas têm até um ano de estudo. Se tal quadro é alarmante por si só, torna-se catastrófico quando se nota que tal taxa eleva-se para quase 50% em termos de Brasil (Tabela 3).

Nota-se que, nesse nível de escolaridade, os dados relativos às mulheres brancas e amarelas de São Paulo sofrem um acréscimo para o conjunto do país de 3% a 4%, enquanto entre negras ele aumenta em 15%, significando que quase a metade das mulheres negras brasileiras são praticamente analfabetas.

---

5 HASENBALG, Carlos; VALLE SILVA, Nelson do. Op. cit., p.7.

TABELA 3 Distribuição percentual das mulheres por anos de estudo no Brasil (pessoas de 5 anos ou mais)

Anos de estudo	Brancas	Pretas	Pardas	Amarelas
Sem instruções ou até 1 ano	25,6	48,6	47,8	16,9
de 1 a 4	44,2	38,5	36,8	34,4
de 5 a 8	16,1	9,4	10,3	21,7
de 9 a 11	9,6	2,8	4	17,5
12 ou mais	4,2	0,4	0,8	8,5
Total (%)	100	100	100	100
Total (em mil)	28.988	3.076	19.203	335

Nos níveis superiores de educação (mais de 12 anos de estudo ou equivalente ao grau universitário), tanto para São Paulo como para o Brasil, as mulheres negras apresentam percentuais inferiores a 1%, enquanto 5,2% das mulheres brancas paulistas e 4,2% das mulheres brancas brasileiras encontram-se nesse nível de escolaridade. As amarelas comparecem com 12,7% em São Paulo e 8,5% no Brasil, no nível equivalente ao grau universitário.

Em síntese, quase 90% das mulheres negras brasileiras só chegam a atingir até 4 anos de instrução, comparando-se com 69,8% de mulheres brancas e 51% de amarelas.

Se os níveis de educação são indicadores do potencial de cada grupo racial quanto à alocação na estrutura ocupacional, os dados apresentados sobre a situação educacional da mulher negra permitem antever suas perspectivas no mercado de trabalho, bem como as condições materiais de existência a que se acha submetida.

2.2. Mercado de trabalho

Segundo a Tabela 4, a força de trabalho negra distribui-se fundamentalmente em três grupos ocupacionais: ocupações de agropecuária/extrativa vegetal e animal, indústria de transformação/construção civil e na prestação de serviços.

Tais ocupações concentram 66,1% da mão de obra negra em São Paulo e 70,6% no país.

Nessas mesmas atividades, estão concentrados 47% do grupo branco em São Paulo e 52,1% no Brasil. Os amarelos se representam nessas ocupações com apenas 28% em São Paulo e 32,4% no país.

Esses dados são suficientes para demonstrar o lugar do negro na estrutura ocupacional do país, ou seja, nas atividades reconhecidas como pior remuneradas e em conformidade com os baixos níveis de escolaridade vistos anteriormente, característicos das atividades manuais menos qualificadas.

Nas ocupações administrativas e técnicas/científicas/artísticas, acha-se alocada a mão de obra mais qualificada, com maior nível de instrução e, consequentemente, com maior rendimento médio mensal. Tais ocupações, que representam a elite da estrutura ocupacional brasileira, encontram-se quase totalmente monopolizadas pelos grupos brancos e amarelos.

Em ocupações administrativas, acham-se agregadas, tal como as define o IBGE, as categorias profissionais dos empregadores, diretores e chefes na administração pública; administradores e gerentes de empresa; chefes e encarregados de serviços administrativos de empresas e funções burocráticas ou de escritório.

Por ocupações técnicas, científicas, artísticas e assemelhadas, estão designadas as categorias de técnicos de nível superior ou profissionais liberais em geral.

Participam, nessas ocupações, 28% dos brancos em São Paulo e 24,7% no Brasil; os amarelos perfazem em São Paulo e no conjunto do país, respectivamente, 45% e 42%, enquanto os pretos aparecem apenas com 9% em São Paulo, decrescendo no Brasil para 6,5%, aparecendo os pardos com 10% nos dois casos.

TABELA 4 População economicamente ativa por cor segundo os grupos ocupacionais para São Paulo e Brasil

Ocupações	Branco		Preto		Pardo		Amarelo		Total		Negra(*)	
	SP	Brasil	SP	Brasil	SP	Brasil	SP	Brasil	SP	Brasil	SP	Brasil
Administrativa	19,5	16,1	6,2	4,1	8	6,4	30,1	28,4	16,8	11,8	7,6	6,1
Técnicas, científicas/Artísticas	8,4	8,6	2,8	2,4	2,4	3,6	14,9	13,9	7,1	6,4	2,5	3,4
Agropecuária/Extrativa Vegetal e Animal	10	21,9	12,9	30,3	10,9	37	9,6	14,6	10,3	28	11,3	36
Produção Extrativa Mineral	0,06	0,2	0,1	0,4	0,1	0,4	0,009	0,05	0,07	0,3	0,1	0,4
Indústria de Transformação e Construção Civil	25,5	19,9	32,3	23,1	35,3	20,2	13,6	12,8	27,5	20,2	34,6	20,7
Comércio e Atividades Auxiliares	9,4	8,7	3,8	3,9	5,9	6,3	18	16,4	8,6	7,5	5,4	5,9
Transporte e Comunicação	5,4	4,9	4,2	3,3	5,1	3,9	3,3	3,2	5,2	4,4	1,9	3,8
Prestação de Serviços	11,5	10,3	24,9	21,7	18,9	12,5	4,9	5	13,5	11,8	20,2	13,9
Defesa Nacional e Segurança Pública	1,3	1,5	1	1,4	1,2	1,4	0,3	0,4	1,2	1,4	1,2	1,4
Outras mal definidas ou não declaradas	7,3	5,8	9,9	6,9	10,3	5,6	4,1	3,9	8,1	5,8	10,2	5,8
Procurando trabalho	1,6	2	1,8	2,4	1,9	2,6	1,2	1,4	1,7	2,2	1,9	2,6
Total (%)	100	100	100	100	100	100	100	100	100	100	100	100
Total (em mil)	7.609	24.036	547	2.876	2.000	15.861	218	294	10.411	43.235	2.548	18.738

Fonte: IBGE. Censo 1980.
(*) preto + pardo

Note-se que os grupos branco e amarelo são observados nessas ocupações com participação percentual acima da importância populacional relativa dessas ocupações na estrutura ocupacional, o que indica para quem, dentro dos grupos étnicos, está destinado o monopólio das atividades de melhor "status" social e a quem se destinam os patamares inferiores na hierarquia ocupacional, pois "dos empregos ligados às ocupações técnicas emanam mais prestígio, mais renda, e maior probabilidade de mobilidade... os empregos ligados às ocupações não manuais de rotina também geram inúmeras oportunidades de mobilidade, embora seja certo esperar que seus incumbentes percorram menores distâncias na estrutura social. E os do terceiro grupo? De um lado, tais empregos são potencialmente mais limitados em termos de mobilidade estrutural. De outro, é preciso considerar que a mobilidade aqui vai depender muito do ponto de partida dos indivíduos. Migrantes da zona rural podem encontrar no baixo-terciário urbano uma oportunidade para ascensão social. Portanto, o baixo-terciário seria perverso para a mobilidade, para os indivíduos que estão na zona urbana, e facilitador de mobilidade para os que vêm da zona rural"[6].

Considerando, portanto, que a maioria da população negra brasileira se encontra alocada nas ocupações manuais, fundamentalmente na agropecuária e na prestação de serviços, as possibilidades de mudança estrutural em sua situação ocupacional são desalentadoras, tendo em vista as desvantagens iniciais do grupo negro em termos de nível de instrução, aliados aos mecanismos socialmente instituídos de discriminação racial que atuam constantemente no mercado de trabalho.

Vale lembrar que, em estudo elaborado com base em dados da PNAD de 1973, José Pastore demonstra que era "[...] alto o número de indivíduos bem colocados na estrutura social cujo nível de

---

6 PASTORE, José. *Desigualdade e Mobilidade Social no Brasil*, p.61.

escolarização formal é relativamente rudimentar. Por exemplo, cerca de 20% dos indivíduos que compunham o estrato alto de 1973 tinham apenas o curso primário, ou menos. Entre os membros do estrato médio superior, essa proporção chegava a cerca de 36%. Em outros termos, a associação entre desigualdade social e desigualdade educacional é alta, mas não é perfeita".[7]

A partir disso, pode-se inferir que as diferenças existentes entre negros e brancos, em termos de instrução, não são suficientes para explicar cabalmente suas diferenças em termos ocupacionais e de rendimento (que veremos a seguir). Elas também não se explicam a partir da taxa de atividade desses grupos, já que a participação relativa de negros na População Economicamente Ativa é superior à sua participação relativa no conjunto da população.

2.2.1. Desigualdade entre mulheres na estrutura ocupacional

A Tabela 5, a seguir, mostra a distribuição percentual das mulheres economicamente ativas na estrutura ocupacional por cor, para São Paulo e Brasil.

A comparação entre os dados referentes às mulheres negras, brancas e amarelas, revela o acesso diferenciado no mercado de trabalho segundo a cor, e o confinamento a que a mulher negra está destinada nos setores do baixo-terciário, a despeito de significativas mudanças ocorridas na estrutura ocupacional da PEA Feminina nos últimos 20 anos, tal como apontado por Carlos Hasenbalg e Valle Silva: "Quanto à inserção da mulher na estrutura ocupacional, apesar de ainda existir um grau elevado de segregação ocupacional vertical e horizontal, a crescente divisão técnica do trabalho, através da geração de novas posições ocupacionais, levou a uma melhor

---

[7] PASTORE, José. Op. cit., p.99.

MULHER NEGRA

TABELA 5 População feminina economicamente ativa pna estrutura ocupacional segundo a cor

Ocupações	Brancas		Pretas		Pardas		Amarelas		Total	
	SP	Brasil	SP	Brasil	SP	Brasil	SP	Brasil	SP	Brasil
Administrativa	23,5	19,6	5	3,9	9,1	8,2	36	34	19,9	14,6
Técnicas, científicas/Artísticas	13,4	16,8	4,6	4,9	4,1	9,3	17,2	17,6	11,1	13,4
Agropecuária/Extrativa Vegetal e Animal	5,2	9,6	8,2	15,3	6,9	19,6	5,2	6,9	5,7	13,3
Produção Extrativa Mineral	0,004	0,007	-	0,03	0,004	0,04	-	-	0,0004	0,002
Indústria de Transformação e Construção Civil	16,4	13,2	14,8	9,5	20,4	12,7	11	10,4	16,9	12,7
Comércio e Atividades Auxiliares	8,8	8,8	2,9	3,5	5,7	6,8	15,7	15,2	8	7,8
Transporte e Comunicação	1,1	1	0,5	0,4	0,7	0,6	0,5	0,5	1	0,8
Prestação de Serviços	24,4	24,2	56,3	56,4	45	35,7	8,8	9,8	30,1	30,4
Defesa Nacional e Segurança Pública	0,09	0,06	0,06	0,03	0,05	0,04	0,08	0,08	0,08	0,05
Mal definidas ou não declaradas	5	4,1	4,7	3,3	5,9	3,7	3,9	3,7	5,2	3,9
Procurando trabalho	2,1	2,6	1,8	2,5	2,2	3,4	1,4	1,8	2	2,8
Total (%)	100	100	100	100	100	100	100	100	100	100
Total (em mil)	2.280	6.824	199	897	608	3.988	68	86	3.166	11.842

Fonte: IBGE. Censo 1980.

distribuição da força de trabalho feminina na estrutura ocupacional e a uma diminuição da concentração de mulheres em grupos específicos de ocupação. Basta assinalar aqui algumas tendências nesse sentido. A participação relativa da PEA Feminina nas ocupações administrativas aumenta de 8,2% em 1960 para 15,4% em 1980. Cabe destacar que esse aumento, tanto em termos relativos como absolutos, ocorre principalmente em posições subordinadas, isto é, nas funções burocráticas e de escritório. Dentro das ocupações técnicas e científicas, diminui em 10%, dentro do período considerado, a proporção de mulheres em duas ocupações sexualmente tipificadas, a saber, professoras de primeiro e segundo grau e enfermeiras. Em contrapartida, o número de mulheres em profissão de prestígio mais elevado (engenheiras, arquitetas, médicas, dentistas, economistas, professoras universitárias e advogadas) aumenta... Da mesma forma, diminui a proporção de mulheres ocupadas na indústria têxtil e do vestuário entre aquelas ocupadas na indústria e a proporção de empregadas domésticas entre as mulheres ocupadas na prestação de serviços".[8]

A extensa citação nos permite ter o quadro evolutivo da situação da mulher brasileira em geral na estrutura ocupacional do país nos últimos 20 anos.

No entanto, pela Tabela 5, é possível inferir que a redistribuição das mulheres na estrutura ocupacional se deu de forma desigual entre os diferentes grupos étnicos.

Em 1960, 30,1% da PEA Feminina exercia atividades ligadas à agropecuária, extração vegetal, pesca e 36,3% à prestação de serviços. Em 1980, tais porcentagens caem para 14,8% e 33,8%, respectivamente.

Na mesma tabela, podemos verificar que, em 1980, a participação das mulheres nessas duas ocupações é significativamente

---

[8] HASENBALG, Carlos; VALLE SILVA, Nelson do. Op. cit., pp.39, 40.

desigual se compararmos mulheres brancas com pretas e pardas. Um total de 9,6% das mulheres brancas permanecem na agropecuária, comparado com 15,3% das pretas e 19,6% das pardas. Na prestação de serviços, encontram-se 24,2% das brancas, comparado com 56,4% (sic) das pretas e 35,7% das pardas.

Podemos deduzir, a partir desses dados, que a mobilidade das mulheres pretas e pardas se deu basicamente do setor primário para o baixo-terciário, como reflexo do processo de urbanização. A mobilidade vertical experimentada pela mulher brasileira, em geral, terá sido um processo vivido fundamentalmente pelas mulheres brancas.

Temos ainda que, em São Paulo, 84% das mulheres pretas e 78,2% das pardas se distribuem entre as atividades da prestação de serviços, da agropecuária, da indústria de transformação e construção civil ou em ocupações mal definidas ou não declaradas. Para o país como um todo, essas mesmas porcentagens são da mesma ordem para as pretas e caem para 72% para as pardas.

A presença das mulheres brancas no Brasil, no total desses grupos ocupacionais, é de 51%, e das amarelas fica em torno de 30%.

Considere-se ainda que as mulheres desses dois últimos grupos étnicos aparecem expressivamente representadas nos setores nobres da estrutura ocupacional (ocupações administrativas e técnicas/científicas e artísticas), concentrando 36,9% de mulheres brancas em São Paulo e 36,4% no Brasil.

Dentre as mulheres amarelas, a porcentagem é de 53,2% em São Paulo e 51,6% no Brasil.

A participação das mulheres negras nesses dois grupos ocupacionais é de 10,6% em São Paulo, caindo para 8,8% no Brasil, ficando as pardas com 13,2% e 17,5% em São Paulo e no Brasil, respectivamente.

2.3. Rendimento

A primeira constatação que decorre da análise dos dados referentes aos níveis de rendimento médio mensal, percebidos pelo grosso da População Economicamente Ativa brasileira, é que constituímos, antes de tudo, uma população superexplorada, visto que 82% da mão de obra empregada do país não ultrapassava, em 1980, a faixa de 5 salários mínimos.

No entanto, tal estado de pobreza não se distribui, como era de se esperar, em decorrência dos dados apresentados anteriormente, uniforme e igualitariamente entre os grupos raciais.

A Tabela 6 nos permite observar os efeitos concretos da desigualdade racial nas possibilidades de auferição de renda dos diversos grupos raciais, evidenciando, portanto, os níveis diferenciados de exploração presentes na sociedade brasileira, bem como a que grupos raciais cabe o maior ônus de uma distribuição injusta de renda.

Cabe a nós, negros, evidentemente, a maior participação na faixa inferior de rendimento (até 1 salário mínimo).

Um total de 44,8% dos negros brasileiros ganhavam, em 1980, até um salário mínimo, comparado com 24,6% dos brancos e 9,5% dos amarelos. Cerca de 92% em São Paulo e 87% no Brasil da força de trabalho negra não ultrapassa a barreira dos 5 salários mínimos, sendo que, para o Brasil, mais 9,4% de negros correspondem a pessoas que trabalham e não ganham, ou que não declaram rendimento, ou estavam na época procurando trabalho.

Para o grupo branco, na mesma faixa de rendimento, as porcentagens decrescem sensivelmente, ficando, em geral, em torno de 78%, enquanto os amarelos comparecem com 55% em São Paulo e 58% no Brasil.

Consequentemente, na faixa acima de 5 salários mínimos, somente os brancos e amarelos têm participação percentual expressiva, ficando o grupo negro com menos de 5% de participação no

TABELA 6 Distribuição percentual dos grupos raciais segundo rendimento médio mensal para São Paulo e Brasil - PEA

(*) preto + pardo
Fonte: IBGE. Censo de 1980.

	Branco		Amarelo		Preto		Pardo		Negro (*)		Total	
	SP	Brasil	SP	Brasil	SP	Brasil	SP	Brasil	SP	Brasil	SP	Brasil
até 1 S.M	15,3	24,6	5,2	9,5	26,5	47,1	21,4	44,4	22,6	44,8	16,8	33,2
de 1 a 5 S.M.	62,9	54	49,7	48,1	67	44,2	69,9	42	69,3	42,3	64,4	48,7
mais de 5 S.M.	18	13,8	38,1	34,6	3,5	2	5,1	3,7	4,7	3,4	15,2	9,4
sem rendimento/ sem declaração/ procurando emprego	3,6	7,6	7	7,8	2,9	6,7	3,5	9,9	3,4	9,4	3,4	9,4
Total (%)	100	100	100	100	100	100	100	100	100	100	100	100
Total (em mil)	7.609	24.036	218	294	547	2.876	2.000	15.861	2.548	18.738	10.411	43.235

total do país; enquanto em São Paulo, os brancos aparecem nessa faixa com 18% e com 13,8% no Brasil, e os amarelos com 38% e 34,6%, respectivamente.

2.3.1. Desigualdades entre mulheres quanto ao rendimento médio mensal

Os dados gerais relativos ao rendimento médio mensal percebido pelas mulheres economicamente ativas são apresentados na Tabela 7. Aqui também, como era de se esperar, persistem as desvantagens de mulheres negras e pardas em relação às demais.

Se na primeira faixa de renda, até 1/4 de salário mínimo, para São Paulo, os percentuais entre as mulheres mostram pequenas diferenças, quando observados os dados para o Brasil, a diferença torna-se brutal: perto de 15% das mulheres negras brasileiras ganham até 1/4 de salário mínimo, enquanto apenas 5,6% das mulheres brancas brasileiras e 1,5% das amarelas se encontram em tal condição.

TABELA 7 PEA Feminina segundo cor e rendimento médio mensal para São Paulo e Brasil

Rendimento	Branca		Preta		Parda		Amarela	
	SP	Brasil	SP	Brasil	SP	Brasil	SP	Brasil
até 1/4	2,2	5,6	3,2	13,7	3,1	14,8	0,3	1,5
de 1/4 a 1/2	6,1	9,1	10	19,1	8,8	17,4	1,3	2,6
de 1/2 a 1	18	20,1	30	29,9	27	26	6,6	8,6
de 1 a 2	35,2	29,4	42	23,9	44	21,3	21,4	21,7
de 2 a 5	25,2	19,4	11	5,5	12	7,3	38,8	35,4
de 5 a 40	6,7	5,4	0,8	0,5	1,1	1,2	15,5	14
de 10 a 20	1,7	1,5	0,09	0,07	0,1	0,2	4,1	3,7
mais de 20	0,3	0,3	0	0,007	0,03	0,04	0,9	0,8
Sem rendimento	2,1	6,2	0,9	3,9	1,5	7,5	9,1	9,5
Sem declaração	0,2	0,4	0,3	0,7	0,3	0,6	0,4	0,4
Procurando trabalho	2,1	-	1,8	-	2,1	-	1,4	
Total (%)	100	100	100	100	100	100	100	100
Total (em mil)	2.280	6.824	199	897	608	3.988	68	86

Fonte: IBGE. Censo de 1980.

Temos ainda que 26,3% das mulheres brancas paulistas ganham até 1 salário mínimo, subindo esse percentual para 34,8% em termos de Brasil.

Entre as negras, 43,2% em São Paulo ganham até um salário mínimo e 62,7% das pretas brasileiras estão nessa faixa de rendimento. Os pardos participam nessa faixa (de 1/4 a 1 salário mínimo), em São Paulo, com 38,9% de sua força de trabalho e, no Brasil, perfazem 58,2%.

Em termos gerais, dois salários mínimos representam o máximo de rendimento médio mensal que a maioria das mulheres negras consegue obter no mercado de trabalho, já que, até essa faixa de rendimento, se encontram 85,2% das pretas e 83% das pardas em São Paulo, mantendo-se percentuais semelhantes para o resto do país.

Nas faixas superiores, os números absolutos são mais expressivos que as porcentagens. Em São Paulo, apenas 7 mulheres pretas e 195 pardas ganham acima de 20 salários mínimos. Para o Brasil, esses dados aumentam para 64 pretas e 1.693 pardas, numa população economicamente ativa de cerca de 900 mil e 4 milhões de mulheres, respectivamente.

2.3.2. Desigualdades entre mulheres quanto ao rendimento dentro do mesmo grupo ocupacional

Apresentamos, até aqui, desvantagens socioeconômicas sofridas pelo grupo negro em geral e a mulher negra em particular.

Constatamos que tais desigualdades estão presentes no acesso diferenciado ao processo educacional; na alocação na estrutura ocupacional e na obtenção de rendimentos.

Poder-se-ia supor que as diferenças de nível de instrução do grupo negro, em relação aos demais, teriam como consequência natural a dificuldade de participação nas melhores fatias do mercado de trabalho, o que relativizaria o peso da discriminação racial nesse processo.

Por isso, parece-nos importante agora averiguar qual a situação da mulher negra em termos de rendimento médio mensal percebido dentro dos grupos ocupacionais.

A análise das desvantagens sofridas pelas mulheres negras nas ocupações superiores que exigiram maior escolaridade, especialização etc., tais como as ocupações administrativas e técnicas/científicas/artísticas, se ressentiriam possivelmente das restrições colocadas acima. Assim, tomaremos como referência para a percepção de desigualdades raciais presentes no interior dos grupos ocupacionais a Prestação de Serviços caracterizada por ser um setor ocupacional concentrador de mão de obra de baixa qualificação profissional, baixos níveis de instrução e rendimento, sendo definido pelo IBGE que tal grupo ocupacional agrega as categorias profissionais dos proprietários nos serviços; ocupações domésticas remuneradas; ocupações dos serviços de alojamento e alimentação; ocupações dos serviços de higiene pessoal, atletas profissionais e funções afins; porteiros, ascensoristas, vigias e serventes.

A mulher negra participa, nessa ocupação, com 47,8% de sua mão de obra em São Paulo e 53,5% no Brasil, enquanto as mulheres brancas comparecem com 24,8% nos dois casos. Evidentemente, grande parte dessa mão de obra está alocada no emprego doméstico.

Na Tabela 8, são mostrados os rendimentos médios mensais percebidos pelas mulheres nessa categoria. O primeiro dado chocante é o número de mulheres brasileiras que recebem até 1/4 de salário mínimo: 18,1%. A porcentagem de mulheres negras nessa faixa ultrapassa em 7% à das mulheres brancas.

Nas faixas entre 1/4 e 1 salário mínimo, a participação das mulheres é percentualmente semelhante. O próximo corte significativo ocorre na faixa de 1 a 2 salários mínimos, onde decresce a presença percentual das mulheres negras em relação às brancas, representando estas 23,8%, e as negras 18,4%. Para essa ocupação, essa faixa de rendimento representa níveis superiores de

TABELA 8 Distribuição Percentual das Mulheres na Prestação de Serviços para São Paulo e Brasil

(*) pretas + pardas
(**) inclusive amarelas e s/ declaração
Fonte: IBGE. Censo de 1980

	Brancas		Pretas		Pardas		Negras(*)		Total (**)	
	SP	Brasil	SP	Brasil	SP	Brasil	SP	Brasil	SP	Brasil
até 1/4	6,8	14,5	4,7	17,7	5,7	22,5	5.4	21,2	6,2	18,1
até 1/4 a 1/2	16,9	22,3	14,7	23,1	15,1	24,2	15.0	24	16	23,1
de 1/2 a 1	34,7	33,5	37,9	34,6	37,8	31,7	37.8	32,5	35,8	32,9
de 1 a 2	33,9	23,8	37,1	20,9	36,5	17,5	36.7	18,4	35	20,9
de 2 a 5	6	3,4	4,7	1,9	4	1,7	4.2	1,9	5,5	2,7
de 5 a 10	0,5	0,4	0,07	0,005	0,1	0,1	0,1	0,09	0,4	0,2
de 10 a 20	0,1	0,08	0,03	0,01	0,03	0,02	0,03	0,01	0,08	0,05
mais de 20	0,01	0,01	-	0	0,004	0	0,003	0,003	0,009	0,006
Sem rendimento	0,8	1,1	0,4	0,8	0,5	1	0,5	0,9	0,7	1
Sem declaração	0,2	0,7	0,2	1	0,2	1,2	0,2	1,1	0,3	0,9
Total (%)	100	100	100	100	100	100	100	100	100	100
Total (em mil)	557	1.652	112	505	274	1.423	386	1.929	952	3.605

rendimento passíveis de serem percebidos pelas mulheres em geral, e que se constitui praticamente na barreira a nível de rendimento, para as mulheres negras, pois na faixa posterior, de 2 a 5 salários mínimos, participamos em menos de 2%, contra 3,6% das mulheres brancas.

Portanto, a partir dessa atividade, podemos concluir definitivamente que a cor funciona, em relação às mulheres negras, como fator não somente de expulsão da população feminina negra para as piores atividades do mercado de trabalho, como também determina os mais baixos rendimentos, mesmo nessas funções subalternas, o que ocorre de maneira sistemática no interior das demais ocupações.

Dessa forma, mesmo naqueles grupos ocupacionais tradicionalmente tidos como o lugar natural do negro, como a prestação de serviços ou a agropecuária/vegetal e animal, as desvantagens sociais persistem agudizando as más condições de existência de pretos e pardos no país.

Não nos foi possível recolher a informação quanto ao peso do emprego doméstico nessa ocupação. É corrente, no entanto, que especialmente as mulheres nele alocadas são majoritariamente empregadas domésticas. Admitindo-se tal hipótese, poderíamos inferir que desigualdades raciais continuam determinando rendimentos inferiores de mulheres negras, mesmo nessa categoria profissional.

A forte presença das mulheres negras na prestação de serviços ratifica que, tal como no passado pós-abolicionista, essa continua sendo, para as mulheres negras, a principal modalidade de atividades econômicas a que têm acesso, apesar de estarmos próximos dos cem anos da Abolição da Escravatura e, no entanto, nem a "tradição" nem o "know how" que, historicamente, vimos acumulando em tais funções são suficientes para que ao menos nessas ocupações as mulheres negras percebam rendimentos semelhantes aos das mulheres brancas.

Ao contrário, participamos majoritariamente nesse grupo ocupacional e dentro dele ganhamos proporcionalmente menos e somos mais desprotegidas em termos de garantias sociais, pois, segundo os dados da PNAD de 1976, "o rendimento médio mensal encontrado para as mulheres negras que estavam na categoria dos empregados na prestação de serviços era cerca de Cr$ 476,20. Esse rendimento equivalia a cerca de 79,5% do que ganhavam as brancas, Cr$ 598,00". E, ainda, "na prestação de serviços, apenas 22,4% das mulheres negras têm Carteiras de Trabalho, sendo de 30,9% a proporção encontrada para as brancas"[9].

Na Tabela a seguir (Tabela 9), é mostrada a distribuição percentual das mulheres negras e brancas trabalhadoras em ocupações da agropecuária e extrativa vegetal e animal. Observe-se que, nas faixas de rendimento inferiores (até 1/2 salário mínimo), as mulheres negras aparecem representadas em mais que o

TABELA 9 Mulheres economicamente ativas alocadas na agropecuária extrativa vegetal e animal para o Brasil

Salário Mínimo	Brancas	Negras
até 1/4	6,2	14,5
até 1/4 a 1/2	13,1	26,4
de 1/2 a 1	18	20,9
de 1 a 2	7,9	5
de 2 a 5	1,5	0,6
de 5 a 10	0,2	0,05
de 10 a 20	0,09	0,01
mais de 20	0,04	-
Sem rendimento	52,6	32,1
Sem declaração	0,2	0,3
Total (%)	100	100
Total (em mil)	652	917

Fonte: IBGE. Censo Demográfico de 1980.

---

9 OLIVEIRA, Lúcia Elena G. *Algumas questões sobre o trabalho da mulher negra*, mimeo, p.16.

dobro que as mulheres brancas, sendo que enquanto 19,3% dessas ganham até 1/2 salário mínimo. Tal porcentagem para as mulheres negras sobe para 40,9% nessa mesma faixa de rendimento. Acrescente-se que 58,4% da mão de obra feminina alocada nesse grupo ocupacional é negra e, embora maioria, percebe rendimentos desproporcionalmente inferiores dentro de um grupo ocupacional caracterizado pela atividade manual e pelo baixo grau de instrução.

A mulher branca percebe vantagens em todas as faixas de rendimento e, em sua maioria, aparece sem rendimento, o que pode ser indicador ou reflexo do acesso privilegiado do grupo branco à terra.

3. Consequências políticas/ideológicas

No esforço de configuração de um movimento de mulheres negras, está refletido o sentido e a complexidade da problemática da mulher negra na sociedade brasileira.

Ao situar-se na intersecção do Movimento Negro e do Movimento Feminista, exprime a identidade com a problemática decorrente do racismo e discriminação racial e, ainda, com as questões gerais colocadas pelo sexismo.

Porém, tais identidades não se mostram suficientes, tanto para a erradicação do machismo na população negra como para a supressão do racismo enquanto ideologia introjetada na população branca em geral, e feminina em particular.

Disso, tem resultado o surgimento de departamentos femininos nas diversas entidades negras, ou a emergência de entidades femininas negras em diversos estados do país em função da dificuldade, tanto do Movimento Negro quanto do Movimento Feminista, em absorver, de maneira efetiva, a problemática específica da mulher negra.

3.1. Desigualdades inter-raciais

Os dados estatísticos apresentados anteriormente permitiriam visualizar que os negros, em geral, têm acesso limitado ao mercado de trabalho e à mobilidade social por causa ou em função de formas de discriminação racial presentes em nossa sociedade. Contudo, o homem negro, a despeito do racismo e da discriminação racial, ao ser comparado à mulher negra, apresenta vantagens relativas que só podem ser atribuídas à sua condição sexual, isto é, a partir da análise de alguns indicadores sociais, evidencia-se que nascer homem negro, em termos de oportunidades sociais, é menos desastroso do que nascer mulher negra. O caráter da desigualdade baseada na diferenciação de sexo se acentua quando se considera que as diferenças existentes entre homens e mulheres negras, em termos de instrução (vide Tabela 2), são irrelevantes para justificar as diferenças presentes entre ambos quanto à auferição de renda.

Oliveira, Porcaro e Araújo Costa, no estudo "Repensando o lugar da mulher negra", apresentam o quadro, a seguir, de diferenciais de rendimento encontrados entre homens e mulheres negras nos diversos grupos ocupacionais.

Em todos eles, a mulher negra encontra-se em situação de inferioridade, percebendo, em termos de rendimento médio mensal, entre 29,5% a 72,0% do que ganha o homem negro.

Em São Paulo, como mostra a Tabela 10, tais disparidades entre homens e mulheres negras são mais evidentes em duas faixas de rendimento: mais de 1/2 a 1 salário mínimo e mais de 2 a 5. Na primeira, as mulheres negras aparecem em mais que o dobro dos homens negros. Na segunda, a situação se inverte (já que a maioria das negras fica nas faixas anteriores), correspondendo a um terço dos homens negros.

Considerando que 5 salários mínimos representam, seja em São Paulo, seja no Brasil, o limite que a população negra chega a ganhar, os efeitos do sexismo se evidenciam, visto que ganham de 2 a 5 salários mínimos 33,4% dos homens pretos e 37,2% dos pardos, contra 11% das mulheres pretas e 12,0% das pardas. Na faixa superior (de 5 a 10 salários mínimos), as mulheres negras começam a desaparecer, enquanto os homens pretos e pardos comparecem respectivamente com 4,1% e 5,6%.

Categorias socio-ocupacionais	Diferenças de rendimento mulheres negras/ homens negros
Total	57,5
1. Ocupações de nível superior, empresários e administradores	65,8
2. Ocupações de nível médio e pessoal de escritório	61,4
3. Empregados em ocupações em agropecuária vegetal	68,4
4. Trabalhadores autônomos e não remunerados em ocupações de agropecuária e extrativa vegetal	29,5
Trabalhadores autônomos em ocupações da agropecuária e extrativa vegetal	46
5. Empregados em ocupações da indústria de transformação e extrativa mineral	56,4
6. Empregados em ocupações da construção civil	65,8
7. Empregados em ocupações de comércio	72
8. Empregados em ocupações de transportes	63,5
9. Empregados em ocupações de prestação de serviços	52,7
10. Trabalhadores autônomos e não remunerados em ocupações da indústria e do comércio das prestações de serviços e dos transportes	34,2
Trabalhadores autônomos em ocupações da indústria, comércio, prestação de serviços e transportes	35,6
Trabalhadores autônomos em ocupações da prestação de serviços	56,8
11. Outros	53,8

Fonte: Resultados Preliminares do Censo Demográfico de 1980. DEISO/IBGE.

Em relação ao Brasil, essas diferenças assumem proporções brutais, havendo 10% a mais de mulheres que homens negros ganhando até 1/4 de salário mínimo, mantendo tal porcentagem na faixa posterior (de 1/4 a 1/2). Na faixa de 2 a 5 salários mínimos, a diferença, embora alta, diminui significativamente em relação a São Paulo, já que, para o restante do país, há um empobrecimento maior ainda do homem negro. Note-se que ele aparece, no Brasil, em 2,2% de pretos e 3,2% de pardos na faixa de 5 a 10 salários mínimos, enquanto em São Paulo, essas porcentagens sobem para 4,1% e 5,6%, respectivamente.

Em síntese, as mulheres e homens negros em São Paulo aparecem melhor distribuídos em relação ao Brasil nas faixas de rendimento, expressando as "vantagens" relativas oferecidas por São Paulo, dada sua importância econômica, grau de urbanização e desenvolvimento em relação ao restante do país.

No entanto, é ainda em São Paulo que as diferenças entre homens e mulheres negras são mais acentuadas em termos de auferição de renda, fazendo supor que as melhores chances de trabalho encontradas em São Paulo vêm acompanhadas da exacerbação dos efeitos tanto do racismo quanto do sexismo, considerando que tanto a competição entre homens e mulheres se acirra no mercado de trabalho quanto a competição entre os grupos raciais, já que no resto do país o confinamento dos dois grupos aos seus lugares "naturais" é maior.

Portanto, a lógica racista e machista presente no mercado de trabalho determina que, assim como o racismo estabelece vantagens sociais para o grupo branco em geral, a ideologia machista, de maneira similar, garante vantagens aos homens em geral, beneficiando indiretamente segmentos masculinos dos grupos estigmatizados racialmente.

Entre os negros, esse mecanismo determina que as diferenças entre homens e mulheres quanto à obtenção de renda sejam mais significativas que entre os demais grupos raciais, fazendo

TABELA 10 Salário Mínimo

Cor	Sexo	Localidade	Até 1/4	De 1/4 a 1/2	De 1/2 a 1	De 1 a 2	De 2 a 5	De 5 a 10	De 10 a 20	Mais de 20	Outros	TOTAL
Brancos	Homens	SP.	0,6	1,7	8,2	27,5	36,5	13,2	6	2,7	3,8	100
		Brasil	1,5	4,2	15	28	28	9,5	4,7	2,1	6,9	100
	Mulheres	SP.	2,2	6,1	18	35,2	25,2	6,7	1,7	0,3	4,4	100
		Brasil	5,6	9	20,1	29,4	19,4	5,4	1,5	0,3	9,2	100
Pretos	Homens	SP.	0,9	2,6	13,5	41,7	33,4	4,1	0,6	0,1	3	100
		Brasil	3,1	8,7	28,2	33,3	17,5	2,2	0,4	0,08	6,4	100
	Mulheres	SP.	3,2	10	30	41,8	11	0,8	0,09	0,003	3	100
		Brasil	13,7	19,1	29,9	23,9	5,5	0,5	0,08	0,007	7,2	100
Pardos	Homens	SP.	0,7	2,1	11	38,8	37,2	5,6	0,9	0,2	3,4	100
		Brasil	3,4	9,4	26,9	28,7	17,3	3,2	0,9	0,3	9,4	100
	Mulheres	SP.	3,1	8,8	27	44,1	12	1,1	1,1	0,03	3,9	100
		Brasil	14,8	17,4	26	21,3	7,3	1,2	0,2	0,04	11,6	100
Amarelos	Homens	SP.	0,2	0,6	3,1	11,8	33,1	23,3	15,7	7,1	5,1	100
		Brasil	0,6	1,7	5,7	13,5	30,8	20,6	14	6,8	6,1	100
	Mulheres	SP.	0,3	1,3	6,6	21,4	38,8	15,5	4,1	0,9	10,9	100
		Brasil	1,5	2,6	8,6	21,7	35,4	14	3,7	0,8	11,7	100

Fonte: IBGE. Censo de 1980.

supor que um dos efeitos da conjugação de racismo e sexismo está no alargamento da distância entre homens e mulheres desse grupo racial, as mulheres negras a níveis maiores de dependência, malgrado a importância de sua participação nas estratégias de sobrevivência do grupo negro.

Note-se que tais dispositivos determinam que, nas faixas de rendimento consideradas anteriormente, o homem negro apareça mais próximo dos percentuais encontrados para as mulheres brancas, ou seja, o homem negro apresenta diferenças percentuais menores em relação à mulher branca que em relação à negra.

Essas desigualdades no interior do mesmo grupo racial resultam em contradições políticas e ideológicas, das quais as palavras de um militante negro são ilustrativas:

"[...] o branco possibilita a um negro paulatinamente galgar espaços e quando ele galgou esse espaço, ele faz aquilo que é uma coisa terrível: ele corta a melhor cabeça que a comunidade negra produziu e o coopta para dentro de si, seja ele engenheiro, professor, o que for, ele passa a colaborar... ele teve espaço cultural, ele tem acesso a lazer e ao bem-estar. Aí ele olha para si e fala 'eu estou sozinho aqui, não existem mais mulheres negras para mim...' Na verdade, é uma ideologia ao mesmo tempo racista, ao mesmo tempo fundada na suposta desigualdade entre os indivíduos de que eu não posso ir a São Mateus para conversar com uma negra porque ela não vai entender nada dos filósofos que eu li. Ou seja, esse processo é aquilo que a gente chama de acefalização da comunidade negra, ou seja, o corte das melhores cabeças que existem no Movimento Negro para que elas fiquem dentro do universo branco e perdidas em relação ao Movimento Negro. Isso é uma violência terrível"[10].

Portanto e paradoxalmente, as vantagens percebidas socialmente pelo homem negro frente à mulher negra introduzem,

---

10 MARIA, Vanderlei José. Depoimento prestado no "Encontro Estadual de Mulheres Negras". São Paulo, agosto de 1984.

em alguns dentre os considerados "melhores sucedidos" da população negra, o viés da cooptação e da alienação em relação à comunidade negra.

Essas questões têm sensibilizado de maneira especial as mulheres negras, no tocante ao fato dessa alienação vir resultando na preferência manifesta desse tipo de homem negro por mulheres brancas, como consequência desse processo de alienação e colonização nos valores estéticos brancos.

A expressividade de tal comportamento pode ser mensurada pelas taxas de casamentos interétnicos encontrados por Oliveira, Porcaro e Araújo Costa ao indicarem que "a tendência de homogamia racial também se aplica aos negros mas de forma menos nítida, isto é, verificamos que na medida em que aumenta o nível de rendimento dos chefes negros (pretos e pardos) e o nível educacional, há uma proporção expressiva desses que se casam com mulheres brancas – cerca de 36,9% dos chefes negros que têm entre oito e dez anos de estudo e 43,2% dos que têm onze anos e mais. É interessante mostrar que dos chefes brancos em igual situação, apenas 8,7% e 4,8%, respectivamente, casam com mulheres negras".[11]

A demonstração da desigualdade de oportunidades existentes entre homens e mulheres negras não deve conduzir a que se pense que estejamos relativizando o peso da discriminação racial sobre o homem negro. Os dados já apresentados são suficientes para demonstrar que os homens negros em geral e o designado preto em particular encontram-se em situação de marginalização superior às mulheres brancas e amarelas.

De igual maneira, não cabe ainda a suposição de que uma perspectiva feminista para o movimento de mulheres negras passe pela oposição ou distanciamento do homem negro. A propósito, vale recordar Lélia Gonzalez quando, avaliando a

---

11 OLIVEIRA, PORCARO e ARAÚJO COSTA. *O lugar do negro na força do trabalho*, p. 100.

importância da participação da mulher negra nos movimentos negros, enfatiza que "a presença da mulher negra tem sido de fundamental importância, uma vez que, compreendendo que o combate ao racismo é prioritário, ela não se dispersa num tipo de feminismo que afastaria de seus irmãos e companheiros".[12]

Portanto, o que se coloca aqui é a necessidade de destacar os efeitos perversos que a ideologia machista tem para a luta empreendida pelo grupo negro em geral, na medida em que, objetivamente, tanto quanto o racismo, o sexismo atua como componente intrínseco da subalternidade de expressivo contingente da população negra, as mulheres negras. Decorrem daí as desigualdades existentes entre homens e mulheres negras, gerando, entre outras condições, a fragmentação da identidade racial.

Acrescente-se ainda que esse conjunto de desvantagens sofridas pelas mulheres negras tem retardado o surgimento de quadros femininos negros atuantes politicamente na escala e proporção que a luta do negro exige, o que resulta em fator de enfraquecimento do Movimento Negro como um todo. Esse será tão mais expressivo e contundente quando puder contar politicamente com toda a coragem e combatividade que a mulher negra vem demonstrando historicamente no cotidiano da gente negra.

Desse ponto de vista, o combate à ideologia machista diz respeito a homens e mulheres negras em geral, pois a opressão que tal ideologia promove sobre as mulheres em geral, entre nós negros, tem significado especial.

Assim como o define o poeta negro Arnaldo Xavier, "o machismo é, por excelência, o espaço de solidariedade existente entre homens negros e brancos" e o resultado principal de tal "solidariedade" é a ampliação dos níveis de exploração sobre a mulher negra, pois o homem negro só se beneficia concretamente dela diante da mulher negra, já que quando está em questão a disputa pelas

---

12 GONZALEZ, Lélia. Op. cit.

melhores oportunidades do mercado de trabalho, os mais altos dividendos gerados socialmente, a coisa se torna "briga de brancos e/ou asiáticos", onde negro não entra, seja homem ou mulher.

Os dados apresentados revelam a impotência do homem negro diante dos mecanismos de discriminação racial para superar, por exemplo, a barreira dos 5 salários mínimos.

No Brasil, nas faixas superiores de rendimento, percebem mais de 10 a 20 salários mínimos dentre os homens economicamente ativos, 14% dos amarelos, 4,7% dos brancos, 0,9% dos pardos e 0,4% dos pretos e ainda 1,5% das mulheres brancas.

Percebendo mais de 20 salários mínimos, acham-se 0,08% dos homens pretos, 0,3% dos pardos, 0,3% de mulheres brancas, 2,1% de brancos e 6,8% dos amarelos.

3.2. A mulher negra e o movimento feminista

Tal como se pode apontar, a fragilidade da identidade racial para subtrair a ideologia machista no interior da população masculina negra, assim como a identidade feminina, não é elemento suficiente, como vimos anteriormente a partir da análise de alguns indicadores socioeconômicos, para oferecer às mulheres em geral um perfil semelhante quanto a desigualdades sofridas socialmente, visto que são evidentes as vantagens significativas percebidas especialmente pelas mulheres brancas (dada sua importância numérica, ao contrário das amarelas) quanto ao acesso à educação, à estrutura ocupacional e à obtenção de renda. Supõe-se a partir daí que elas tenham sido as principais beneficiárias da diversificação de posições ocupacionais ocorridas no país nas duas últimas décadas pelo incremento da divisão técnica do trabalho e o consequente expressivo aumento da PEA Feminina no período, em especial da década de 1970.

"Em definitivo, as mulheres não só tendem a conseguir uma melhor distribuição na estrutura ocupacional, como também abandonam os setores de atividades que absorvem a força de trabalho menos qualificada e pior remunerada, para ingressar em proporções crescentes na indústria e nos serviços modernos. As tendências observadas permitem sugerir, de maneira provisória, a possibilidade de uma diferenciação dos mercados de trabalho para as mulheres: enquanto as mulheres oriundas das classes populares, com baixos níveis de escolaridade, tendem a concentrar-se na prestação de serviços e nos empregos ligados à produção na indústria, as mulheres de classe média, dotadas de níveis mais elevados de educação formal, dirigem-se para os serviços de produção e de consumo coletivo".[13]

Portanto, as tendências observadas pelos autores, juntamente com os dados apresentados, permitem inferir (visto que está claro *a quem* diz respeito de maneira majoritária o conceito de classes populares) que o quadro verificado em relação às mulheres negras será dificilmente revertido em médio e longo prazos sem a intervenção de medidas concretas que permitam romper com as desvantagens cumulativas decorrentes da discriminação racial que expõe o negro em geral, e a mulher negra em particular, na sociedade brasileira, a um círculo vicioso de desvantagens em qualquer aspecto da vida social.

As desigualdades apontadas entre negras e brancas antecipam por si só as tensões que política e ideologicamente acarretam, colocando, na maioria das vezes, brancas e negras em contradição politicamente, malgrado a condição feminina.

Inegavelmente, o Movimento Feminista Nacional vem lutando historicamente contra as diferentes formas de discriminação sexual que atingem as mulheres em geral. E é precisamente nesse *geral* que residem as dificuldades, na medida em que "o pressuposto que afirma a identidade feminina como um campo de significações particulares incorre no risco de não considerar a

---

[13] HASENBALG, Carlos; VALLE SILVA, Nelson do. Op. cit., p.40.

complexidade das relações sociais. Tal complexidade implica na inexistência de totalidades femininas e masculinas isentas de diferenciação. O que vale dizer que o feminismo, ao reivindicar o direito à diversidade, se refere à valorização de determinados traços de comportamento dito feminino (emotividade, fragilidade) destinando ao silêncio o conjunto de atitudes femininas que é contraditório, ambíguo, repleto de nuances".[14]

A prevalência desses traços no interior do discurso feminista, se por um lado questiona certos níveis da realidade feminina, aprisiona outros dentro desse quadro de referências, generalizando uma "identidade feminina" a *femininos* historicamente construídos de maneira diferenciada, isto é, apresenta às mulheres uma problemática uniformizada que aparentemente explica, resgata, padronizando experiências diversas.

O primeiro efeito de tal discurso é de colonização, ou seja, as portadoras de problemáticas distintas tendem a ajustar suas complexidades ao campo explicativo fornecido por essa hipotética identidade feminina. As dificuldades de tal ajuste têm resultado ora em adequação e crítica, ora em oposição radical, ora em demarcação de especialidade no interior desse discursos que funcionam como elementos "aperfeiçoadores" do mesmo que, tal como as cartas de programas dos partidos políticos, constituem-se em subtemas das questões gerais do Movimento Feminista: a mulher negra, a mulher indígena, a mulher lésbica etc.

Ora, ao falar de mulheres negras e de discriminação racial, não se está falando de nenhuma minoria, ou subtema. Falamos de quase 50% da população feminina nacional, visto que 44% da população brasileira é composta por negros, seus descendentes das diversas matrizes, e indígenas, e que todos sofrem processo semelhante de discriminação racial, tal como afirmam os dados já apresentados.

---

[14] PONTES, Heloísa. *Notas sobre o problema da violência, do ponto de vista antropológico e feminista*. In: Seminário Zahide Machado Neto, Fundação Carlos Chagas e Neim – Núcleo de Estudos Interdisciplinares sobre a mulher. Salvador, maio 1984, p.116.

Portanto, dada a importância numérica da população feminina descendente de negros, bem como dos problemas decorrentes do racismo que atinge tal contingente feminino, a variável cor deveria se introduzir necessariamente como componente indispensável na configuração efetiva do Movimento Feminista Brasileiro.

O escamoteamento de tal questão ou a sua relativização tem, entre outras coisas, impossibilitado a explicitação de conteúdos originais presentes em parcela expressiva das mulheres brasileiras, e estabelece para nós, negras, a necessidade de privilegiar a questão racial sobre a sexual, ainda porque a opressão sobre a mulher negra na sociedade brasileira não advém originalmente de diferenças biológicas, e sim raciais.

Tal como afirma Lélia Gonzalez, "o sistema (colonial) não suavizou o trabalho da mulher negra. Encontramo-la nas duas categorias citadas: trabalhadora do eito e a mucama".[15] Sua condição biológica propiciou apenas um alargamento nos níveis de exploração a que estava submetido o negro em geral, já que, enquanto fêmea, podia-se extrair-lhe ainda o leite para amamentar os futuros opressores e aliviar taras sexuais dos sinhôs.

O discurso feminista sobre a opressão da mulher oriunda das relações de gênero que estabelece a ideologia patriarcal não dá conta da diferença qualitativa que esse tipo de opressão teve e ainda tem na construção da identidade feminina da mulher negra. No interior do discurso feminista, "a opressão ganha... um caráter 'universalista' pois supõe que por trás das diferenças sociais exista uma identidade que se afirma pela interdição. Observa-se ainda descrita a ideia de que essa opressão sustenta-se nos valores que são atribuídos a diferenças biológicas culminando na maneira pela qual se efetiva a divisão dos papéis sociais".[16]

---

[15] GONZALEZ, Lélia. Op. cit.
[16] PONTES, Heloísa. Op. cit., p.115.

As condições de anomia em que vivia a população negra durante a escravidão não permitiram ao homem negro exercer, sobre a mulher negra, a opressão "paternalisticamente opressora" a que estavam submetidas as mulheres brancas. Igualmente, as relações estabelecidas entre homem branco e mulheres negras evidentemente estavam longe de reproduzir as formas de opressão características das relações de gênero entre brancos.

A constituição da família negra nos moldes da família nuclear burguesa ou monogâmica é fenômeno historicamente recente e não totalmente consolidado, expressando antes um ideal de padrão familiar a ser atingido naquilo que ele representa ideologicamente como indicador de integração social do que uma estrutura concretamente possível, dadas as precárias condições de existência da população negra.

Portanto, as mulheres negras advêm de uma experiência histórica diferenciada, marcada pela perda do poder de dominação do homem negro por sua situação de escravo, pela sujeição ao homem branco opressor e pelo exercício de diferentes estratégias de resistência e sobrevivência. Enquanto a relação convencional de dominação e subordinação social da mulher tem como complementaridade a eleição do homem como provedor, temos o homem negro castrado de tal poder enquanto escravo e posteriormente enquanto alijado do processo de industrialização nascente. A recuperação da condição de provedor familiar é, para o homem negro, historicamente também fenômeno recente, e os dados apresentados revelam ainda presentemente, a precariedade de tal condição.

O caráter antifeminista atribuído às mulheres negras brasileiras resulta fundamentalmente da incapacidade do Movimento Feminista em contemplar este elenco de questões geradoras de diferenças de oportunidades efetivas que existem entre brancas e negras em todos os setores da vida social, pois as críticas e reivindicações decorrentes da atuação das mulheres brancas feministas, embora denunciando os estereótipos que estigmatizam as mulheres socialmente, se eximiu da denúncia contundente sobre os aspectos em que tais estereótipos mantêm elementos de privilegiamento racial. Um exemplo concreto disso é a exigência de "boa aparência" tão frequente nos anúncios de emprego, eufemismo utilizado para esconder o imperialismo e etnocentrismo da estética branca, agindo como fator de alocação de recursos humanos na estrutura ocupacional.

Tal quesito, quando endereçado às mulheres, indica a reserva de parcela do mercado de trabalho para as mulheres brancas, ou seja, mesmo para as funções socialmente consideradas subalternas, como as destinadas às mulheres dentro das ocupações de melhor status ou não, o grupo branco garante para os seus quadros, mesmo os considerados inferiores como as mulheres brancas, o monopólio das melhores funções existentes no reduzido mercado de trabalho reservado às mulheres, tal como já visto na Parte 2.

Logo, "é bom ressaltar que a luta da mulher branca pela sua equiparação ao homem ante os meios de desenvolvimento do pensamento e ação a diferencia da mulher negra, já que à mulher branca está assegurada historicamente uma certa mobilidade vertical na sociedade, o que se contrapõe não só à mulher negra mas também ao homem negro... no sentido explícito que: a liberdade pleiteada pela mulher branca implica visceralmente na exclusão da mulher negra, já que esta não está identificada com a outra pelo sistema valorativo rácico-etnocêntrico que delega à mulher negra as tarefas mais ínfimas da sociedade brasileira".[17]

Assim, se a divisão sexual do trabalho configurou papéis à mulher que o Movimento Feminista busca questionar e redefinir, a divisão racial do trabalho instaura papéis e funções diferenciadas no interior do grupo feminino onde a avaliação dos custos e

---

17 XAVIER, Arnaldo. *Comunicação apresentada no I Encontro Estadual de Mulheres Negras*. São Paulo, agosto 1984.

benefícios auferidos expressa os níveis diferenciados de exploração e opressão que cabe a mulheres dos diferentes grupos raciais.

Conclui-se que "a visão segundo a qual o racismo só gera ganhos materiais para a classe capitalista e perda para todos os trabalhadores subestima os benefícios econômicos e não econômicos ao longo do tempo por uma parcela significativa da população branca pelo simples confinamento do negro às posições inferiores da hierarquia social. De fato, o resultado das práticas racistas de seleção social é o acesso preferencial dos brancos às posições de classe que comportam maior remuneração, prestígio e autoridade".[18]

Essas condições processam desdobramentos ideológicos e, da mesma forma, a crítica feminista não atuou sobre o aparato ideológico machista e racista naquilo em que ele, ao instituir a mulher branca como padrão estético e ideal feminino, se constitui em forma de opressão para as mulheres não brancas em geral, atuando de forma imperialista sobre as demais mulheres na medida em que ele reflete também a quem é delegado o estatuto de padrão ou ideal feminino nesse tipo de sociedade.

Como aponta um militante negro, "[...] toda construção ideológica, toda a representação europeia do romance, do romantismo, da paixão e do amor, foi sempre pensando a mulher branca como musa. À mulher negra nunca foi dada a condição de musa... em relação à mulher negra, qual o olhar que temos para ela? O olhar que nós temos para a mulher negra é o olhar daquela que é fruto erótico, uma coisa para ser comida. É a representação que o Affonso R. Sant'Ana faz: 'a mulher negra não é musa, ela é um fruto, uma coisa a ser comida'".[19]

O aprofundamento da reflexão acerca de tais estereótipos indica que eles atuam também como fatores de preservação de um mercado afetivo às mulheres brancas, no qual homens negros e

---

[18] GONZALEZ, Lélia; HASENBALG, Carlos. *Lugar de Negro*, p.80.
[19] MARIA, Vanderlei José. *Comunicação apresentada no I Encontro Estadual de Mulheres Negras*. São Paulo, agosto 1984.

não brancos em geral se inserem como mercado alternativo pela desqualificação estética de negra e não brancas em geral, associado ao grau de comprometimento de parcela de homens negros nos valores estéticos ocidentais.

Em pesquisa realizada por Irene Maria Barbosa, a autora constata que "quando o casamento é misto, a tendência maior é do cônjuge branco ser de classe inferior à do negro, observando-se tal tendência também nas relações de namoro".[20]

Portanto, a brancura é por si só capaz de nivelar diferenças sociais e de classe. Esse aspecto de deserção do homem negro em relação à mulher negra indica que a mulher branca, além de se beneficiar da hegemonia econômica do homem branco, seu parceiro natural, pode, em caso de fracasso no seu mercado afetivo principal, lançar mão dos quadros masculinos negros melhor sucedidos economicamente (evidentemente não ideologicamente), pois tal como ilustra Vanderlei José Maria, "[...] quando um homem negro se define por uma branca, o que está definido já na cabeça dele são todas as estruturas que ditam essa opção para ele... é que a representação ideológica, branca, chegou a tal nível no inferior desse negro, que é impossível recuar, até mesmo na sua intimidade, da representação branca... e essa representação me parece extremamente violentadora e racista... porque nessa relação em que está escamoteada a relação de dominação branca, da mulher branca, porque ela tem o privilégio da raça, porque ela detém o mérito estético para manter o mérito físico... Quero deixar claro que a pior coisa que existe numa relação amorosa, numa relação de brancos e negros, é não perceber que existe uma tensão ideológica, que o branco mantém privilégios, independentemente de qualquer coisa, por ser branco, e o negro possui desvantagens por ser negro...".[21]

---

20 BARBOSA, Irene Maria. *Socialização e relações raciais: um estudo da família negra em Campinas*, p.119.
21 MARIA, Vanderlei José. Idem.

O caráter devastador que esse conjunto de práticas discriminatórias que vão desde as restrições sofridas no mercado de trabalho aos estereótipos negativos que estigmatizaram de maneira especial as mulheres negras pode ser medido pelas palavras da militante negra Adélia Santos, a propósito do baixo grau de expectativa encontrado entre mulheres negras cariocas sobre sua inserção no mercado de trabalho: "A gente começou a ver que principalmente as meninas, o que elas pediam como uma iniciação profissional, eram as profissões mais baixas, queriam preparação para serem domésticas, culinária, manicure, e a gente tentou ver porque isso, e aí começamos um trabalho de arte cênica com elas e se chegou à conclusão que a autoestima dessas meninas é baixíssima, porque elas não esperam nada... Por exemplo, se a mãe é doméstica, elas acham que devem ser, e muitas delas já estão inseridas na prostituição (14 ou 15 anos), trocadoras de ônibus, etc.".[22]

Em outro nível, o depoimento corajoso da Vereadora negra Benedita Silva dá conta das sequelas desse processo de opressão: "Eu quero contar uma coisa pra vocês muito dura. Eu já tomei muito banho e botava água sanitária no banho e eu era apenas uma menina... botava água sanitária porque eu tinha que clarear a minha pele e a água sanitária clareava a roupa... Quando tinha casamento, eu enrolava aqueles pedaços de véus que ficavam, eu botava bem comprido porque o que eu queria mesmo era o meu cabelo liso, comprido... até eu entender a minha negritude, o meu cabelinho duro, era alisante mesmo...".[23]

Como consequência desse elenco de contradições, mulheres negras e brancas se defrontam no espaço do Movimento Feminista de forma conflitante e desconfiada, resultado de referências históricas, políticas e ideológicas diferenciadas que determinam

---

[22] SANTOS, Adélia, militante negra feminista do IPCN, Rio de Janeiro. *Depoimento ao I Encontro Estadual de Mulheres Negras*. São Paulo, agosto 1984.
[23] SILVA, Benedita. *Depoimento ao I Encontro Estadual de Mulheres Negras*. São Paulo, agosto 1984.

óticas diferentes quanto a problemas comuns. Tome-se como exemplo concreto dessas divergências as questões referentes ao planejamento familiar e controle de natalidade.

São diversas as experiências etnocidas empreendidas historicamente contra a população negra, que vão desde as formas arcaicas de miscigenação racial, pela utilização da mulher negra como objeto sexual, às ações criminosas decorrentes da cotidiana violência policial sofrida pela população negra, às políticas de controle de crescimento da população negra, como o projeto elaborado por Benedito Pio do GAP, durante o governo Paulo Maluf em São Paulo, com vistas à esterilização de mulheres negras sob a alegação de que, se não contido tal crescimento populacional negro, no ano 2000 constituiríamos a maioria da população brasileira e poderíamos ascender ao poder. E, ainda, as sucessivas e escandalosas denúncias de esterilização maciça de mulheres de classe subalterna através de clínicas clandestinas ou pela distribuição arbitrária de contraceptivos.

Todas essas estratégias vêm desenvolvendo uma atitude fóbica, especialmente nas mulheres negras militantes, em relação à política controlista, na medida em que o alvo principal a que elas tendem a se endereçar é sobre nós, negras.

Para nós, mulheres negras, a conjugação das discriminações de raça, sexo e classe implica em tríplice militância, visto que nenhuma solução efetiva para os problemas que nos afligem pode advir da alienação de qualquer desses três fatores.

É a emergência desse tipo de consciência entre as mulheres que permitem a Benedita Silva afirmar que a reivindicação de bica d'água é para a mulher negra favelada uma questão feminina, visto que o exercício satisfatório da sexualidade está condicionado, entre outras coisas, à existência de água na favela, por exemplo, para a assepsia do ato sexual.

Igualmente, a aliança entre negras e brancas e o próprio avanço do Movimento Feminista Nacional depende fundamentalmente da absorção de questões aqui levantadas, bem como da busca de soluções conjuntas, de forma a "[...] sugerir um caminho distinto do que o que vem sendo trilhado por muitos daqueles e daquelas que pensam poder realizar tal ruptura com a construção de uma história que não seja machista, mas que permanece branca".[24]

4. Conclusão

Este trabalho não consiste apenas numa reavaliação da situação da mulher negra nos anos 1980 sob o prisma de sua participação na estrutura ocupacional, quanto a nível de instrução e rendimento. Busca contemplar também as condições em que vive especificamente a população negra em São Paulo e no Brasil, consubstanciando a existência de uma divisão racial e sexual do trabalho que acentuam desníveis sociais no âmbito da estrutura socioeconômica e cultural do país, reiterando diversos estudos já realizados sobre o negro brasileiro. Constata-se que:

1. A mulher negra não participa do processo produtivo em igualdade de condições com homens brancos, negros, amarelos, e mulheres brancas e amarelas, situando-se, assim, na base da hierarquia social, penalizada em relação a oportunidades e mobilidade na estrutura ocupacional;
2. As diferenças abruptas que geram essas distorções permearão a luta da mulher negra, imprimindo-lhe um caráter específico, determinado e elaborado por forças políticas e econômicas bem vivas e atuantes decorrentes de uma prática social etnocida, que se estende ao homem negro com intensidade semelhante;

---

[24] MAGALHÃES, Elizabeth K.C.; GIACOMINI, Sonia M. A Escrava ama de leite – anjo ou demônio. In: *Mulher Mulheres*. Cortez Editora, Fundação Carlos Chagas, p.74.

3   Que o quadro abaixo representa o quociente de distribuição de oportunidade sociais/raciais no Brasil onde, em termos de renda e educação, as mulheres brancas estavam melhores do que os homens negros em 1980, evidenciando o peso do privilégio da raça sobre a condição sexual.

    A distância entre homens e mulheres negras expressa, diferentemente, o resultado do machismo e do sexismo presentes nos mecanismos de seleção social para posições na hierarquia, onde sexo e raça atuam cumulativamente para configurar as desvantagens da mulher negra mesmo e relação ao homem negro, e que as ideologias da ascensão social e de embranquecimento tendem a incrementar;

	Brancos	Negros
Homens	1	3
Mulheres	2	4

4   Que nesse contexto, à margem do processo de educação e do processo de luta em torno apenas da relação homem x mulher, uma vez que o peso de sua participação no mercado de trabalho é definido pelas desigualdades impostas pelo preconceito e discriminação etnosexual; contradições estas muito mais arcaicas do que a luta de classes;

5   Ressalte-se que os modelos econômicos que nortearam as políticas governamentais nas últimas décadas ampliaram os desníveis regionais, e nesse contexto também tiveram suas conotações discriminatórias e genocidas, especialmente em relação aos negros. Do enriquecimento ilícito à institucionalização da corrupção; da excessiva especulação do capital financeiro ao privilegiamento (em rodízios) de determinados setores da economia, se estabeleceu uma sociedade de consumo de bens artificiais sob os impactos de uma modernização dos meios de produção e comunicação, principalmente nos

grandes centros urbanos, contrastando com as ínfimas condições de subsistência, acentuando profundas desigualdades entre indivíduos e grupos.

Embora o presente estudo não possua uma abrangência que possibilite detectar a situação da mulher negra em outros aspectos inerentes à sua sobrevivência, há de se concluir ou inferir sobre a precariedade quanto à saúde e habitação da população negra no Brasil, dispersa no trágico percurso da senzala à favela na periferia das grandes cidades.

Dos dados apresentados, resulta que a reversão de tal quadro negativo dos negros em geral e das mulheres negras em particular, depende, entre outras coisas, de um esforço educacional centrado na população negra; da instauração de medidas legislativas e punitivas eficazes no combate à discriminação racial em todas as suas manifestações, e em especial, no mercado de trabalho; do combate sistemático aos estereótipos negativos veiculados sobre os negros nos meios de comunicação de massa, nos livros didáticos etc.

No momento em que a sociedade brasileira se organiza em torno do reestabelecimento das liberdades democráticas através da convocação de Nova Constituinte, introduz-se como pré-requisito para o pleno exercício da democracia que se "erradique o mais grave arbítrio desta sociedade que é a discriminação racial que infelizmente contra nós negros, tem se constituído numa prática social, independente de conjunturas"[25], tal como expresso em documento do "Coletivo de Mulheres Negras de São Paulo":

"Nós mulheres negras representamos a maior violência que uma sociedade machista e racista tende a perpetuar..., por isso lutamos pelos direitos da mulher, que para nós significa antes de tudo o direito e o respeito à diferença... por isso lutamos também pela Constituinte, confiantes de que a igualdade entre os

---

25 Documento do Coletivo de Mulheres Negras de São Paulo, março 1985.

sexos e o reconhecimento da equivalência racial realizam os anseios de todas nós por uma sociedade democrática, que só pode ser consolidada através do pleno exercício dos direitos civis.

Portanto, acreditamos que a conquista da equiparação entre os sexos e entre as raças, aliados à criação de formas democráticas de convivência social e racial, são as condições necessárias para se atingir a pacificação social, que para nós significa, entre outras coisas, a supressão da violência policial contra a população negra, o fim do desemprego que nos atinge em trágica escala e a garantia de participação igualitária nos bens e valores produzidos socialmente"[26].

5. Bibliografia consultada

PACHECO, Moema de Poli T. Aguentando a barra. Uma reflexão sobre a família negra de baixa renda. DEISO/DINSO, outubro 1983, mimeo.
_____. A família negra. Exame de algumas questões, mimeo.
IBGE. Aspectos de situação sócio-econômica de brancos e negros no Brasil. Rio de Janeiro, mimeo.
OLIVEIRA, PORCARO & ARAÚJO COSTA. Repensando o lugar da mulher negra. DEISO/IBGE, mimeo
_____. O lugar do negro na força de trabalho. DEISO/IBGE, mimeo.
OLIVEIRA, Lúcia Elena G. Algumas questões sobre o trabalho da mulher negra. Trabalho apresentado na SBPC, 1981, mimeo.
HASEMBALG, C & VALLE SILVA, Nelson do. Industrialização, emprego e estratificação social no Brasil. IUPERJ, *Série Estudos* no 23, fevereiro de 1984.
PASTORE, José. *Desigualdade e mobilidade social no Brasil*. EDUSP, São Paulo, 1979.
BRUSCHINI, Cristina & MORAIS, Maria. Seminário Zahide Machado Neto, Fundação Carlos Chagas e Neim – Núcleo de Estudos Interdisciplinares sobre a Mulher, maio/junho 1984.
BARROSO, Carmem & COSTA, Arbertina O. *Mulher Mulheres*. Cortez Editora/Fundação Carlos Chagas, 1983.
HASEMBALG, C.A. *Discriminação e desigualdades raciais no Brasil*. Graal, 1979.
GONZALEZ, Lélia. *O papel da mulher negra na sociedade brasileira*, mimeo.

---

[26] Idem ao anterior.

O poder feminino no culto aos orixás

Este artigo diz respeito a uma pesquisa realizada com filhas de santo em Candomblés, em São Paulo, no período de 1980 a 1982, com apoio da Fundação Carlos Chagas, que promoveu na época o II Concurso de Dotações para Pesquisas sobre a Mulher. O texto não se beneficia das pesquisas mais recentes desenvolvidas sobre a questão das relações de gênero no Candomblé, mas acreditamos que com sua publicação possamos estimular outros pesquisadores, em especial mulheres negras, a aprofundar estudos sobre a visão mítica da mulher expressa nos cultos afro-brasileiros, o que se constitui como importante elemento no resgate da identidade feminina negra.
As autoras, Sueli Carneiro e Cristiane Abdon Cury.

Três orixás descem para a terra. Ogum, o guerreiro, está na frente para abrir o caminho. Obarixá, que tem o poder de fazer todas as coisas, segue na segunda posição. Odu, a única mulher do grupo, é a última. Ela volta e vai se queixar a Olodumaré: "os dois primeiros receberam o poder de guerra e da criação, e ela, Odu, nada recebeu em troca".

Olodumaré lhe diz: "Você será *iyá won*, mãe deles eternamente; você sustentará o mundo". Ele lhe dá o poder de *eyé*, o pássaro; ele lhe dá a cabaça de *eleiyé*, proprietária do pássaro.

Olodumaré lhe pergunta como ela vai utilizar os pássaros e sua força. Odu responde que matará aqueles que não a escutarem; que ela dará dinheiro e filhos àqueles que o pedirem, mas se as pessoas depois se mostrarem impertinentes com ela, ela lhes tomará suas dádivas.

Olodumaré lhe diz: "Está bem, mas utilize com calma o poder que lhe dei". Se ela o utilizar com violência, Olodumaré o retomaria, e repete: "Você será *iyá won*, a mãe de todos os homens; eles deverão prevenir você, Odu, de todas as coisas que queiram fazer". Olodumaré deu o poder às mulheres: o homem sozinho não poderia fazer nada com a ausência das mulheres.

Nesses tempos, Odu entra nos lugares mais secretos do culto de Egun, de Oró e de vários orixás. Há! Agba, a velha, exagerou. Ela se recusa a fazer as oferendas prescritas por Ifá, de escutar os conselhos, de agir com calma e prudência.

Obarixá vem e diz: "Hen! É a ela que Olodumaré tinha confiado o mundo; esta mulher enérgica veio tomar de suas mãos". Ela chega nos lugares mais secretos de Egun, de Oró e de outros orixás, onde ele, Obarixá, não ousa entrar.

Obarixá vai consultar Orunmilá (Ifá) e faz a oferenda de caracóis e de um chicote que lhe é indicado. Orunmilá lhe diz que o mundo se tornará seu, mas que ele deve ser paciente. "A mulher vai exagerar, ela se tornará sua serva, Obarixá, ela virá se submeter a você".

Odu possuía o poder nesse tempo; todas as coisas que ela dizia se realizavam. Ela diz a Obarixá que os dois, ele e ela, deveriam morar juntos, no mesmo lugar.

Obarixá faz o culto de sua cabaça com o caracol nesse lugar. Ele bebe água (contida na concha) do caracol e oferece a Odu. Eles comem da carne do caracol. O humor de Odu se acalma. Ela declara jamais ter comido algo tão bom.

Obarixá diz a Odu que ele não lhe escondeu nenhum de seus segredos, mas que ela, por sua vez, ocultou seu poder. Odu mostra a Obarixá o segredo da roupa de Egun. Eles adoram juntos Egun. Odu veste a roupa, mas ela fala com voz normal, ela não sabe falar com a voz rouca dos *ará órun*, as pessoas dos céus, os mortos. Eles voltam para casa. Obarixá volta sozinho ao lugar de adoração, modifica a roupa de Egun, a veste, toma o chicote de sua oferenda na mão. Ele sai na rua com a roupa e fala com voz rouca de Egun. Todos ficam com medo. Odu, ela mesma, fica apavorada, mas reconhece a roupa e sabem assim que Obarixá está dentro. Ela envia seu pássaro a pousar nos braços de Egun. Todas as coisas que Egun diz, expressa o poder do pássaro.

Na volta de Obarixá para perto de Odu, ela lhe diz que a roupa lhe convém melhor que a ela. Quando ele sai, todas as pessoas gritam: aí está Egun, ali está Egun! Ele joga o chicote no chão, eles têm medo, a honra é dele. As mulheres não entraram nunca mais na roupa de Egun. Agora é o homem que leva Egun. Mas ninguém deve zombar da mulher porque ela nos pôs no mundo. Os homens não podem fazer nada sobre a terra, se eles não obtiverem das mãos das mulheres.

Obarixá canta:

> Dobrem os joelhos para a mulher, a mulher nos pôs no mundo por isso nós somos seres humanos. A mulher é a inteligência da terra. Dobrem os joelhos para a mulher.[1]

A exemplo de todas as culturas produzidas pela humanidade, a cultura africana nos apresenta, em sua mitologia, modelos exemplares de explicação da necessidade de controlar a mulher. A dominação sobre ela será justificada neste caso por sua voracidade, intolerância e excessos, qualidades que lhes são atribuídas como "naturais".

No homem é identificada a ponderação, a paciência, a razão, a capacidade de produzir cultura e construir a história. Por isso

---

1 VERGER, Pierre. *Grandeur et Decadence da Culte de Iyamy Osorônga*, p. 151-152.

não é permitido à mulher conhecer os mistérios do jogo de adivinhação de Ifá, que representam a história e o destino do povo yorubá. Igualmente ela não poderá participar dos mistérios de Egun, pois este representa a ancestralidade masculina, a linhagem e a continuidade do clã.

Na África, quando nasce uma criança, se pergunta: "Nasceu o dono da casa ou a estrangeira?". Assim, a mulher está situada do lado da natureza "selvagem" e não da paisagem humanizada, do tempo e do espaço anteriores ao homem, das "coisas" e das "pessoas", das alianças mais do que das relações regulamentadas pelo parentesco, e pela descendência, da agressão insidiosa e não do apelo à decisão dos ancestrais.[2]

O equilíbrio de forças entre os sexos está sempre presente nos mitos; há neles o reconhecimento, do ponto de vista do homem, da necessidade de controlar a mulher, não porque ela seja inferior, subproduto dele, mas porque tem potencialidades e características capazes de submetê-lo. Para cada atributo masculino encontramos um equivalente feminino e, ainda, homens e mulheres participam das qualidades inerentes à "natureza humana"; homens e mulheres sabem que se equivalem física e psicologicamente.

Balandier identifica nestes mitos um traço comum das culturas da África Negra. Diz ele:

> Mas as relações entre sexos se caracterizam, essencialmente, pelo antagonismo e pela desconfiança: a luta entre homens e mulheres é um combate sem tréguas, em que cada defeito do adversário é imediatamente utilizado, em que cada homem não pode ter confiança em nenhuma mulher, e em que cada mulher teme qualquer homem, zombando dele.[3]

---

2 BALANDIER, Georges. *Antropológicas*, p. 29.
3 *Ibidem*, p. 35.

Essa disputa se expressa também no fato de que na África os homens e as mulheres se organizavam em torno de sociedades secretas do tipo "maçônico". As sociedades das Geledés e a sociedade de Oró são exemplos de organizações femininas e masculinas, respectivamente.

O universo místico nagô, do qual o candomblé é remanescente, se estrutura como várias outras mitologias no princípio da sexualidade. É da interação dinâmica e conflituosa entre pares de contrários que tudo é gerado. Assim, a terra (*aiyé*) e o além (*órun*) funcionam segundo essa dinâmica, expressados pelo homem e pela mulher: ele enquanto princípio genitor masculino, ligado ao *órun*, e ela como a terra grande, ventre reprodutor, princípio genitor feminino.

Essa união, que é a garantia da continuidade de tudo, não se dá harmonicamente, e os conflitos que são relatados nos mitos expressam sempre a luta entre os poderes masculino *versus* feminino em disputa pelo controle do mundo.

Discutir, portanto, a mulher no candomblé nos remete imediatamente às figuras míticas femininas que, entendemos, compõem um perfil da compreensão que o sistema mítico do candomblé possui da condição feminina.

As Iyá mi, ancestrais míticos femininos, são a representação máxima do poder feminino. Para Ulh Beier, Iyá mi

> [...] representa os poderes místicos da mulher no seu aspecto mais perigoso e destrutivo... O grande poder místico da mulher utilizado originalmente de forma criativa para o trabalho do solo, etc., pode ser transformado em arma destrutiva. Portanto, tudo deve ser feito para acalmar a mulher, apaziguá-la e lhe dar compensações pela perda de sua posição política.[4]

---

[4] VERGER, Pierre, *op. cit.*, p. 151

Elas são também chamadas de Ajé, que em yorubá significa bruxa ou feiticeira; porém, "as ajé não são realmente bruxas; são as avós, as mães em cólera e sem sua boa vontade, a vida não poderia continuar, sem elas as sociedades se desintegrariam".[5]

Das ajés, a mais temida é Iyá mi Oxorongá.

Pronunciando-se o nome deste orixá, a pessoa que estiver sentada deve se levantar, e quem estiver de pé fará uma reverência, por tratar-se de um orixá terrível a quem se deve respeito. Pássaro africano, Oxorongá emite um grito horríssono, de onde provém seu nome. O símbolo desse orixá é a coruja dos augúrios e preságios. Iyá mi Oxorongá é a dona da barriga, e não há quem resista a seus ebós fatais. O ojiji é o pior de seus feitiços. Ela é bruxa e pássaro.[6]

É nessa perspectiva que Mariano Carneiro da Cunha, estudando as Iyá mi, considera que o fato de não serem cultuadas nos modelos dos ancestrais masculinos se deve ao medo que delas se têm, e por seus poderes não serem controláveis a ponto de se cultuá-las em um culto organizado, com os dedicados aos Babá Eguns,[7] do qual o candomblé de Egun de Itaparica é exemplo. Sabe-se, no entanto, que

> [...] na Bahia os descendentes dos habitantes de Ketu, para lá transportados nos últimos séculos, faziam, ainda há poucos anos, a festa das Geledê,[8] todos os anos, a 8 de dezembro, em Boa Viagem. A festa era presidida por Maria Júlia Figueiredo, uma das Iyalorixás do candomblé do Engenho Velho que tinha o título de Iyálode-Erelu, aquela que dirige as "bruxas" e lhes distribui os pássaros, potência/poder dos ajés.[9]

---

5 Ibidem.
6 MAGALHÃES, Elyette G. de. *Orixás da Bahia*, p. 87.
7 Ancestrais míticos masculinos.
8 Sociedade secreta feminina.
9 VERGER, Pierre. *op. cit.*, p. 147.

Acreditamos residir fundamentalmente no mistério da concepção da vida a associação da mulher ao segredo, ao temor do desconhecido, à natureza selvagem, às profundezas das águas e suas turbulências, à terra, ventre fecundo onde tudo nasce e para onde tudo retorna, e ao fogo sensual que conduz ao encontro.

Os orixás femininos cultuados no candomblé como Oxum, Iemanjá, Nanã, Obá, Ewá e Iansã representam os aspectos socializados das Iyá mi. São suas remanescentes, mas já se situam no limiar da civilização, embora o mesmo receio expresso em relação às Iyá mi se verifique em relação às orixás femininas citadas, quando invocadas nos seus aspectos negativos que remontam imediatamente às mulheres primordiais.

Os aspectos "antissociais" das orixás femininas são temíveis por todo povo de santo. A ira de Oxum pode provocar o desencadeamento dos aspectos contrários às suas qualidades. Dessa forma, enquanto provedora de filhos, quando irada pode trazer a esterilidade e os abortos sucessivos, as enchentes, os males do amor. Iemanjá igualmente representa no seu aspecto perigoso a ira do mar, a esterilidade e a loucura. Nanã, uma das deusas mais temidas, pode trazer consigo a morte precoce e trágica. Iansã pode desencadear a ira dos espíritos dos mortos que estão sob seu domínio, os raios e as grandes confusões. Ewá e Obá? Delas pouco se sabe, mas muito se teme... Dizem alguns sacerdotes que Ewá, quando incorporada, deve permanecer amarrada, pois em sua forma animal pode provocar feridas que levariam sete anos para serem curadas.

Assim, questões básicas como maternidade, sexualidade e moralidade são redefinidas a partir desse novo sistema de representações. Cada orixá representa uma força ou elemento da natureza, um papel na divisão social e sexual do trabalho e, como desdobramento disso, a este papel estão associadas características emocionais, de temperamento, de volição e de ordem sexual.

Oxum

Oxum é um orixá que habita as águas doces, condição indispensável para a fertilidade da terra e produção de seus frutos, donde decorre sua profunda ligação com a gestação. É à Oxum que se pede filhos, é sob sua proteção que eles se desenvolvem nos úteros das mulheres. Por essa razão, as principais oferendas que lhe são oferecidas se compõem basicamente de ovos, simbolizando os fetos que estão sob sua guarda. Suas "oferendas", em geral, são entregues nos rios, fontes, regatos e cachoeiras.

Segundo os mitos, é mãe zelosa de Logun, orixá andrógino, que herda todos os atributos dos pais (Oxóssi e Oxum). Entre os símbolos rituais de Oxum está o abebé,[10] que simboliza sua relação com a beleza e a faceirice, qualidades que lhe são próprias. Diz-se que na África, às mulheres filhas de Oxum são oferecidos os maiores dotes, pois sua identificação com o ouro é garantia de riqueza para seus pretendentes, e também por serem comumente as mulheres mais belas, e a continuação do clã estar nela assegurada. Oxum é garantia de filhos perfeitos e sadios.

Toda essa caracterização de Oxum compõe também um biótipo psicológico. Assim como as águas quando calmas, é de temperamento aparentemente dócil e meigo, sensualmente misteriosa, esperta e, dizem alguns, traiçoeira. Um de seus mitos relata como, por meio de suas artimanhas, ela consegue ser a única mulher a conhecer os segredos do jogo da adivinhação, os búzios; estes lhe são dados por Exu, entidade das mais controvertidas do Candomblé, a quem é atribuída toda a comunicação entre os homens e os deuses. Porém, nem Exu escapa ao fascínio de Oxum e, segundo os mitos, ela é um dos poucos orixás que consegue controlá-lo.

Deusa do amor, terceira esposa de Xangô, quando vivia na terra, dizem ter sido sua preferida. Vaidosa e de temperamento

---

10 Leque espelhado usado por Oxum e Iemanjá.

voluptuoso, usou de todas as artimanhas para prendê-lo, tanto que, por meio de sutilezas, fez sua rival, Obá, cortar a orelha e cozinhá-la, dizendo-lhe que com isso o agradaria. Sua cor é o amarelo-ouro, e gosta de adornos dourados. Quando dança, espalha o ouro e espelha-se no seu abebé, sendo seus movimentos muito faceiros.

Se a civilização ocidental propõe à mulher um estereótipo feminino calcado na docilidade e na submissão, o Candomblé tem sua contrapartida em Oxum (a mais bela iyabá, a mulher por excelência). Também à mulher ocidental não é permitida a violação desta moralidade sem cair em desgraça: "Ela é puta ou santa". Virgem Maria ou Maria Madalena (essa última só encontra redenção ao abdicar de sua sexualidade). Oxum não. Oxum é bela, meiga e faceira; porém, também sensual, esperta e traiçoeira. Ela encanta os homens e os submete.

Iansã

De temperamento forte, intrépida, voluntariosa e sensual. Iansã é uma deusa guerreira. Ela luta ao lado de Xangô, seu marido, e domina os espíritos dos mortos (os Eguns). Deusa do fogo e das tempestades, assim como Xangô tem domínio sobre os trovões, ela controla os raios. Seus símbolos rituais são a espada e o eiru (arma com que Iansã espanta os Eguns) e sua cor é o vermelho vibrante. Dança agitando os braços distendidos, simulando desencadear os elementos naturais e afastar os Eguns dos seres vivos.

Segundo um de seus mitos, no começo do mundo a mulher intimidava o homem desse tempo, e o manejava com o dedo mindinho. É por isso que Oyá (conhecida mais comumente nos cultos afro-brasileiros sob o nome de Iyãnsan) foi a primeira a inventar o segredo ou a maçonaria dos Egungun, sob todos os seus aspectos. Assim, quando as mulheres queriam humilhar seus maridos, reuniam-se numa encruzilhada sob a direção de Iyãnsan. Ela já estava ali com um grande macaco que tinha domado, preparado com roupas apropriadas ao pé de um tronco de igi (árvore), para fazer o que fosse determinado por Iyãnsan por meio de uma vara que ela segurava na mão, conhecida com o nome de Isan. Depois da cerimônia especial, o macaco aparecia e desempenhava seu papel segundo as ordens de Iyãnsan. Isso se passava diante dos homens, que fugiam aterrorizados diante dessa aparição. Finalmente, um dia, os homens resolveram tomar providências para acabar com a vergonha de viverem continuamente sob o domínio das mulheres. Decidiram então ir a Orunmilá (Deus do oráculo Ifá), a fim de consultar o Ifá para saber o que poderiam fazer para remediar tal situação. Consultado o oráculo, Orunmilá lhes explicou tudo que estava acontecendo e o que eles deveriam fazer. Em seguida, mandou Ogun fazer uma oferenda, ebó, compreendendo galos, uma roupa, uma espada, um chapéu usado, na encruzilhada, ao pé da referida árvore, antes que as mulheres se reunissem. Dito e feito. Ogun chegou bem cedo à encruzilhada e fez o preceito com galos, segundo a ordem de Orunmilá. Em seguida, ele pôs a roupa, o chapéu e pegou a espada na mão. Mais tarde, durante o dia, quando as mulheres chegaram e se reuniram para celebrar os ritos habituais, de repente viram aparecer uma forma terrificante. A aparição era tão terrível que a principal das mulheres, isto é, a que estava à frente, Iyãnsan, foi a primeira a fugir. Graças à força e ao poder que tinha, ela desapareceu para sempre da face da terra. Assim, depois dessa época, os homens dominaram as mulheres e são senhores absolutos do culto. Proibiram e proíbem as mulheres de penetrar no segredo de toda sociedade de tipo maçônico. Mas, segundo o provérbio, "é a exceção que faz a regra": os raros exemplos de sociedades secretas às quais eram autorizadas a participar em território yorubá continuaram a existir em circunstâncias especiais. Isso explica por que Iyãnsan-Oiyá é adorada e venerada por todos na qualidade de Rainha e Fundadora da Sociedade Secreta dos Egungun na terra.[11]

O povo de santo diz que com as filhas de Iansã ninguém pode, elas são temidas e respeitadas. Os mitos falam de Iansã e Xangô, Iansã e Ogun, Iansã e Oxóssi... Ela é ardente. Se a sociedade patriarcal não comporta a insubordinação feminina, ela é mitificada no candomblé, e Iansã e Obá são sua expressão.

Obá

Obá é uma iyabá guerreira, que tem por armas um escudo e uma espada. É uma das mulheres de Xangô. Sua cor é o rosa, e quando dança protege a orelha que não tem. Conta o mito que Obá era um orixá feminino muito enérgico e fisicamente mais forte que muitos orixás masculinos. Ela desafiara e vencera na luta, sucessivamente, Oxalá, Xangô e Orunmilá. Chegada a vez de Ogun, aconselhado por um Babalaô, ele preparou uma oferenda de espigas de milho e quiabo. Amassou tudo num pilão, obtendo uma pasta escorregadia, que espalhou pelo chão, no lugar onde aconteceria a luta. Chegando o momento, Obá, que fora atraída até o lugar previsto, escorregou sobre a mistura e assim Ogun aproveitou para derrubá-la e possuí-la no ato.[12]

O arquétipo de Obá é o das mulheres valorosas e incompreendidas. Suas tendências um pouco viris fazem-na frequentemente voltar-se para o feminismo ativo. A Obá é atribuída a chefia da Sociedade Secreta Feminina Geledé, existente na África, e que alguns dizem ter existido no Brasil.

---

11 SANTOS, Joana Elbein dos. *Os nagô e a morte*, p. 122-123.
12 VERGER, Pierre. *op. cit.*, p. 187.

Iemanjá

Se a sociedade patriarcal reduz a sexualidade feminina apenas à procriação, as deusas africanas são mães e amantes. Iemanjá, mãe dos orixás, enfeitiça os homens e os atrai ao seu grande ventre (o mar). Ela os devora porque é de temperamento apaixonado e instável, ciumento e possessivo, ela é o mar, calmo e plácido, violento e destruidor. Ela rejeita os filhos, ela os ama com furor.

Iemanjá, assim como Oxum, é um orixá ligado às águas. No Brasil, é associada fundamentalmente às águas do mar. Em alguns mitos, é do rompimento de seus seios que nascem todos os orixás, daí sua estreita ligação com a fecundidade. Em outro, ela é violentada por seu filho Orungã, e desse incesto nascem os orixás.

Nanã

Se a sociedade patriarcal não assumiu o conflito entre os sexos e as anomalias sociais, o Candomblé os absorve. Os homens não devem participar dos mistérios de Nanã. Nanã não gosta de homens, é praticamente assexuada. Ela foi rejeitada por Oxalá, por gerar seres "anormais". Gerou Omulú, que carrega todas as doenças epidérmicas e contagiosas, e Oxumaré, um príncipe belo que se transmuta na serpente mítica, o arco-íris, o símbolo de ligação entre o céu e a terra e da continuidade das coisas.

Deusa das águas paradas, lagoa onde está todo o profundo mistério do mundo, Nanã é o orixá feminino mais velho e a divindade mais antiga das águas. Nanã é o mistério da vida e da morte, por isso protege os órgãos reprodutores da mulher.

Para além de uma caracterização feminina está presente, no Candomblé, a percepção de infinitas potencialidades humanas. Elas se expressam no resto do Panteão, representadas pelos demais orixás, pelos Erês e pelos Caboclos, que qualquer iniciado, homem ou mulher, poderá pertencer ou "carregar".

A existência de orixás essencialmente femininos, de orixás essencialmente masculinos e de orixás ambivalentes ou andróginos expressa uma compreensão profunda da própria sexualidade humana. Os indivíduos concretos serão percebidos do ponto de vista de seus caracteres psíquicos básicos, de sua ação concreta sobre o real e a partir das múltiplas possibilidades de combinações desses caracteres.

Assim, uma Iyalorixá nos relatou como o "seu Ogun" resolveu um dos casos mais difíceis com os quais ela se defrontou. Um caso que envolvia justiça, para a qual o indivíduo em questão estava perdido.

O Ogun da Iyalorixá incorporou e disse: "Se para a lei dos homens já não havia solução, para a lei dele, sim". Mandou que se fizesse determinados ebós[13] e assim a pessoa em risco sairia ilesa e "coberta por suas vestes". Efetivamente, o caso se resolveu e pudemos ler cartas dos interessados agradecendo o favor recebido.

Note-se ainda que o orixá desta Iyalorixá não é Ogun. Ogun é seu orixá secundário; portanto, o iniciado pode lançar mão de outras forças em caso de necessidade, além daquela de seu orixá básico. Quanto maior o tempo de iniciação e a quantidade de obrigações feitas, maior a capacidade de atualizar e vivenciar todas as suas potencialidades. As diferentes modalidades de incorporação expressam isso.

Desde a incorporação dos Erês (espíritos infantis) até os Caboclos, passando por diferentes orixás, está aberto um leque de vivência e de manipulação de recursos interiores do indivíduo que outros canais dificilmente propiciam. No caso da Iyalorixá citada anteriormente, embora seja mulher, filha de orixá feminino, bonita e jovem, lutando com dificuldade para sobreviver e

---

13 Oferendas.

criar seus filhos, diante de situações extremadas transmuta-se em Ogun, a representação máxima da virilidade e masculinidade no Candomblé, que nas palavras do escritor angolano Pepetela é chamado de "o Prometeu Africano".

Esse aspecto violento de Ogun verifica-se numa de suas cantigas principais de louvação:

> Ogun pa lele pa (Ogun mata com força)
> Ogun pa ojare (Ogun mata tendes razão)
> Ogun pa koropa (Ogun mata completamente mata).[14]

Dessa forma, escudadas nos orixás femininos, as sacerdotisas usam e abusam das chamadas artimanhas femininas. Escudadas nos orixás masculinos, nos caboclos etc., elas se equiparam à virilidade masculina. Em qualquer dos casos, o Candomblé abre um campo de vivência de papéis que tradicionalmente lhes são negados.

O conflito constantemente vivido entre aquilo que é socialmente imposto se ritualiza o tempo todo. Entre aquilo que se deve ser e a possibilidade de não ser ou sê-lo de outras maneiras reside toda a dinâmica que enriquece essas mulheres e as impulsiona constantemente.

Apoiadas nesses mitos, elas se consideram fortes e corajosas. Acreditam que devem a força e a coragem para enfrentar os problemas da vida aos seus orixás. Essa crença está sempre presente, pois, em geral, a iniciação surge como limite de um processo penoso de vida.

Parece que todas foram levadas à iniciação por "coação do orixá". Este sempre faz com que a vida se torne quase insuportável e assim as faz sentir a "necessidade" da feitura, após o que, lenta ou às vezes bruscamente, a teia de problemas da qual estavam prisioneiras passa a se desfazer. Os relatos sobre a fase pré-iniciativa ilustram isso.

---

14 VERGER, Pierre. *Olòòrisà*. p. 188.

Uma filha de santo nos contou dos lapsos de memória que a acometiam, fazendo com que se perdesse nos lugares que lhe eram mais familiares; outra, que tinha acessos de fúria incompreensíveis durante os quais quebrava tudo o que lhe rodeava e batia com a cabeça nas paredes; outras aludem que sofriam de doenças diversas, sobre as quais nunca obtinham um diagnóstico médico exato, ou então os exames a que se submetiam nada acusavam, embora o sofrimento delas fosse grande.

Mãe Tolokê (Iyalorixá da cidade de Santos) nos ofereceu um dos depoimentos mais curiosos:

> [...] fora interna durante vários anos em colégio de freiras e, por volta de 10 anos, o pai a retirou do internato. [...] e eu escutei, na primeira semana que eu estava em casa, um som de atabaque, mas era longe. Aquilo veio me buscar na minha cama. Aí eu disse: que é que é esse samba? Para mim era samba, porque eu nunca tinha visto, né? E saí, abri a porta da cozinha, que era aquelas trancas de pau antigo, de pé no chão, e lá vou eu atrás daquele som, aquele som me levava... e lá vai eu sem medo nenhum... e sei que eu cheguei o dia já estava raiando... soube chegar, mas não sabia voltar.

Essa cena se repetiu várias vezes até que, por volta dos 12 anos, encontrando-se em uma festa de Iansã, foi convidada a dançar para homenagear este orixá. Então, diz ela: "Daí eu não vi mais nada, e quando acordei eu estava 'feita' no santo".

O que se pode depreender é que o contato imediato com as entidades proporciona uma mudança significativa na vivência dessas mulheres. Diante do transe da interrelação pessoa-entidade, elas adquirem nova postura frente ao mundo. Em todos os casos, elas demonstram uma sensação de segurança e maior força para se defrontar com os problemas da sociedade à sua volta. Por isso, quando interpelada sobre a maneira de ser mulher de Candomblé, uma filha de Ogun nos disse:

Veja, eu sou assim muito pra luta, muito pra frente, eu sou de enfrentar qualquer negócio, eu sou o homem e a mulher da minha família. Tenho uma casa pra cuidar, tenho uma mãe doente e duas filhas. Pra mim não tem gordo, nem magro, pra isso eu já sou bastante grande. O Candomblé traz apoio à mulher, traz igualdade. Pelo menos no Candomblé, nós, as mulheres, estamos numa boa. O orixá é aquilo que está lá bem no fundo da gente e que o Candomblé traz pra fora.[15]

Quando interpelada sobre as relações homem-mulher do ponto de vista do candomblé, a filha de Oxumaré nos disse:

Eu vejo. Eu vejo o seguinte: que a mulher de Candomblé, ela é mais homem, vamos dizer assim, ela não se subestima em termos do homem e da mulher de outra religião, ainda sim. Elas ainda estão naquela de homem estar acima e eu estou um pouquinho mais abaixo, eu vou chegar lá, e a mulher de Candomblé não, a maioria já pensa "nós estamos lá, nós estamos juntos"... Eu acho que justamente pelo fato de no Candomblé existir muita mulher, muitos cargos femininos, a presença da mulher é muito mais marcante, muito mais tradicional... ela se confronta mais porque é um fato: ela dentro do Candomblé, ela convive com o homem ali, páreo a páreo, e de maneira geral, eu acho que ela se sobressai, de maneira geral. Então, aquilo ela leva adiante, se ela se sobressai lá, por que ela não vai se sobressair da porta pra fora? Eu acredito até que os homens acham que isso acontece pelo fato deles serem minoria dentro do candomblé, mas não é não, não é mesmo. Agora, se bem que a gente poderia dizer o seguinte: só o fato deles serem minoria, é sinal que a mulher tem mais capacidade dentro da seita, é sinal que a mulher está acima do homem dentro do candomblé, só pelo fato deles serem minoria.

---

15 Palavras da entrevistada.

A compreensão dessa autoimagem nos remete necessariamente à história da mulher negra e de seu posicionamento frente à realidade da sociedade brasileira, principalmente após a "Abolição da Escravatura". A "libertação" dos escravos trouxe para o negro uma nova forma de constrangimento social, em especial ao homem negro. Libertos, eles se viram absolutamente alijados da nova ordem econômica que emerge com a decadência do ciclo do açúcar, da extração do ouro etc. O processo de industrialização que se inicia vai basear-se fundamentalmente na mão de obra imigrante, seja pela ideologia de branqueamento da sociedade brasileira, que toma grande fôlego nessa época, em função do grande contingente da população negra do país.

Ao homem negro, despreparado e marginalizado do processo de industrialização nascente, restam as tarefas sociais mais humilhantes e a marginalidade. Nesse contexto, a mulher negra tomará para si a responsabilidade de manter a unidade familiar, a coesão grupal e preservar as tradições culturais, particularmente as religiosas. Apesar das condições sub-humanas em que a escravidão/"libertação" deixou à população negra, as mulheres negras lograram encontrar maiores opções de sobrevivência do que o homem negro. Elas foram para as cozinhas das patroas brancas, foram para os mercados vender quitutes, desenvolveram todas as estratégias de sobrevivência; assim criaram seus filhos carnais, seus filhos de santo, abriram seus candomblés, adoraram seus deuses, contaram, dançaram e cozinharam para eles.

Parece-nos que essas mulheres traziam para o seu presente imagens sacralizadas de seu passado, evidenciadas na mitologia preservada e na estrutura religiosa que aqui criaram. Ao apontar insistentemente, pela tradição oral, as estratégias mais diversas de insubordinação – simbólicas ou reais – a mitologia lhes abre a possibilidade de criar mecanismos de defesa para sobreviver e conservar seus traços culturais de origem, destacando deles, principalmente, os aspectos que responderão às necessidades que a nova realidade lhes impunha.

Pode-se perceber no mito "a expressão de formas de vida, de estruturas de existência, ou seja, de modelos que permitem ao homem inserir-se na realidade; são modelos exemplares de todas as atividades humanas significativas", e alternativas para diferentes circunstâncias da existência.[16]

Assim, a organização social do Candomblé procurará reviver a estrutura social e hierárquica de reinos africanos (especialmente de Oyó) que a escravidão destruiu; porém, na diáspora, essa forma de organização visará reorganizar a família negra, perpetuar a memória cultural e garantir a sobrevivência do grupo e, ainda, a transmutação nos deuses africanos será a fonte de sustentação dessas mulheres para o confronto com uma sociedade hostil. Hoje observa-se a crescente afluência de novos adeptos a esses cultos, oriundos de outros segmentos sociais e raciais.

Comumente, tende-se a interpretar essa penetração de pessoas dos segmentos médios e intelectualizados da sociedade como um meio da ideologia dominante se apropriar e manipular as formas de organizações populares, especialmente as oriundas das culturas negras. Porém, este parece ser o único aspecto relevante na compreensão desse fenômeno por todos aqueles que tendem a desconsiderar o grau de importância que essas formas particulares de organização têm na alteração de comportamentos.Também se negam a perceber em que medida essas adesões denotam as insatisfações desses segmentos frente aos projetos de vida que lhes são propostos pela ideologia dominante, bem como sua aculturação nesses valores alternativos.

Esse passado de luta, determinação e resistência da mulher negra marca profundamente o povo de santo, em especial suas mulheres. E essa mulher passou a ser o próprio símbolo da

---

16 SILVEIRA, Nise da. *Jung*: vida e obra. p. 128.

mulher de Candomblé, sua autoimagem, ou talvez o modelo que as leva a enfrentar as adversidades, sejam de que ordem forem. É isto que as faz se autodefinir ainda hoje como "mulheres raçudas, que não têm papas na língua, nem medo de nada".[17]

Ruth Landes, após pesquisa desenvolvida em Candomblés baianos, afirma em seu livro *A cidade das mulheres* que era opinião de alguns eruditos da época que os "celebrados valores das mulheres negras", que constituíram o que ela chamou de "matriarcado baiano", tenham "funcionado insensivelmente para liberar a posição social das mulheres brancas brasileiras".[18]

Essa tradição de confronto e humilhação dessas mulheres negras e pobres com uma sociedade que lhes explora e discrimina, e as estratégias de sobrevivência e resistência por elas engendradas, compõem parcela significativa da história do oprimido deste país. O texto a seguir mostra, tendo como exemplo Menininha do Gantois, comportamentos que essa prática gerou:

> Conversei também com o Dr. Nestor Duarte, professor da Faculdade de Direito. Escreveu um livro sobre a história da mulher negra no Brasil e seus estudos o haviam impressionado profundamente quanto à sua independência e coragem. Conhecia bem as mães e, naturalmente, também Menininha, cuja casa na cidade não ficava muito longe da sua escola. A mulher negra, na sua opinião, era no Brasil uma influência modernizadora e enobrecedora. Economicamente, tanto na África como durante a escravidão no Brasil, contara consigo mesma e isso se combinava com a sua eminência no Candomblé para dar um tom matriarcal à vida familiar entre os pobres. Era um desejável equilíbrio, supunha, para o rude domínio dos homens em toda a vida latina. Observou que as mulheres do Candomblé jamais se prostituíam, mesmo quando pobres, que eram livres no amor, mas não o

---

17 Palavras de entrevistada.
18 LANDES, Ruth. *A cidade das mulheres*.

comercializavam. Algumas até tinham educação inferior e as poucas que dispunham de recursos tentavam exercer profissões liberais. Eram seres humanos bem desenvolvidos na época em que o feminismo levantava a voz, pela primeira vez, no Brasil.[19]

São desta têmpera as grandes Iyalorixás e as grandes Ebomis.[20] Com efeito, as Iyalorixás têm sob seu poder um contingente significativo de pessoas, que a ela estão submetidas através de laços religiosos e obrigações rituais que nem a morte interrompe.

Convém apontar desde já que essa autoridade extrapola o plano religioso e estende-se às relações pessoais e a todo projeto de vida do membro de candomblé. Isso se deve aos mistérios que a Iyalorixá domina e manipula, e que constituem o seu poder religioso, político e social para a comunidade.

Elas são as grandes depositárias e transmissoras dos conhecimentos do culto, de seus mistérios e segredos, de sua magia. Elas conhecem as formas de manipulação das forças da natureza. Sabem manipulá-las para a solução de problemas da existência concreta e espiritual dos indivíduos que estão sob sua guarda; nisso reside o substrato místico no qual o poder do pai ou da mãe de santo se assenta.

Detentor do axé (força vital), o chefe do terreiro, homem ou mulher, conhece todas as suas manifestações e sabe como lidar com cada uma delas; sabe ainda como reverter essas forças em benefícios para sua família de santo e para a sua clientela, da mesma forma que sabe transformá-las em problemas para seus inimigos.

Fica, pois, evidente que o poder de um pai ou mãe de santo se traduzirá em eficácia na solução de problemas. Quanto mais eficaz for sua ação, maior será seu poder e prestígio junto à sua família de santo. Não é "a conversão de recursos sociais e

---

19 LANDES, Ruth, *op. cit.*, p. 87
20 Indica iniciadas com mais de sete anos de feitura de santo.

simbólicos em vantagens econômicas que empresta poder à mãe de santo";[21] esses são consequência de relações religiosas estabelecidas com a comunidade. Em todos os casos que conhecemos, as vantagens econômicas e sociais auferidas pelas Iyalorixás ou filhas de santo expressam, antes, troca de favores ou recompensas por favores obtidos. Elas possuem, portanto, e, antes de tudo, poder religioso. É ele que está na base dos sucessos sociais que a mãe de santo pode alcançar. Com esse poder/saber e, por meio dele, o pai ou mãe de santo podem talvez atravessar as barreiras de classe e raça e, nessa medida, ele poder ser, também, um instrumento de ascensão social.

Esse poder se configura enquanto tal pela crença em sua existência e eficácia. Ele é avaliado pela família de santo e pela clientela da roça que nele acredita e dele depende para a solução dos seus problemas. Portanto, por ser engendrado socialmente (na comunidade), só pode ser entendido como um processo, aumentando ou diminuindo, a depender de sua capacidade de responder às necessidades do grupo que o gera e o sustenta. Nessa medida, adquirir o máximo de conhecimento sobre o culto é desejo de todos os seus membros. Só esse saber propicia o domínio sobre as forças contidas nos elementos naturais, do qual decorre domínio sobre coisas e pessoas.

Leni Silverstein diz a propósito do caso baiano:

> Por um lado, tal como sugerido acima, a família pode ser vista como uma fonte de poder, particularmente para as mulheres. É através da manutenção desta família que as mulheres preservam algum senso de autonomia, especialmente dado o crescimento de uma esfera pública separada de produção especializada, administração, comércio, educação etc., que investe contra a organização

---

21 SILVESTEIN, Leni. Mãe de Todo Mundo: modos de sobrevivência nas comunidades de candomblé da Bahia. *Religião e Sociedade*, n. 4, p. 158.

dos recursos centrados na família. Isto pode ser interpretado como uma afirmação consciente da diferença cultural. Através da família de santo de Candomblé, mulheres, homens e crianças, numa posição subordinada, podem lutar para manter, consolidar e reconstruir as unidades básicas nas quais as crianças possam crescer e ser aculturadas nos valores e relacionamentos independentes e opostos à cultura dominante. Assim, a família de santo, com mulheres como seus pontos focais, se torna crucial para a perpetuação de um sistema alternativo de valores, costumes e culturas.[22]

Nessa perspectiva, as mulheres encontram no Candomblé uma nova dimensão da esfera doméstica. As ações que realizam no cotidiano, repetitivas e desvalorizadas socialmente, são, no candomblé, ritualizadas e sacralizadas. Assim, a Iyabase, cargo hierárquico feminino, tem por função ritual principal cozinhar para os orixás; a Iyaefun "cria" os iyawôs durante a iniciação e os tutela permanentemente; a Iyamoro se ocupa dos rituais para Exu; as Ekedis cuidam dos orixás e do físico dos filhos de santo, dando-lhes toda a assistência durante a incorporação. Por isso, elas são tratadas com respeito e reverências especiais por toda a comunidade, pois ter um cargo na hierarquia do Candomblé implica ter prestígio perante as demais roças e mesmo nos ambientes onde esse tipo de culto é valorizado, ou mesmo folclorizado.

O respeito às Iyás e Ekedis (cargos hierárquicos femininos) e aos Ogãs (cargos hierárquicos masculinos) deve ser observado com rigor pelos demais membros, e quando não acontece é motivo de "rixas" e desafetos. Essas saudações, expressas por uma gesticulação muito particular, reafirmam para a comunidade e mostram para as pessoas de fora o *status* de cada indivíduo para aquela comunidade.

---

22 SILVERSTEIN, Leni. *op. cit.*, p. 160.

Essas colocações já são indicadoras de que a disputa pelo poder é permanente no seio da comunidade. Acima dessas disputas se encontra o pai ou mãe de santo, quase sempre aquele que delega o poder que está sendo disputado, ou o divide para melhor reinar. O processo de sucessão de um pai ou mãe de santo sempre se configura numa verdadeira guerra pela hegemonia da roça. Com isso, podemos dizer que os cargos hierárquicos são também políticos.

Igualmente, durante a possessão, se revela a outra instância de poder, respeito e reverência devida aos membros da comunidade. Através dela se manifesta o "caráter divino" de cada indivíduo.

Roger Bastide considera

> [...] como função latente da possessão, a revanche dos grupos oprimidos: femininos contra os grupos masculinos nas sociedades patriarcais, ou dos estratos inferiores contra os superiores.

Cita ainda africanistas que viram uma relação de causa e efeito entre os cultos de possessão e a posição inferior das mulheres na sociedade; é graças a esses cultos que a mulher reage a seu status de dependência para se tornar um ser sagrado superior a seu esposo. Quase sempre nas sociedades patrilineares e patrifocais, a procura pela iniciação corresponde ao desejo de independência e de superioridade da mulher; ela se inscreve na luta dos sexos, por exemplo entre os yorubás. Pode-se dizer que uma das funções da possessão é modificar o status social das pessoas inferiorizadas pelas normas costumeiras.[23]

Se desse ponto de vista o transe expressa a reação da mulher à condição de marginalização, pode-se considerá-lo do ponto de vista mítico como a reafirmação da condição feminina, pois a possessão se associa além disso à fertilidade, à fecundidade e à

---

[23] BASTIDE, Roger. *Le rêve, la transe et la folie.* p. 9.

sexualidade. Parece-nos ser esta a razão pela qual somente os indivíduos que são possuídos por orixás são capacitados a "procriar" na linguagem do povo de Candomblé; isto é, só pode ser pai ou mãe de santo quem "vira no santo"; portanto, as Ekedis e os Ogãs estariam, em tese, excluídos de um processo de sucessão numa casa de Candomblé, pois eles contêm esse princípio de esterilidade; eles não incorporam, quer dizer, não contêm a possibilidade de "reprodução" e continuidade da família de santo. Porém, curiosamente, em algumas roças são tratados como mãe ou pai de orixá, respectivamente.

Estudiosos como Zempline e M. Gravand reiteram essa hipótese ao identificarem alguns ritos de possessão como "o culto geral de ancestrais maternos, onde a possessão tinha uma função essencialmente religiosa de fertilidade das colheitas, de multiplicação dos rebanhos e da fecundidade das mulheres".

A identificação profunda entre possessão, fertilidade e feminilidade se expressa em outro exemplo do mesmo autor, a propósito do casamento religioso entre mulheres da região do Zambeze, onde "as mulheres que querem se furtar ao transe se tornam marido de uma outra mulher, e esta entrará em transe em seu lugar".[24]

Evidentemente, o transe ou a possessão nos Candomblés brasileiros atingem hoje homens e mulheres, indiferentemente.

Queremos, no entanto, reiterar ou restabelecer a proximidade que a possessão tem com o caráter feminino, que se verifica ainda no fato de que nas primeiras roças de Candomblé a possessão masculina não era permitida, e quando ocorria era vista com reservas pelos participantes do culto, segundo nos informou o Babaolowô Agenor Miranda.

Esse sistema de representações, porém, opera e é equacionado o tempo todo com o conflito. Compreende o ser na sua

---

24 BASTIDE, Roger. *op. cit.*, p. 11.

multiplicidade, nas suas contradições, nas suas idas e vindas. Os orixás e seus mitos são a expressão dos conflitos nos quais os homens se debatem. Eles amam e odeiam, eles transgridem.

As roças de candomblé vivem segundo essa dinâmica. Nelas, ora se vive em conformidade com o código, ora ele é infringido. Isso não é uma inadequação ao sistema de representações, pois em seus mitos a postergação está inscrita, assim como a punição e sua superação. Nem mesmo Oxalá, o grande pai mítico, o representante maior de Olorun ou Olodumaré (Deus supremo), está acima dessas contradições. Conta um dos mitos de criação como Oxalá foi encarregado por Olorun de criar o mundo.

Este sai em missão, porém sem cumprir os rituais necessários para a sua execução, especialmente as oferendas para Exu. Irritado com a prepotência de Oxalá, Exu resolve dificultar-lhe a tarefa. Durante sua caminhada, Oxalá passa a sentir uma sede desesperadora. Não encontrando água em parte alguma, resolve beber a seiva da palmeira, o que é uma proibição expressa a Oxalá e a todos os seus filhos. Oxalá embebeda-se e dorme durante dias e, quando acordoa, sua missão fora cumprida por outro orixá, Odudua. Oxalá retorna a Olorun e ainda reivindica sua condição de pai e criador, ao que Olorun cede.

Portanto, esse sistema de representações, particularmente no que toca às mulheres míticas, oferece às sacerdotisas diferentes vivências que a sociedade patriarcal lhes nega. Os deuses africanos legitimam transgressões que a moral judaico-cristã, institucionalizada, condena; possibilitam ainda a compreensão e o reequacionamento de uma gama de conflitos oriundos da visão maniqueísta que essa mesma moralidade impõe.

Parece-nos, pois, que nesse espaço aberto para vivências diferenciadas das propostas socialmente reside fundamentalmente o interesse atual pelo Candomblé por parte de outros segmentos sociais. O Candomblé propicia à mulher abrir um espaço de competição com o homem e a sociedade machista, que a rigor não lhe é dado. Apoiada nos orixás, ela justifica uma possível rejeição ao homem, com ele se confronta abertamente e, em alguns casos, afirma sua capacidade de superá-lo. O texto a seguir reforça essa ideia:

> Menininha não se casou legalmente com ele pelas mesmas razões por que as outras mães e sacerdotisas não se casam. Teria perdido muito. De acordo com as leis daquele país católico e latino, a esposa deve submeter-se inteiramente à autoridade do marido. Quão incompatível é isto com as crenças e a organização do Candomblé! Quão inconcebível para a dominadora autoridade feminina! E tão poderosa é a tendência matriarcal em que as mulheres se submetem apenas aos deuses, que os homens, como Amor e Martiniano e o consorte de Menininha, o Dr. Álvaro, nada podem fazer além de enfurecer-se, censurar e brigar com as sacerdotisas que amam.[25]

Da mesma forma, a maioria das Iyalorixás que conhecemos em São Paulo são mulheres que vivem e sobrevivem sozinhas, e as que têm marido ou companheiros fixos não se mostraram submissas ou submetidas à figura masculina. Esta, para o resto da comunidade, tem importância secundária em relação à Iyalorixá. Todas expressam razões diferenciadas para a sua "solidão", mas têm em comum o traço de independência e intolerância aos papéis tradicionais que as relações institucionalizadas impõem.

Um dos entrevistados nos relatou a história de uma de suas irmãs de santo, filha de Obaluaiê,[26] que não conseguia manter casamentos (tentou dois, até desistir), pois seu orixá disse que não admitia "dois chapéus dentro de casa", e que ela não precisava de homem, já que ele lhe dava "tudo que ela necessitava". O entrevistado nos relatou ainda que, enquanto estava casada,

---

[25] LANDES, Ruth. *op. cit.*
[26] Orixá masculino responsável pelas doenças de pele.

essa mulher passou por uma série de privações, chegando a ter que habitar em favelas com seus filhos, entre outros males e que, ao ficar sozinha, conseguiu construir sua própria casa, abrir uma cantina da qual sobrevive e que hoje está muito bem de vida. O entrevistado relata este fato procurando exemplificar como o "cavalo" é vítima dos ciúmes do "santo".

Outra filha de santo nos contou como reagiu diante da ameaça de morte que lhe fazia o marido: "se você é homem atira, mas não se esqueça que eu sou filha de Ossanha!", diante do que ele recuou, assustado. Contou-nos ainda os percalços que passaram a acometer o marido após esse fato, como problemas de doença, falta de dinheiro, encrencas policiais, entre outros.

Uma filha de Iansã contou-nos como seu Caboclo fez com que seu marido só tivesse sucesso na vida depois de aceitar que ela "trabalhasse" para os orixás; contou ainda como Iansã havia dito que ele rastejaria para reconquistá-la, o que não adiantaria, pois ela não iria querê-lo mais.

A filha de Oxóssi explicou-nos que deixou a Umbanda pelo Candomblé e que se sente mais realizada, pois não depende somente das "entidades" para fazer coisas. No Candomblé, diz ela, "é a gente que trabalha". Isto é, o indivíduo aprende a cuidar do seu orixá, de si mesmo, dos outros e também a se defender. Obteve promoção no emprego uma filha de Obá, intimidando seu chefe com uma descrição dos poderes de seu orixá. Outra nos relatou como sua vida mudou após a iniciação, especialmente no aspecto financeiro, pois foi promovida e conseguiu um cargo de chefia numa instituição pública, e crê que isto se deva à feitura de seu orixá Oxumaré, que está associado, entre outras coisas, à riqueza e à prosperidade.

São inúmeras as histórias contadas por filhas de santo sobre seus cotidianos, nas quais, seja pela intervenção direta dos orixás, caboclos ou erês, seja a partir dos conhecimentos auferidos na prática religiosa, são instrumentalizadas a manipular as diferentes situações e problemas que a vida lhes coloca. A força do orixá, o conhecimento das forças contidas nos elementos naturais, os banhos de ervas sagradas, os ebós, o medo que impõem aos leigos essas práticas carregadas de mistério, as faz sentirem-se investidas de um poder que elas põem à prova em todas as circunstâncias de vida.

A crescente adesão de outros segmentos sociais ao Candomblé parece coincidir com a crise de valores por qual passa a sociedade burguesa patriarcal. A importância da psicanálise, ao colocar questões como repressão sexual, inibição do corpo, complexos de toda a ordem, a revolução dos anos 1960, as lutas de emancipação da mulher, a questão homossexual e a questão negra, trazem a necessidade de se repensar os grupos étnicos e segmentos sociais que, por viverem marginalizados socialmente, se organizam segundo outras leis e outros valores que os da "boa sociedade".

É nessa perspectiva que passam a ser valorizadas, folclorizadas ou apropriadas as organizações e ideologias dos grupos sectarizados. As experiências desenvolvidas pelos negros brasileiros são as que sofrem, por excelência, esse fenômeno. Assim, a sexualidade negra que até pouco tempo era identificada como promiscuidade, as formas de religiosidade negra vista como obscurantismo ou "coisa do diabo", passam a ser um caminho para aqueles que procuram uma reconciliação do homem com a natureza, um reencontro do homem com seu corpo e sua sexualidade, a busca da vitalidade e do prazer expresso em cantar, dançar, representar a mitologia para a comunidade a qual se pertence e com a qual se compartilha esse lado lúdico da vida.

Assim, as mulheres negras, brancas e mestiças exibem hoje suas saias coloridas, seus ojás e batas brancas engomadas durante as festas. Assim, elas trabalham, cantam e dançam noite adentro para seus orixás; assim, elas entendem que apesar de Oxalá ser o grande genitor masculino, ele se curva em adobale (gesto de prostrar-se em sinal de reverência) diante de Oxum, o poder genitor feminino. Elas sabem que apesar de Oxalá só poder usar a cor branca, ele coloca nos cabelos a pena vermelha, o ekodide, em homenagem ao sangue menstrual, símbolo da fertilidade e da concepção.

Então, percebem que a dominação masculina não se explica por sua natureza inferior, mas pelo temor e reconhecimento de suas potencialidades. Descobrem, enfim, que a Virgem Maria e Maria Madalena são forças latentes em cada uma delas, e que não precisam abdicar de sua sexualidade para atingir o reino dos céus. As deusas negras são mães dedicadas e amantes apaixonadas.

Gênero, raça e ascensão social

Ela mora num Brasil
mas trabalha em outro brasil
Ela, bonita... saiu.
Perguntaram: Você quer vender bombril?
Ela disse não.
Era carnaval.
Ela, não passista, sumiu.
Perguntaram: empresta tuas pernas, bunda
e quadris para um clip-exportação?
Ela disse não.
Ela dormiu.
Sonhou penteando os cabelos sem querer se
fazendo um cafuné sem querer...
Perguntaram: você quer vender Henê?
Ela disse nããão.
Ficou naquele não durmo não falo não
como...
Perguntaram: Você quer vender omo?
Ela disse NÃO!
Ela viu um anúncio da cônsul pra todas as
mulheres do mundo...
Procurou, não se achou ali.
Ela era nenhuma.
Tinha destino de preto.
Quis mudar de Brasil; ser modelo em
Soweto.

Artigo publicado originalmente na Revista Estudos Feministas, v. 3, n. 2, de 1995, em resposta ao artigo de Joel Rufino dos Santos e Wilson do Nascimento no livro Atrás do muro da noite (Dinâmicas das Culturas Afro-brasileiras), no qual os autores comparam mulheres negras a Fuscas e mulheres brancas a Monzas; publicação do Ministério da Cultura, Fundação Cultural Palmares, Brasília, em 1994, p. 163.

> Queria ser qualidade.
> Ficou naquele ou eu morro ou eu luto...
> Disseram: Às vezes um negro compromete o produto.
> Ficou só.
> Ligou a tv.
> Tentou achar algum ponto em comum entre ela e o free:
> Nenhum.
> A não ser que amanhecesse loira, cabelos de seda shampoo
> mas a sua cor continua a mesma!
> Ela sofreu, eu sofri, eu vi.
> Pra fazer anúncio de free, tenho que ser free, ela disse.
> Tenho que ser sábia, tinhosa, sutil...
> Ir a luta sem ser mártir.
> Luther marketing
> Luther marketing... in Brasil!
>
> Elisa Lucinda, *Ashell Ashell pra todo mundo Ashell*

Para o antropólogo Georges Balandier, o princípio da sexualidade ou a ideia da unidade dos contrários estrutura toda a concepção mítica negro-africana desdobrando-se nas instituições e relações sociais. Essas relações são pensadas, em primeiro lugar, por analogia com a união que associa os sexos, generalizando o casamento das diferenças ou dos contratos e gerando o dualismo sexualizado como modo de interpretação e de construção real ou simbólica do mundo e da sociedade. É conforme esse modelo que se formam as relações entre grupos considerados *estrangeiros* sob certos aspectos. A troca de mulheres estabelece sua aliança concebida no âmbito das coletividades, como o casamento de dois elementos diferentes, e, por consequência, opostos de dois grupos que se podem dizer respectivamente masculino e feminino, tal como se revela pelo exemplo dos Fang gaboneses e dos Camarões.[1]

---

[1] BALANDIER, Georges. *Antropológicas*. São Paulo. Cultrix. Universidade de São Paulo, 1976. p. 41.

Essa visão de mundo dos Fang gaboneses talvez possa nos oferecer novas pistas para encontrar outras respostas a uma questão recentemente colocada em debate por um texto de Joel Rufino dos Santos no qual ele pretende explicar: *Por que os negros que sobem na vida arranjam logo uma branca e de preferência loira?*[2] O texto de Balandier citado acima, particularmente no que diz respeito ao sentido que as trocas de mulheres têm na regulação das relações entre grupos diferentes nas sociedades africanas, poderia *sugerir* um outro título para este artigo, qual seja a Africanidade de Joel Rufino. Deixamos esta escolha ao leitor. Você decide.

Mas o nosso autor não se deixará capturar assim tão facilmente. Procurará mascarar a sua negritude respondendo a questão que se colocou com o seguinte argumento: a parte mais óbvia da explicação é que a branca é mais bonita que a negra, e quem prospera troca automaticamente de carro. Quem me conheceu dirigindo um Fusca e hoje me vê de Monza tem certeza de que já não sou um pé-rapado; o carro, como a mulher, é um signo.[3]

Consideremos que é uma explicação fácil demais vinda de quem vem, e por ser tão simplista faz supor que se destina mais a ocultar (quem sabe a tal negritude) do que a revelar.

Ao operar a partir de uma lógica de mercado segundo o qual quem tem mais dinheiro compra o melhor, no caso um Monza, Joel Rufino incorre em duas grandes falácias. A primeira é tentar investir alguns homens negros de poder. A segunda é escamotear a tensão racial presente na relação interétnica, porque a exogamia e as trocas matrimoniais que ela rege asseguram a transformação de um estado de hostilidade ou de antagonismo real ou potencial num estado de paz e de aliança. A mulher, circulando pela rede das trocas matrimoniais, é o

---

[2] BARBOSA, Wilson do Nascimento; SANTOS, Joel Rufino dos. *Atrás do Muro da Noite*. Brasília: Ministério da Cultura/Fundação Cultural Palmares, 1994. p. 163.
[3] *Idem*.

instrumento dessa conversão que a constitui como meio sinal ou penhor de aliança.[4]

O estupro colonial da mulher negra pelo homem branco no passado é a miscigenação, a partir do que foram criadas as bases para a fundação do mito da cordialidade e democracia racial brasileira. A apropriação sexual da mulher branca pelo homem negro na contemporaneidade, nos termos colocados por Joel Rufino, foram o mito da ascensão social do homem negro, escondendo no subterfúgio da primazia estética e social da mulher branca o desejo de pertencimento e de aliança com um mundo restrito aos homens brancos, ao qual homens negros em suposto processo de ascensão social, para adentrar, utilizam-se de mulheres brancas como avalistas.

Conforme Sorna Giacomini, a exaltação sexual da escrava e o culto à sensualidade da mulata, tão caros a nossa cultura branca e machista, vistos sob um novo prisma, mais do que explicar os ataques sexuais às escravas parecem cumprir uma *função justificadora*[5] do senhor de escravos enquanto vítima do que Giacomini chama de superexcitação genésica das escravas negras. Um exemplo estudado por Edith Piza no artigo *Da cor do pecado* é ilustrativo disso.

> Gozas com a mesma competência com que fazes teus banquetes, delícias dos juízes, dos doutores, dos coronéis [...]. Naufrago em tuas ondas largas profundas, ressurjo em teus abismos. E tu, tanajura rainha, me envolve com teus braços de sereia, noite escura, cheia de múrmurios [...] Só existo em tua escuridão, o teu negrume, tuas ondas bravas.[6]

Da mesma forma, Joel Rufino afirma em relação à mulher branca. O negro, sempre que pode, prefere a branca porque ela é

---
4   BALANDIER, *op. cit.*, p. 38.
5   GIACOMINI, Sorna. *Mana Mulher e Escrava*. Petrópolis: Editora Vozes, 1988. p. 66.
6   PIZA, Edith. Da cor do pecado. *Revista Estudos Feministas*, n. 1, p. 54, 1995.

mais gostosa. Gostosa é uma categoria sexual socialmente construída, a pele clara é mais que a pele clara, o cabelo liso promete mais gozo que outros.[7] A exaltação da beleza da mulher branca tem a mesma função justificadora, nesse caso, da deserção de um determinado tipo de homem negro em relação ao seu grupo racial, sendo a mulher branca, como Joel afirma, mais bonita e mais gostosa; este homem negro encontrar-se-ia prisioneiro da sedução das formas brancas como os senhores de engenho seriam cativos da sexualidade transgressora de suas escravas. Mas, por outro lado, ao definir a mulher branca também como um *objeto* de ostentação social, Joel Rufino explicita o objetivo fundamental de seu texto, que é reivindicar para este tipo de homem negro o mesmo estatuto de que desfruta o homem branco em nossa sociedade. Para este homem negro, deixar de ser um pé-rapado e adquirir uma mulher branca significa libertar-se da condição social de negro e colocar-se em igualdade em relação ao homem branco. E, por pretender-se neste lugar, é que Joel Rufino, para sustentar suas bravatas, permite-se olhar para as mulheres do alto de sua hipotética supremacia de macho e tomá-las como Fuscas ou Monzas à sua disposição no mercado, tal como um senhor de engenho considerava e usava brancas e negras.

> A construção da identidade é um processo que se dá tanto pela aproximação com o *outro* (aquele com quem desejamos nos assemelhar e que é qualificado positivamente) como pelo afastamento do outro (de quem nos julgamos diferentes e qualificamos negativamente). Na tentativa de diminuir o medo e a ansiedade causados pela possível semelhança ou dessemelhança entre eu e o outro, *reproduzo* imagens que me aproximem do positivo e me afastem do negativo.[8]

---

7 BARBOSA, *op. cit.*, p. 163.
8 PIZA, Edith. *op. cit.*, p. 56. (grifo nosso)

As frases anteriormente citadas de autoria de Joel Rufino constam em um artigo do livro *Atrás do Muro da Noite (Dinâmica das Culturas Afro Brasileiras)*, publicado pela Fundação Cultural Palmares, e merecem algumas outras considerações.

Em primeiro lugar, é verdadeiro que as mulheres negras são socialmente desvalorizadas em todos os níveis, inclusive esteticamente, como é verdadeiro também que as mulheres brancas constituem o ideal estético feminino em nossa sociedade. Portanto, nesse sentido, não estamos em desacordo com o Sr. Joel Rufino e reconhecemos, conforme ele mesmo reivindica, ao longo de seu artigo, todo o seu direito de amar e venerar as mulheres brancas. Nós, mulheres negras ou brancas, não somos fiscais do tesão de ninguém, temos outras prioridades políticas: o combate a todas as formas de discriminação e violência sofrida pelas mulheres em geral e pelas mulheres negras, em particular. Por isso não lhe damos o direito de coisificar ou reificar as mulheres, tratando-as a partir do mais grotesco chauvinismo, como objetos de consumo ou ostentação. Meros adornos do *status* e poder de um homem.

A desqualificação estética da mulher negra e a suposta valorização estética da mulher branca classificadas, respectivamente, como Fuscas e Monzas, longe de ser um artifício retórico através do qual, como se esperava, o autor iria desvelar criticamente a perversa lógica machista e racista presente nas relações afetivas interétnicas e dentro do grupo negro, contrariamente presta-se somente a ratificar de forma naturalista os preconceitos e estereótipos correntes no imaginário social a respeito das mulheres.

Porém, a ratificação desses estereótipos objetiva fundamentalmente o ocultamento de uma fenda narcísica escondida em qualquer homem negro. Alguns, diferentemente de Joel Rufino, preferem reconhecê-la e enfrentá-la ao invés de escamoteá-la a partir do mito da ascensão social do homem negro.

Qualquer homem negro no Brasil, por mais famoso que seja, ou por maior mobilidade social que tenha experimentado, não tem poder real. Não é dono dos bancos, não tem controle de grandes empresas, não tem representação política ou reconhecida importância intelectual e acadêmica. Esses são os elementos concretos que investem de poder pessoas ou segmentos em nossa sociedade.

Qualquer poder que o homem negro exerça, ele o faz por delegação do branco de plantão, que pode destitui-lo a qualquer tempo. Por isso é consentida a mobilidade individual de alguns negros, ao mesmo tempo que é controlada e reprimida a mobilidade coletiva. Nesse contexto, o negro em processo de ascensão individual está fragilizado e, sob o controle do poder do branco, uma das garantias exigidas pelo poder branco a este negro (para que ele não caia) é a sua lealdade. Portanto, o homem branco permite que alguns negros participem do poder, preferencialmente naqueles lugares que não têm importância para os brancos.

Mesmo os negros que devem seu sucesso a seus próprios talentos pessoais são prisioneiros dessa perversa dinâmica e veem-se impotentes para transferir seu prestígio pessoal para seu grupo racial. Embora desfrutem individualmente de uma situação privilegiada, sabem que não representam nada que tenha relevância política, social ou econômica, porque os negros enquanto coletividade são considerados a parcela descartável de nossa sociedade e, se bem-sucedidos individualmente, servem apenas para legitimar o mito da democracia racial.

A fenda narcísica é a consciência ou o fantasma desse círculo vicioso, dessa impotência crônica que se mantém, apesar do sucesso. Impotência social, política e econômica determinada historicamente pela supremacia e dominação exercida pelo homem branco sobre nós por quase cinco séculos, obrigando o homem negro, entre outras coisas, a assistir a apropriação sexual de suas mulheres pelo colonizador branco, a ser sustentado por elas quando sai da escravidão e a ser preterido pelos imigrantes brancos no mercado de trabalho gerado pela industrialização nascente. Essas condições o incapacitou de exercer o papel de provedores de suas mulheres e filhos, um dos pilares da ideologia patriarcal. Contraditoriamente, os homens negros creditaram sua sobrevivência muitas vezes aos recursos auferidos pelas mulheres negras prostituídas por homens brancos ou por eles mesmos.

Ouvi de uma indígena latino-americana, numa conferência de mulheres na Alemanha, que sempre que um povo é submetido, os vencedores violam as mulheres do vencido. O estupro das mulheres é o momento de consolidação da vitória de um grupo de homens sobre outro. É quando se quebra de vez a espinha dorsal e o moral do derrotado. Joel Rufino reflete isso ao admitir que toda a ânsia de ascensão do negro talvez tenha por objetivo ser o branco; e ele só o alcança – ou julga alcançar – quando enfim possui sexualmente a branca.[9]

Nesse sentido, para Joel Rufino, tomar a mulher branca talvez represente a possibilidade dessa revanche histórica. É poder levantar a espada e dizer ao inimigo que se está pronto para uma nova batalha, ainda que isso tenha apenas um sentido simbólico e quixotesco, porque em sociedades nas quais os negros foram capazes de desencadear processos de emancipação coletiva não se encontra os índices de exogamia existentes no Brasil, muito menos entre líderes e personalidades negras, como Martin Luther King, Malcolm X, Muhammad Ali, Nelson Mandela, Denzel Washington, Eddie Murphie, Colin Pawell, Mike Tyson, Jesse Jackson e Magic Johnson, para citar apenas alguns negros famosos, e que detêm parcelas reais de poder. Esses homens negros, além de seus talentos pessoais, expressam fundamentalmente conquistas engendradas por suas comunidades no confronto racial, por isso não precisam utilizar a mulher branca como emblema ou garantia de seu sucesso. O inverso àquilo que Joel Rufino festeja como símbolo de mobilidade social do negro

---

9 BARBOSA, *op. cit.*, p. 165.

brasileiro é representado minoritariamente: Michel Jackson ou O. J. Simpson são motivos de constrangimento para os negros daquela sociedade.

Em outro sentido, para homens e mulheres negros engajados e comprometidos com a mudança das relações raciais e sociais no Brasil e no mundo, seus parceiros quando brancos não são objetos de consumo, símbolos de *status* nem de garantia de mobilidade social, são companheiros e companheiras, portanto, seres humanos que não simbolizam êxito, mas sim a possibilidade do encontro da solidariedade e do amor entre grupos étnicos e raciais diferentes. São parceiros que colocam sua representação social ou seu prestígio pessoal a serviço da luta pela igualdade de direitos e oportunidades para todos.

Para os negros em processo de mobilidade social individual descolado das estratégias de luta de suas comunidades, como parece ser o caso do homem negro construído por Joel Rufino no texto, por sua vez, a relação interétnica representa a consolidação de uma aliança sem a qual essa mobilidade estaria comprometida, porque o intercâmbio matrimonial, ao mesmo tempo que liga um homem e uma mulher socializando sua sexualidade, corrobora para a articulação da sociedade masculina e da sociedade feminina, e instaura uma aliança entre os grupos a que pertencem.[10] Nesse sentido, considerando que, simbolicamente, diante do poder hegemônico do homem branco em nossa sociedade, todos os demais somos fêmeas, a mulher branca enquanto representação do poder dos brancos em geral é a mediação pela qual se processa o diálogo e o pacto entre a sociedade masculina, nesse caso entendida como os homens brancos, e a sociedade feminina, ou seja, os homens negros de Joel Rufino. Outro aspecto dessa questão é que a mulher branca permite a esse homem negro apresentar-se diante do homem branco aliviado do complexo de castração, por-

---

10 BAlANDIER, *op. cit.*, p. 40.

que se tornou capaz de tomar a mulher *dele*, condição indispensável para que homens machistas que historicamente não puderam defender suas mulheres e tiveram que cedê-las a outros sintam-se recuperados em sua autoestima e capacidade fálica. Talvez por isso, para Joel, a brancura e todos os seus demais atributos ofereçam um gozo maior.

Parece que para Rufino esta é a função estratégica que a mulher branca cumpre: estar junto ao homem negro, resgatá-lo da humilhação secular emprestando-lhe o pênis emblemático de sua brancura, símbolo de poder em toda parte, que o coloca menos próximo do homem branco e supostamente o habita para partilhar de seu poder. Como sabemos, um dos atributos da exogamia é que ela permite aumentar o campo das relações sociais, ligando grupos que, segundo certos critérios se entendem *estrangeiros*, e por isso mesmo perigosos uns aos outros, e na medida que o outro permanece dizemos Nuer do Sudão como um inimigo virtual.[11]

Em oposição à mulher branca, Joel Rufino define a mulher negra como uma mulher fácil, um Fusca que qualquer pé-rapado pode ter. Isso faz lembrar colocações feitas por outro homem negro para quem as mulheres negras não teriam resistido ao estupro colonial e, mais do que isso, teriam copulado gostosamente com o colonizador, sendo responsáveis pelo início de nossa ampla mestiçagem. Para Heleieth Saffioti, as relações sexuais entre os senhores e as escravas desencadeavam, por mais primárias e animais que fossem, processos de interação social incongruentes com as expectativas de comportamento que presidiam a estratificação em castas. Assim, não apenas homens brancos e negros se tornavam concorrentes na disputa das negras, mas também mulheres brancas e negras disputavam a atenção do homem branco.[12]

---

11 *Ibidem*, p. 38.
12 SAFFIOTI Heleieth. *A Mulher na Sociedade de Classes mito e realidade*. Petrópolis: Vozes. p. 165.

Na deliberada desqualificação das mulheres negras feita por Joel talvez se esconda essa outra fenda narcísica, a ideia de que as mulheres negras enfrentaram com muito prazer o assalto sexual dos homens brancos, estabelecendo com eles uma cumplicidade devida ao homem negro.

A publicação deste texto escapa a toda lógica de conveniência política da qual Joel Rufino é sempre tão zeloso. Não parece também fruto de nenhum surto repentino de valentia como ele pretende insinuar no texto. Então, o rancor e o cinismo machista e racista presentes em cada frase indicam que algo muito profundo escapou de seu controle e explodiu na forma de ódio pelas mulheres negras por sua suposta falta de fidelidade histórica, ou seja, por sua incapacidade de resgatar socialmente a si mesmas e a seus homens na medida em que a união de dois elementos sob certos pontos de vista semelhantes ou parentes não é socialmente fecunda, visto que esta relação fecharia o campo das relações. A união de semelhantes apresenta-se como o estado zero das relações sociais.[13] Portanto, para quem se encontra em pleno gozo de ascensão social, a união de *Fusca* com *Pois é* só pode simbolizar estagnação ou retrocesso quando vista pela ótica de Joel Rufino.

Entretanto, o texto explode também em ódio pelas mulheres brancas devido àquilo que representam do poder branco e castrador. É por considerar a mulher branca apenas um instrumento nesse duelo que Joel se permite coisificá-la, tratando-a como sinônimo de Monza. Estamos diante daquilo que o poeta negro, Arnaldo Xavier, considera o único espaço de cumplicidade efetiva existente entre o homem negro e o homem branco, o machismo. Eles estavam de acordo e seriam cúmplices pelo menos nisso, no direito que ambos se dão de oprimir, discriminar e desumanizar as mulheres brancas ou negras. Aquilo que no

---

13 BAlANDIER, *op. cit.*, p. 41.

início do texto seria a hipotética africanidade de Joel Rufino se revela como o denominador comum da maioria dos homens de diferentes culturas raças e etnias.

Na verdade, as mulheres são usadas neste texto de Rufino como cortina de fumaça de uma briga de machos que não ousa se explicitar totalmente, na qual a necessidade de conquista da mulher branca reflete a inveja do poder do branco, o ressentimento e o ódio acumulados em quase cinco séculos de dominação e desigualdades raciais. De fato, o alvo real ainda que dissimulado é o homem branco e é dirigido a este a imperiosa necessidade de ostentar uma mulher branca, porque os demais, para Joel Rufino, são meros objetos – Fuscas, Monzas ou pés-rapados.

No entanto, Joel é brando, quase silencioso, em relação ao homem branco, este inimigo amado e odiado, o verdadeiro objeto de desejo. É nesse aspecto que reside o cerne do problema colocado pelo artigo de Joel Rufino. Percorrendo mais uma vez caminhos abertos por Edith Piza, no artigo já citado, consideremos que Joel Rufino poderia, pela utilização crítica da estereotipia feminina, reconstruir novos significados para as mulheres e para as relações interétnicas, incorporando em sua análise do imaginário social acerca das mulheres toda a desconstrução que historicamente o feminismo vem empreendendo a esse imaginário e que Joel Rufino tão bem conhece. Então por que Joel não o faz? Por que ele se limita a trabalhar com essa estereotipia de forma naturalista, persistindo na objetificação das mulheres, tratando-as como signos, emblemas, adornos, Fuscas e Monzas? Porque Joel Rufino age em legítima defesa. Porque, para ele, essa estereotipia presta-se à construção de um novo significado, não para as mulheres nem para as relações interétnicas, mas sim para os homens negros. Ao congelar as mulheres nesses estereótipos, ele promove o novo, o homem negro liberto de seus estigmas e *sujeito* de um discurso sobre as mulheres. O que está sendo demarcado é que não estamos mais diante do pobre negro lladio que conheceu a mulher branca, se despojou nas suas carnes brancas, enfiou o membro disforme e sujo na sua gruta de Vênus,[14] e que depois, ajoelhado diante do patrão branco, pede perdão. O negro que, segundo Joel, significa para o branco sujeira, luxúria e *perigo*.[15] O lugar de onde Joel Rufino nos fala é do negro que experimentou ascensão social, o negro bem-sucedido que resgatou sua humanidade através do prestígio ou do dinheiro e, por ter-se tornado *sujeito*, adquiriu direito, tal como o homem branco se dá de nomear e valorar coisas e pessoas. A desumanização das mulheres no texto funciona como elemento de afirmação da humanização do homem negro porque o inscreve na lógica masculina dominante e, ao fazê-lo, eleva-o à mesma categoria dos homens brancos, o que por conseguinte ratifica o mito da mobilidade social do homem negro.

Nesse contexto, a coisificação da mulher branca, além de expressar este novo *status*, é também um símbolo da aliança com aquele universo branco dominante que produz e reproduz as discriminações e desigualdades raciais e sexuais, tanto no universo concreto como no imaginário. É dessa forma que Joel Rufino realiza a façanha que está na primeira nota deste artigo, tornar-se uma Williams vendendo um Fusca e comprando um Monza. Sendo assim, no jeito manso e cuidadoso de Joel tratar o homem branco, no decorrer do texto, o que está colocado é a *incerteza* que afeta a relação de aliança associada e pacífica, mas comporta o risco do retorno da oposição subjugada ao antagonismo declarado.[16] Talvez isso explique a forma melancólica e fatalista o modo que Joel Rufino encerra o seu texto. A submissão completa é a única maneira de se conjurar os demônios.[17]

---

14 BARBOSA, *op. cit.*, p. 169.
15 *Ibidem*. (grifo nosso)
16 BARBOSA, *op. cit.*, p 39.
17 *Idem*.

Portanto, a insustentabilidade da tese da mobilidade social individual para responder aos problemas dos negros manifesta-se na impossibilidade de se travar o confronto real colocado pelo conflito racial. Então, a resposta de Joel a essa dor e a essa impotência será a misoginia. Ele sabe que nenhuma mulher branca ou negra pode apagar as marcas deixadas pela História e que se reproduzem no presente, mas vinga-se *nelas*, tratando as brancas como objetos de luxo de seu proselitismo machista, e as negras como objetos de segunda categoria disponíveis no mercado a um precinho módico.

Sob outro aspecto, é fundamental e estratégico para ele desqualificar em especial a mulher negra, porque atrás do rosto escuro de cada uma de nós estão mães, avós, irmãs, escravas, mucamas de cama, mesa e banho. Testemunhas de uma História de derrotas e fracassos da qual somos todos herdeiros e que nenhuma *estória* de mobilidade social individual pode apagar. Só a recuperação coletiva de nossa capacidade de autodeterminação pode fazê-lo. E é isso que homens e mulheres negros organizados buscam realizar por meio das inúmeras entidades negras espalhadas por todo o país, que na luta política cotidiana contra o racismo e a discriminação racial forjam propostas de emancipação social e de resgate da dignidade de todo o povo negro deste país.

Mas, paradoxalmente, Joel Rufino prefere esquecer a História e opta por escrever *estórias* em que seres humanos são transformados em Fuscas e Monzas pilotados por um pobre negrinho que um dia dormiu e sonhou que era campeão de Fórmula l.

"Terra nostra" só para os italianos

Artigo escrito em reação à cena com estereótipos negativos sobre o negro na novela "Terra Nostra", publicado em Folha de S.Paulo, na coluna Tendências e Debates, em 27 de dezembro de 1999.

Em um recente seminário em Brasília, o deputado Aloizio Mercadante comentou sobre o impacto positivo que a novela "Terra Nostra" tem tido sobre a autoestima da comunidade italiana. Autoestima que, de tão elevada, estaria promovendo a revitalização das festas tradicionais da comunidade. Os negros, ao contrário, permanecem se defrontando nessa novela com as questões básicas que envolvem suas contradições com a mídia em geral: a invisibilidade ou a visibilidade perversa, recheada de estereótipos.

O sociólogo Muniz Sodré diz que a TV brasileira está para o negro assim como o espelho está para o vampiro. O negro olha: não se reconhece, não se vê! Em "Terra Nostra", o barão do café pondera com seu contratador sobre a impossibilidade de abrigar os italianos nas senzalas desertas pela abolição. Diz ele: "São brancos. Trazem no coração o espírito da liberdade. Não vão aceitar essa história de senzala".

Em outro momento da trama, assistimos ao menino Tiziu reclamar de sua sorte ingrata com a seguinte frase: "Deus não quis me embranquecer". Imagine o impacto dessas frases na autoestima da comunidade negra, especialmente sobre as crianças negras.

Num diálogo entre o negrinho Tiziu e o italiano Matteo, o menino diz ao italiano que, se ele não se comportar direito, o capataz o colocará no tronco como fazia com os negros. Matteo, o herói italiano, reage dizendo que, se o capataz tentar colocá-lo no tronco, será um homem morto.

Essa é a chave explicativa dessas construções estereotipadas. A mensagem subliminar é a de uma suposta resignação dos negros à escravidão, cujo sentido é o de ressaltar a bravura, o orgulho e a garra do branco imigrante, que jamais se submeteria aos tratamentos dispensados aos negros. Garra, orgulho e bravura seriam atributos que só a brancura pode dar.

Considerando que os personagens negros não têm relevância na trama, sua presença e a imagem negativa que veiculam prestam-se unicamente a ratificar a suposta superioridade do branco.

A subserviência e o infantilismo dos personagens negros reiteram a visão preconceituosa de uma humanidade incompleta do negro, que se contrapõe à completude humana do branco, mesmo que sejam brancos de classes subalternas, como é o caso dos imigrantes de "Terra Nostra".

Essa estereotipia justifica a exclusão e a marginalização histórica do negro. Ela legitima um projeto de nação que vem sendo construído nestes 500 anos: de hegemonia branca e exclusão ou admissão minoritária e subordinada de negros, indígenas e não brancos em geral. E é esse projeto de nação que o imaginário televisivo busca consolidar para o próximo milênio.

Um projeto que faz, intencionalmente, uma leitura do passado que omite a violência da escravidão e as diversas formas de resistência a ela desenvolvidas pelos negros, a abolição inconclusa e o papel da imigração na estratégia das elites de branqueamento da nação. E quando reconhece alguma dessas questões o faz por intermédio de personagens brancos, consubstanciando uma imagem estigmatizadora do negro como um ser que tem de ser tutelado pelo branco.

Um projeto que invisibiliza as lutas do presente por igualdade de direitos e oportunidades e pela afirmação da identidade étnico-cultural, as reivindicações de políticas públicas inclusivas, os exemplos heroicos de sobrevivência em uma sociedade hostil e excludente em relação aos negros.

A reflexão do deputado federal Ben-Hur Ferreira (PT-MS) sintetiza o sentido último dessas imagens: "Tendo como pano de fundo, inequivocamente, as comemorações dos 500 anos, a novela opta por uma leitura do passado que reforça a violência racial do presente e retira qualquer possibilidade de futuro em igualdade de condições de cidadania para milhões de brasileiros não brancos".

Tempo feminino

Quando me convidaram para participar deste debate eu perguntei: "Qual é a proposta, qual o público?". E disseram que a proposta era deixar um registro para as novas gerações da luta das mulheres e, principalmente, discutir os desafios que essas novas gerações terão que enfrentar.

    E creio que sempre que se coloca para nós, velhas feministas, a questão de dialogar com as novas gerações, nos ataca um sentimento de culpa, de que um erro fatal foi cometido no processo, porque geralmente em nossos fóruns cada vez mais nos angustia a ausência ou a pequena presença de mulheres jovens nos nossos debates, nas nossas lutas, no Movimento.

Texto apresentado no Seminário Tempo Feminino, realizado pelo Conselho Nacional dos Direitos da Mulher e pelo Conselho Estadual da Condição Feminina de São Paulo, em 27 de março de 2000, no Parlamento Latino-americano do Memorial da América Latina.

Pensávamos que a essa altura estaríamos todas numa corrida de bastão em que as mais velhas seguiam na frente já no limite de suas forças, porém confiantes de que um batalhão de jovens aguerridas nos seguiam de perto, prontas para no momento certo da corrida pegarem o bastão e seguirem em frente, com a velocidade, a garra e a vitalidade que só a juventude tem.

No entanto, na maioria das vezes, olhamos para trás ou para o lado e quem encontramos é aquela mesma companheira de duas ou três décadas atrás, com o semblante cansado de tantas lutas travadas e do longo caminho percorrido.

A poeta Emily Dickinson, em um dos seus poemas, diz:

Água, ensinada pela sede.
Terra – pelos Oceanos idos.
Emoção – pelo espasmo –
Paz – pelas batalhas contadas –
Amor – pelas Lápides Tumulares –
Pássaros, pela Neve.[1]

Rosiska Darcy, feminista histórica, escreve em seu belo artigo intitulado *Boa sorte à nova geração*, que se sente como ex-combatente diante das novas gerações, como no poema de Emily Dickinson. Afirma: "Quem nasceu com a luz elétrica não tem medo de escuridão". E diz ainda: "É um pouco assim que a minha geração se comporta quando fala do feminismo, quando descreve para uma juventude *blasé* e descrente um tempo tragicômico em que mocinhas não saíam sozinhas, brigavam com os pais para poder estudar, fumavam escondido, casavam virgens sem saber o que lhes esperava".

---

[1] Tradução do poema CXXXIII, da Parte Quatro: Tempo e Eternidade, das obras completas de Emily Dickinson em inglês (1924), por Luciana Carvalho, especialmente para esta edição. https://www.bartleby.com/br/113.html

Frequentemente em nossos trabalhos com mulheres jovens encontramos garotas que defendem a igualdade entre homens e mulheres em todos os aspectos da vida, que se revoltam diante de manifestações de machismo, mas que também fazem questão de afirmar que não são feministas apesar de acreditarem no direito das mulheres de terem as mesmas oportunidades, direitos e deveres que os homens.

Frequentemente, também quando trabalhamos com mulheres jovens e lhes apresentamos nossas pautas de reivindicações, as lutas que têm sido objeto de nossas vidas nesses anos, o caminho que foi percorrido e tudo que ainda há a fazer para que as mulheres adquiram igualdade e plena cidadania, os princípios básicos do feminismo, recebemos respostas do tipo: "Ah! Então EU sou feminista e não sabia?!". Outras nos dizem: "OK, vocês trabalharam muito e mudaram muitas coisas, mas agora a nossa realidade é outra e temos outras prioridades. Não precisamos mais confrontar o mundo masculino, a mulher já participa da vida social, tem vida profissional, uma carreira, decide quando vai ter filhos, exercita a sexualidade sem a repressão que vocês conheceram. Então as lutas hoje são outras, não há mais necessidade de uma luta específica das mulheres, todos enfrentamos os mesmos problemas, o desemprego, a necessidade de capacitação, de educação, hoje as oportunidades são iguais para homens e mulheres".

As mulheres de minha geração compreenderam o sentido das palavras liberdade e igualdade em função da sede que a ausência de liberdade e de igualdade nos provocou. E essa sede era tão intensa que transformou as noções de liberdade e igualdade nos princípios mais caros às pessoas de nossa geração, porque além de entender que liberdade e igualdade são valores intrínsecos e inegociáveis para a pessoa humana, descobrimos também que para conquistá-las e mantê-las é preciso muita disposição de luta e uma vigilância permanente para defendê-las, porque liberdade e igualdade são bens que estão sempre sendo colocados em perigo por diferentes ideologias autoritárias, fascismos, neofascismos, por diferentes variações do machismo, pelo racismo e as discriminações étnicas e raciais, pelos fundamentalismos religiosos, pelos neoliberalismos, pelas globalizações.

Ideologias que invariavelmente colocam em risco as conquistas das mulheres. Por isso, outro valor inegociável, porque constitui a garantia da liberdade e a possibilidade da igualdade, é a democracia, pois é o único antídoto de que dispomos contra as diferentes formas de autoritarismos presentes no mundo.

Autoritarismos que se reciclam ou se renovam permanentemente, se apropriam de nossas lutas, de nossos sonhos e de nossas conquistas, subvertendo-os e colocando em xeque as noções de democracia, de liberdade e a possibilidade de construção da igualdade. Como se recicla o machismo, por exemplo?

Lutamos para que as mulheres pudessem estudar, ter uma carreira e trabalhar fora de casa. As mulheres entraram para o mercado de trabalho e novas contradições se colocaram, e passamos a nos defrontar com a desigualdade dos salários das mulheres em relação ao dos homens mesmo quando apresentamos as mesmas habilitações, desenvolvemos as mesmas tarefas e temos índices superiores de educação como ocorre atualmente no Brasil.

Enfrentamos o veto nas promoções, especialmente para os cargos de chefia; o assédio sexual a que muitas têm que se submeter para manter um emprego ou conseguir uma promoção; a ausência de creches para assegurar a guarda dos filhos e assim nos mantermos no mercado de trabalho que os empresários não garantem; a falta de solidariedade dos maridos ou companheiros na divisão das tarefas domésticas e em relação à educação dos filhos.

Essas são as primeiras pendências que deixamos às jovens gerações de mulheres, conquistar igualdade efetiva no mercado de trabalho; salário igual para tarefas iguais, e igualdade de oportunidades de promoção profissional. Mudança na mentalidade masculina para assumirem suas responsabilidades com a reprodução cotidiana da vida.

Lutamos por liberdade sexual, pelo direito de ter controle sobre os nossos próprios corpos. Submeteram esses corpos que se supunham enfim livres a um processo brutal de mercantilização que resulta hoje num espetáculo grotesco de exibição narcisista de corpos siliconados e de nádegas expostas a granel, destinados a vender de tudo, sabonetes, sexo, carros de luxo, cigarros, bebidas e o que mais vier, num grau de reificação do corpo feminino jamais imaginado ou sonhado por nós nos nossos piores pesadelos.

Um grau de coisificação do corpo feminino e um bombardeio ideológico de mídia de legitimação da exploração desse corpo que faz com que a profissão de modelo e similares seja o sonho dourado de sete entre dez adolescentes do país quando, entre outras coisas, a nossa luta visava permitir às mulheres adentrarem a carreiras secularmente monopolizadas pelos homens.

O que essa máquina de consumir corpos oferece com seu aliciamento se reduz a fama e dinheiro rápidos, gerados por corpos descartáveis. Deixamos para as próximas gerações o desafio de ressacralizar o corpo feminino e resgatar a sua integridade e dignidade.

Alteramos padrões de comportamento ao retirar a questão da violência doméstica e sexual do plano privado do casal ou da família para a esfera pública. Recusamos a máxima "em briga de marido e mulher, ninguém mete a colher". Metemos a colher, sim, e transformamos a questão da violência contra a mulher em questão pública, objeto de políticas públicas das quais um dos exemplos foi a criação e proliferação das Delegacias de Defesa das Mulheres e a reivindicação de abrigos para a proteção de mulheres em situação de violência.

No entanto, a impunidade é uma chaga que permanece cúmplice da violência contra a mulher. Permanece para vocês mais esse desafio, o de assegurar que os operadores da Justiça criminalizem efetivamente a violência doméstica e sexual que continuam vitimando as mulheres.

Assistimos nesse momento a expansão de diferentes fundamentalismos e proselitismos religiosos. Eles em geral professam a conversão das mulheres a valores conservadores que reiteram e justificam a submissão das mulheres aos homens; que atribuem às mulheres, como missão superior de vida, o cuidado de suas famílias e a aceitação de uma moralidade castradora; que lhes restringe a liberdade.

Impedir que a intolerância religiosa seja um fator de retrocesso nas conquistas das mulheres é mais uma tarefa que fica para a próxima geração nesse cenário de expansão dos fundamentalismos religiosos.

As políticas econômicas neoliberais vêm promovendo o fenômeno da feminização da pobreza, especialmente nos países não desenvolvidos, graças à ausência de políticas sociais, ao desemprego estrutural, à migração forçada dos homens em busca de trabalho, à perda da capacidade de investimento dos Estados no desenvolvimento social e econômico dos seus países.

E o racismo, como ele limita a igualdade e a liberdade das mulheres? Lutamos pela criminalização do racismo, conquistamos um princípio constitucional que criminaliza a prática do racismo e o torna crime inafiançável e imprescritível. No entanto, a cultura de impunidade e de tolerância em relação às práticas discriminatórias fazem com que ninguém seja punido e preso pelas ações racistas que pratica.

Já falamos anteriormente sobre como a luta das mulheres vem promovendo a diversificação de sua presença no mercado de trabalho em posições secularmente ocupadas pelos homens a partir das sistemáticas denúncias e estudos sobre as desigualdades existentes entre homens e mulheres no acesso às ocupações de maior prestígio e remuneração.

As mulheres negras, no entanto, pouco se beneficiaram dessas conquistas, permanecendo guetizadas nas ocupações profissionais de menor prestígio, via de regra em ocupações manuais, apresentando um índice de analfabetismo três vezes maior do que as mulheres brancas, e percebendo os piores salários dentre a população economicamente ativa.

Fazemos parte de um contingente de mulheres para as quais os anúncios de emprego começam com a seguinte frase: "Exige-se boa aparência". E o subtexto dessa expressão é: "Negras, não se apresentem!"

Quando empregadas, as mulheres negras ganham em média metade do que ganham as mulheres brancas e quatro vezes menos do que ganham os homens brancos. Faltam, portanto, ações afirmativas, punição do crime de racismo especialmente no mercado de trabalho, e políticas públicas de promoção dos grupos discriminados que assegurem que essas conquistas beneficiem igualmente as mulheres dos diferentes grupos raciais, porque o racismo permanece como um mecanismo que privilegia mulheres brancas em particular, e os brancos em geral, em todas as instâncias da vida social, especialmente no mercado de trabalho.

Lutar para que o mérito seja o critério efetivo de avaliação, admissão e promoção das pessoas permanece como uma bandeira política prioritária sob pena de sucumbirmos definitivamente ao ideário neofacista e consentir que raça, cor e etnia sejam instrumentos de promoção de privilégios para os grupos raciais hegemônicos e de opressão e desigualdades para os grupos raciais inferiorizados.

As perguntas que ficam pendentes em relação a essa questão são:

- É possível construir a cumplicidade entre mulheres negras e brancas para juntas combaterem o poderoso mito da democracia racial que acoberta hipocritamente o racismo e a discriminação racial que se abatem sobre os negros em geral, e

sobre as mulheres negras em particular, tornando-as as animosas da sociedade brasileira?
- É possível a cumplicidade entre mulheres brancas e negras para juntas combaterem a hegemonia estética ariana presente nos veículos de comunicação de massa que oprimem e rebaixam a autoestima de mulheres não brancas e as inferiorizam no mercado afetivo?
- Será possível para as mulheres brancas das novas gerações renunciarem aos privilégios que o racismo produz aos brancos na sociedade brasileira e que gera desigualdades entre as mulheres negras e brancas em prol da construção de um Tempo Feminino em que os melhores valores da cultura feminina prevaleçam?
- Serão as mulheres das novas gerações parceiras das mulheres negras na luta por reparações e ações afirmativas que venham a eliminar as desvantagens históricas acumuladas pelas mulheres negras em função da escravidão e dos persistentes mecanismos de discriminação racial utilizados em nossa sociedade, que produziram e reproduzem desigualdades e diferenças de oportunidades para negras e brancas?

Realizar a igualdade intragênero, ou seja, equalizar as condições de vida de brancas e não brancas constitui mais uma pendência que as mulheres das novas gerações herdam de nós.

Então, onde estamos?

Para muitos homens, as conquistas do feminismo provocaram uma atitude cínica. Entenderam a igualdade de direitos como o direito de dividir despesas com as mulheres e de se eximir de responsabilidades. Aceitaram de bom grado serem libertos da condição de provedores exclusivos de suas famílias, acostumaram-se rapidamente a contar com o salário das mulheres para equacionar o orçamento familiar, sem assumir nenhum compromisso com as tarefas domésticas que permaneceram na forma de dupla jornada de trabalho, responsabilidade exclusiva das mulheres. Desfrutam da liberdade sexual e se eximem da responsabilidade em relação à contracepção. Desfrutam da liberdade sexual e se eximem da paternidade responsável, além de se eximirem da responsabilidade da prevenção em relação às doenças sexualmente transmissíveis, especialmente em relação à prevenção da Aids. Compartilham dos novos direitos conquistados pelas mulheres, mas não ampliam sua carteira de deveres.

E o distanciamento das mulheres jovens do ideário feminista, de sua filosofia, de seus valores e princípios, faz com que elas se tornem presas fáceis dessa atitude cínica presente em muitos homens, porque a liberdade que hoje exercitam não está embasada ou condicionada por esses valores. Porque são esses valores que permitem que a sexualidade seja exercida com responsabilidade e segurança, são eles que permitem estabelecer o limite de cada um na relação, são eles que asseguram o respeito a nossa individualidade e a nossa condição feminina. São eles que dão substância a nossas posições, aos limites que temos que impor ao outro para sermos respeitadas. A reeducação masculina a partir de uma pedagogia de respeito à dignidade humana das mulheres é outro desafio que as jovens têm que enfrentar.

Sem valores e sem princípios o que exercitamos é um simulacro de liberdade e de igualdade. Que é o que permite, entre outras coisas, que nossos corpos e nossas mentes sejam moldados por industrias de silicones e de operações plásticas, pelos *personal trainers*, pelas academias de ginásticas, em busca de um padrão estético arbitrário e opressor a serviço de uma poderosa indústria de consumo que tudo transforma em mercadoria, destituindo pessoas de humanidade, dignidade e respeito, tudo em nome do lucro. Uma indústria que traveste nossos sonhos e nos impõe desejos que não são ou não deveriam ser nossos.

Por um tempo feminino

Fomos educadas para cuidar dos outros, de nossos companheiros, de nossos filhos, de nossos pais. Durante muitos séculos a obrigatoriedade desses cuidados foram fatores de opressão. Mas de dentro dessa opressão desenvolvemos um forte sentimento de compaixão, que nos permite hoje cuidar do mundo, reeducá-lo sem dor e sem opressão.

Fomos privatizadas por longos tempos, confinadas ao espaço feminino, da cozinha, do lar dos haréns. Aí aprendemos a compartilhar dores, medos e inseguranças desconhecidos pelos homens; e isso nos ensinou outro tipo de solidariedade e de sociabilidade que devemos aportar a um Tempo Feminino. Compartilhar é um verbo que as mulheres conjugam em maior escala do que os homens, e de um jeito mais doce. Às vezes fazendo doces para adoçar os homens e os filhos.

Aprendemos a administrar a escassez e como Cristo temos multiplicado o pão em nossas mesas. Milagres que os Pedro Malan já não sabem realizar. Com isso aprendemos mais sobre solidariedade e fraternidade. Contribuições que temos a dar a um Tempo Feminino.

Fomos escravizadas, discriminadas e inferiorizadas racialmente. Arrancaram os nossos filhos de nossos seios. Nos obrigaram a amamentar e criar filhos que não eram nossos.

Essa experiência brutal nos obrigou a conhecer profundamente o outro, o branco. Nos ensinou em primeiro lugar o apreço pela liberdade e também que a diversidade humana é o maior patrimônio da humanidade. Nos fez descobrir que ninguém é racista por natureza. Aprende-se a sê-lo.

Pudemos assistir aquelas crianças brancas, que alimentamos, que fizemos adormecer em nossos braços confiantes, se tornarem feitores, comerciantes de carne humana, torturadores de negros revoltados, estupradores de escravas. Mas essa experiência brutal nos fez aprender que tanto podemos educar as pessoas para discriminar e oprimir como para respeitar, acolher e se enriquecer com as diferenças raciais, étnicas e culturais dos seres humanos.

A valorização da diversidade torna-se para nós, então, um pré-requisito para a reconciliação de todos os seres humanos. O princípio capaz de fazer com que cada um de nós, com a sua diferença, possa se sentir confortável e "em casa neste mundo", pertencentes que somos todos à mesma espécie humana. Essa missão civilizatória é talvez o ponto mais importante da agenda das próximas gerações.

Então, meninas, aceitem esse bastão porque ele lhes oferece a oportunidade de, como guerreiras da luz, travarem o bom combate! Pelas causas mais justas da humanidade.

Expectativas de ação das empresas para superar a discriminação racial

Palestra proferida na Conferência Nacional do Instituto Ethos, em 6 de junho de 2002.

Quero inicialmente agradecer ao Instituto Ethos pelo convite para falar nesta plenária, mas sobretudo por pautar a temática da discriminação racial em sua Conferência Nacional para um público tão estratégico como este. Tem havido historicamente quase uma conspiração de silêncio em relação a esse tema, conspiração que só recentemente vem sendo rompida.

Comecemos com Gilberto Freire, inventor do mito da democracia racial brasileira. Diz ele: "Devemos nos considerar uma gente que goza de extraordinária paz e harmonia racial. [...] [O Brasil faz] contraste com aquelas partes do mundo em que ódios raciais existem sob formas, por vezes, as mais violentas, as mais cruas".[1] A consciência nacional brasileira sempre se sentiu confortável diante dos conflitos raciais existentes em outros países, na medida em que esses conflitos ratificavam o decantado mito da democracia racial brasileira. Afinal, diante dos confrontos existentes sobretudo nos Estados Unidos e na África do Sul, podíamos sem dúvida nos considerar um paraíso racial...

Para o estudioso Carlos Hasenbalg, o mito da democracia racial se sustenta no Brasil pela ausência aparente de conflito racial, pela inexistência de segregação legal, pela presença de alguns não brancos nas elites e pela miscigenação racial da população, supostamente indicadora de tolerância racial.[2] Esses fatores alimentam a falsa impressão de que nossas relações raciais são melhores quando comparadas às que se observam em outros países.

Agora vamos analisar como nós, brasileiros, vivemos, na prática social, o avesso da igualdade e da democracia racial. Pesquisa realizada pelo Ibase sobre o extermínio de crianças e adolescentes no Brasil revelou o padrão desse fenômeno. Os dados levantados no período de 1984 a 1989 nos institutos médico-legais de 16 estados do país apontaram 1.397 assassinatos de menores de 18 anos. Desses menores, 87% eram do sexo masculino, dos quais 12% brancos, 52% negros e 36% sem informação de cor. Segundo o Ibase,

---

1 FREIRE, Gilberto. Racismo no Brasil. *Folha de S. Paulo*, seção "Tendências e Debates", p. 3, 8 out. 1979.
2 HASENBALG, Carlos. Desigualdades raciales em Brasil y América Latina: Respuestas Tímidas al Racismo Encubierto. In: JELLIN, Elizabeth; HERSHBERG, Eric. (Orgs.). *Construir la democracia*: derechos humanos, ciudadania y sociedad en América Latina. Caracas: Editorial Nueva Sociedad, 1996. p. 182.

[...] o estudo das características das vítimas confirmava a tendência observada em outros níveis de análise: essas crianças e adolescentes eram na maioria do sexo masculino [...], não-brancos, e assassinados predominantemente por projétil de arma de fogo.[3]

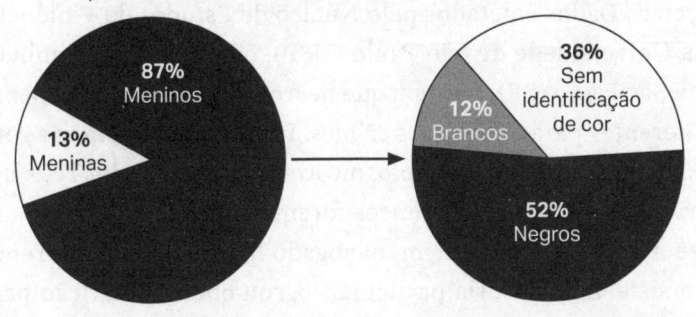

No período de 1984 a 1989, os IMLs de dezesseis estados do país apontaram 1.397 assassinatos de menores de dezoito anos

- 87% Meninos
- 13% Meninas

- 36% Sem identificação de cor
- 12% Brancos
- 52% Negros

A violência racial que esses números expressam levou as entidades do movimento negro a produzir e divulgar, nacional e internacionalmente, um extenso diagnóstico do processo de extermínio de crianças e adolescentes no Brasil, e a desencadear, no plano nacional, a campanha "Não Matem nossas Crianças".

Em recente seminário sobre violência urbana, a pesquisadora Sílvia Ramos, especialista em violência e segurança pública da Universidade Cândido Mendes, demonstrou que o Brasil apresenta padrões de violência urbana definidos pela ONU como indicadores de guerra civil: 350 mortos para cada 100 mil habitantes só no estado do Rio de Janeiro. E esse fenômeno se repete em níveis semelhantes em outros estados. As vítimas são, na maioria absoluta, homens, jovens, pobres e majoritariamente negros, assassinados por outros homens, jovens, pobres e

---

3 Não Matem nossas Crianças. *Revista do Centro de Articulação de Populações Marginalizadas* (Ceap), Rio de Janeiro, p. 28-33, 1990.

majoritariamente negros. Segundo a pesquisadora, trata-se de uma guerra fratricida em que se articulam a violência de gênero, de raça e de classe, consolidando um verdadeiro genocídio de homens negros jovens.[4]

A fragilidade da democracia racial brasileira se evidencia também quando constatamos a desigualdade nas decisões judiciais. Dados coletados pelo Núcleo de Estudos da Violência, da Universidade de São Paulo (USP), em processos criminais em São Paulo (SP), atestam que negros e brancos sofrem penas diferentes para os mesmos crimes. Processos referentes a roubo qualificado, por exemplo, mostram que 68,8% dos réus negros e 59,4% dos réus brancos foram condenados. Mesmo entre réus que constituem advogado particular, a diferença persiste: a defensoria particular logrou obter absolvição para 60% dos réus brancos, mas apenas 27% dos negros foram absolvidos. Em 480 processos analisados, 27% dos brancos respondiam em liberdade e somente 15% dos negros encontravam-se nessa situação.[5]

Do ponto de vista do imaginário social sobre os negros, Salvador (BA), uma das cidades brasileiras com maior população negra, nos oferece um caso exemplar. Lá o Centro de Pesquisa e Assistência em Reprodução Humana, um "sanatório" de planejamento familiar, lançou, em 1986, uma campanha publicitária nos jornais e na televisão com dois anúncios. Um deles tinha como *slogan* a frase "Defeito de fabricação" e mostrava um garoto negro com correntinhas no pescoço, canivete na mão e uma tarja nos olhos. Abaixo dessa imagem, o seguinte texto: "Tem filho que nasce para ser artista. Tem filho que nasce para ser advogado ou vai ser embaixador... Infelizmente,

---

[4] RAMOS, Sílvia. *Novos perfis da violência de gênero e o papel do movimento de mulheres*, palestra no IX Encontro Nacional da Associação de Mulheres Brasileiras, AMB. Aracaju, 3 nov. 2001.
[5] Novas faces da cidadania: identidades, políticas e estratégias culturais. *Cebrap*, n. 4, jun. 1996.

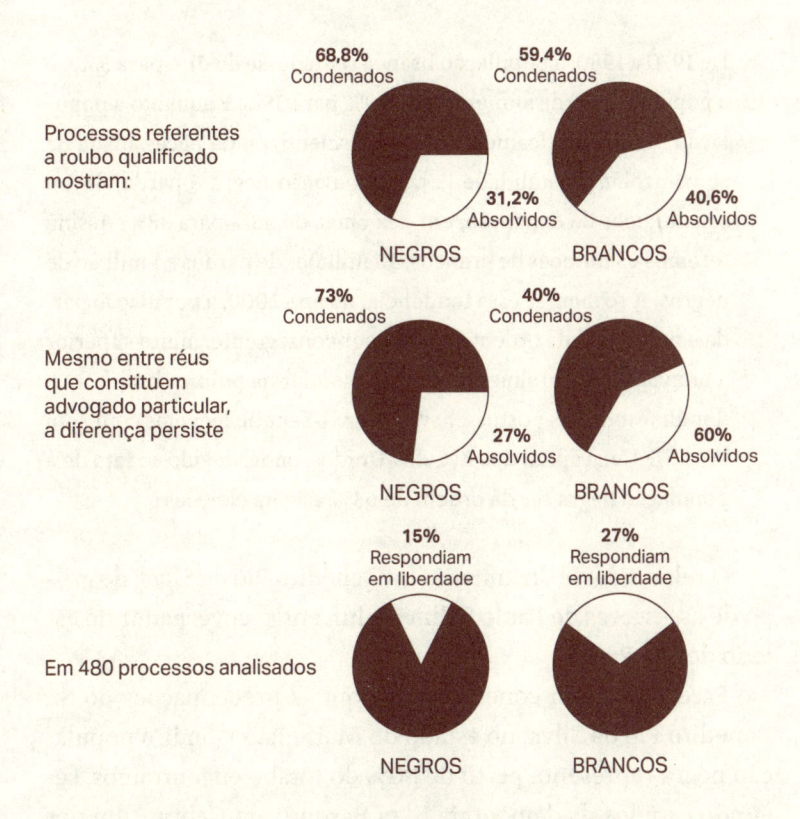

EXPECTATIVAS DE AÇÃO DAS EMPRESAS PARA SUPERAR A DISCRIMINAÇÃO RACIAL

Processos referentes a roubo qualificado mostram:

NEGROS: 68,8% Condenados / 31,2% Absolvidos
BRANCOS: 59,4% Condenados / 40,6% Absolvidos

Mesmo entre réus que constituem advogado particular, a diferença persiste

NEGROS: 73% Condenados / 27% Absolvidos
BRANCOS: 40% Condenados / 60% Absolvidos

Em 480 processos analisados

NEGROS: 15% Respondiam em liberdade
BRANCOS: 27% Respondiam em liberdade

tem filho que já nasce marginal". O outro anúncio utilizava a deprimente fotografia de uma mãe negra, grávida, coberta em parte por um lençol branco, e seu *slogan* dizia: "Também se chora de barriga cheia".[6]

Em São Paulo, no ano de 1982, o Grupo de Assessoria e Participação (GAP) do governo do estado elabora o documento *Sobre o Censo Demográfico de 1980 e suas Curiosidades e Preocupações*. Nele é apresentada a proposta de esterilização maciça de mulheres pretas e pardas com base nos seguintes argumentos:

---

6   SODRÉ, Muniz. *Claros e escuros*: identidade, povo e mídia no Brasil. Petrópolis: Editora Vozes, 1999. p. 235.

De 1970 a 1980, a população branca reduziu-se de 61% para 55%, e a população parda aumentou de 29% para 38%. Enquanto a população branca praticamente já se conscientizou da necessidade de se controlar a natalidade [...], a população negra e parda elevou seus índices de expansão, em dez anos, de 28% para 38%. Assim, teremos 65 milhões de brancos, 45 milhões de pardos e 1 milhão de negros. A se manter essa tendência, no ano 2000, a população parda e negra será da ordem de 60%, por conseguinte, muito superior à branca, e, eleitoralmente, poderá mandar na política brasileira e dominar todos os postos-chaves – a não ser que façamos como em Washington, capital dos Estados Unidos, onde, devido ao fato de a população negra ser da ordem de 63%, não há eleições.[7]

O relator desse documento foi Benedito Pio da Silva, do grupo de assessores de Paulo Salim Maluf, então governador do estado de São Paulo.

Parece que, em concordância com as preocupações do Sr. Benedito Pio da Silva, no estado do Maranhão – onde a população negra representa perto de 80% do total – encontramos, segundo estudos da demógrafa Elza Berquó[8], do Cebrap, um dos maiores índices de esterilização feminina do país: 73% das mulheres maranhenses em idade reprodutiva que utilizavam algum método contraceptivo estão esterilizadas. Em contrapartida, em estados de maioria branca, como, por exemplo, o Rio Grande do Sul, o índice de esterilização de mulheres fica abaixo da média nacional, que é de 44%.

---

7   Denúncia feita na Assembleia Legislativa do estado de São Paulo pelo deputado Luís Carlos Santos, do PMDB, em 5 ago. 1982. Vide também matérias no *Jornal da Tarde*, 6 e 8 ago. 1982, no jornal *O Estado de S.Paulo*, 5 e 10 ago. 1982, e no jornal *Folha de S.Paulo*, 11 ago. 1982.
8   BERQUÓ, Elza. Ainda a questão da esterilização feminina no Brasil. In: GIGGIN, K.; COSTA, S. H. (Orgs.) *Questões de saúde reprodutiva*. Rio de Janeiro: Editora Fiocruz, 1999.

Embora a incidência de miomas em mulheres negras seja substancialmente maior do que em brancas, há uma proporção excessivamente elevada de mulheres negras histerectomizadas: 15,9% contra 3,6% das brancas. Úteros desvalorizados a poucos interessa preservar. Em paralelo, há maior incidência de perdas fetais entre mulheres negras (17%) do que entre as brancas (10%).[9]

Um novo fato vem ilustrar dolorosamente essa negação/exclusão. Uma pesquisa pioneira realizada pela Fundação Fiocruz e pela Prefeitura do Rio de Janeiro e divulgada em maio de 2002 constata dimensões aterradoras do racismo. Seus resultados revelam que hospitais são mais cuidadosos com o pré-natal da gestante branca do que com o da gestante negra. Segundo essa fonte, "a diferença foi verificada até mesmo em hospitais públicos, e a desigualdade aconteceu também quando as entrevistadas, brancas e negras, pertenciam à mesma classe social e tinham o mesmo nível de escolaridade".[10]

De um lado, uma estratégia de repressão alterna agressões policiais, prisões arbitrárias, tortura e extermínio. O principal alvo é o homem negro. Do outro, uma estratégia de controle de natalidade tem como alvo principal a mulher negra. A expectativa de vida dos negros no Brasil é em média cinco anos menor que a dos brancos, e em áreas das regiões Norte e Nordeste essa diferença chega a até 12 anos. A combinação de todos esses fatores vai promovendo silenciosamente uma prática semelhante à do genocídio.

Mas a violência racial, tal como se manifesta no Brasil, não se restringe aos corpos negros contados pelos institutos médico--legais, não se restringe à arbitrariedade e à impunidade das agressões policiais contra negros tratados como suspeitos *a priori*, não se restringe aos projetos de controle da natalidade da população negra. Essas ações expressam, na verdade, as *formas--limites* que o racismo e a discriminação atingem no Brasil.

---

9   Mulher Negra e Saúde. *Geledés — Instituto da Mulher Negra*, n. 1, p. 9, 1991.
10 Até na Hora do Parto Negra é Discriminada. *Folha de S.Paulo*, seção "Cotidiano", 26 maio 2002.

A violência racial no Brasil tem uma face mais sutil, porém não menos violenta, que consiste na sistemática criação e reprodução da desigualdade entre os grupos étnicos, manifestando-se em todos os aspectos da vida social. O racismo e a discriminação produzem exclusões no acesso à educação, nas possibilidades de adentrar os ciclos formais de escolaridade e conclui-los, de ver reconhecida e valorizada a diversidade das contribuições dos diferentes grupos étnicos e raciais e de suas culturas para o patrimônio da humanidade.

Para a educadora Eliane Cavalleiro, a omissão e o silêncio dos professores diante dos estereótipos e dos estigmas impostos às crianças negras são a tônica de sua prática pedagógica.[11] Mas a discriminação do negro nos instrumentos didáticos ou pedagógicos é apenas um aspecto da desigualdade no acesso à educação, que se manifesta nos índices superiores apresentados pelos negros quanto a analfabetismo, repetência e evasão escolar, e na participação percentual ínfima em níveis universitários.

Articulada com a discriminação no acesso à educação, encontramos no mercado de trabalho a divisão racial das ocupações, encarregada de frear qualquer esforço de mobilidade social para o negro. O sociólogo Talles de Azevedo, em livro publicado em 1975, nos brinda com um caso exemplar ocorrido em Minas Gerais, onde ele colheu o seguinte depoimento:

> Sabe-se que aqui mesmo na capital mineira um diretor de empresa pública afastou sumariamente dos quadros funcionais de seu gabinete todos os elementos de cor e só admite funcionários brancos e de boa aparência. Louve-se, até certo ponto, essa preocupação estética, que vem modernizando e limpando dependências e instalações da repartição, a fim de que tenham uma aparência condigna e decente.[12]

---

[11] CAVALLEIRO, Eliane. Do silêncio do lar ao silêncio escolar: racismo, discriminação e preconceito na educação infantil. São Paulo: Editora Contexto, 2000
[12] AZEVEDO, Thales de. *Democracia Racial*. Petrópolis: Editora Vozes, 1975. p. 46.

EXPECTATIVAS DE AÇÃO DAS EMPRESAS PARA SUPERAR A DISCRIMINAÇÃO RACIAL

Brasil: Taxa de analfabetismo (população de 25 anos ou mais), 1999

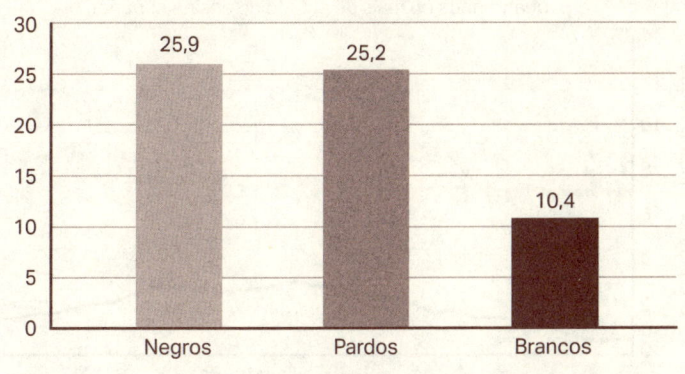

- Negros: 25,9
- Pardos: 25,2
- Brancos: 10,4

Fonte: Ipea.

Porcentagem da população com escolaridade igual à 3ª série do ensino secundário

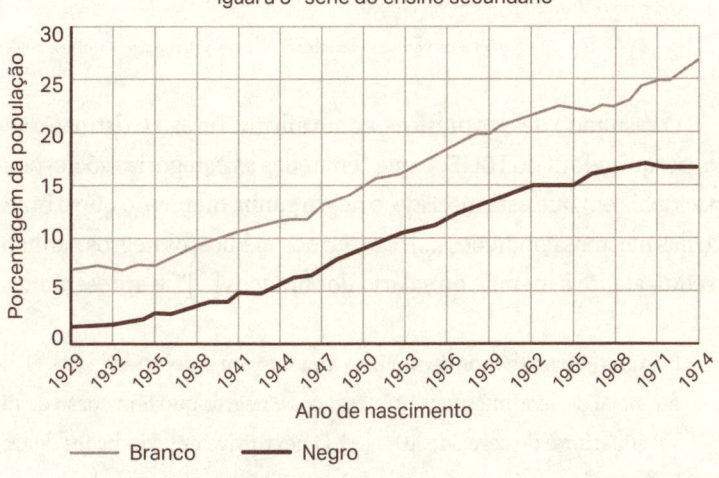

— Branco — Negro

Fonte: Pesquisa Nacional por Amostra de Domicílios (PNAD) de 1999.

Dentre as artimanhas do racismo brasileiro, a exigência de boa aparência presente nos anúncios de emprego traz como subtexto: "Negros, não se apresentem". Pelo pequeno eufemismo da "boa aparência" e pela sutileza do "a vaga já foi preenchida", mantém-se a população negra em desvantagem no mercado formal de trabalho e, ao mesmo tempo, garantem-se os melhores empregos e salários para o grupo racialmente hegemônico.

Porcentagem da população com escolaridade igual a quatro anos ou mais de estudo do ensino superior

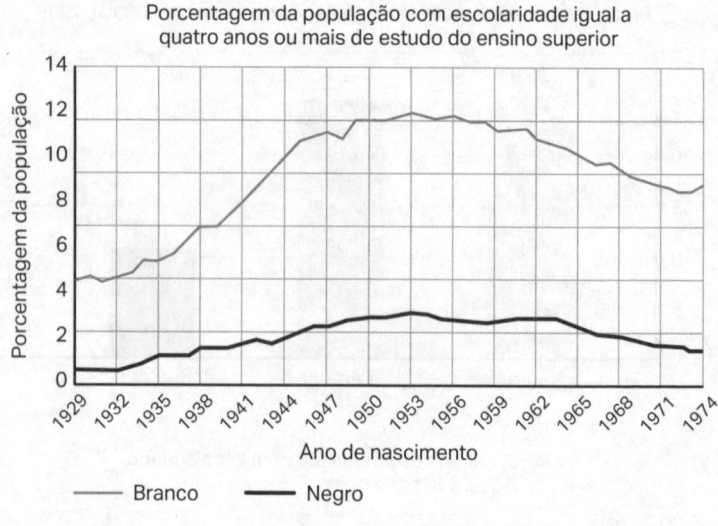

[Gráfico: eixo Y "Porcentagem da população" de 0 a 14; eixo X "Ano de nascimento" de 1929 a 1974. Linha Branco sobe de ~4% em 1929 até ~12% por volta de 1953, declinando a ~8,5% em 1974. Linha Negro sobe lentamente de ~0,5% a ~2,8% por volta de 1956, declinando a ~1,2% em 1974.]

— Branco — Negro

Fonte: Pesquisa Nacional por Amostra de Domicílios (PNAD) de 1999.

O resultado dessas práticas, como afirma Tereza Cristina Araújo, pesquisadora do IBGE, é que "em todas as categorias sócio-ocupacionais em que está inserido, o negro ganha menos do que o branco nas mesmas condições [...]. Em termos médios, os negros ganham o equivalente à metade do salário dos brancos [...]", e apresentam

> [...] um retorno menor de seu investimento em escolaridade [...]. O diferencial de rendimentos entre brancos e negros que têm curso de nível superior é de cerca de 40% [...]. O negro vive em condições de trabalho mais precárias e tem menor acesso às garantias trabalhistas.[13]

E, quando a desigualdade de raça se alia com a de sexo, constrói-se um verdadeiro "matriarcado da miséria", que é o que configura a experiência histórica de *ser mulher* negra na sociedade brasileira. Como sabemos, o

---

13 ARAÚJO, Tereza Cristina Nascimento de. *Revista Ciência Hoje*, encarte especial, v. 5, n. 28, p. 18-19, 1986.

EXPECTATIVAS DE AÇÃO DAS EMPRESAS PARA SUPERAR A DISCRIMINAÇÃO RACIAL

Brasil: Taxa de desemprego, por gênero e cor, 1999

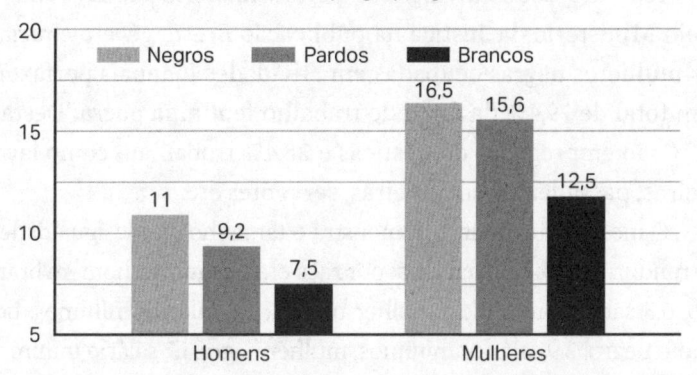

	Homens	Mulheres
Negros	11	16,5
Pardos	9,2	15,6
Brancos	7,5	12,5

Fonte: Ipea, com base na PNAD, IBGE.

Distribuição por cor das crianças que trabalham, 1999

Crianças de 5 a 9 anos: 62% Pretos e pardos / 38% Outros

Crianças de 10 a 14 anos: 63% Pretos e pardos / 37% Outros

Fonte: Ipea, com base na PNAD, IBGE.

[...] trabalho doméstico ainda é, desde a escravidão negra no Brasil, o lugar que a sociedade racista destinou como ocupação prioritária para as mulheres negras. Nele, ainda são relativamente poucos os ganhos trabalhistas, e as relações se caracterizam pelo servilismo. Em muitos lugares, as formas de recrutamento são predominantemente neoescravistas, em que meninas são trazidas do meio rural sob encomenda, sendo submetidas a condições subumanas no espaço doméstico.[14]

---

[14] CARNEIRO, Sueli. O matriarcado da miséria. *Correio Braziliense*, coluna "Opinião", p. 5, 15 set. 2000.

Segundo dados divulgados pelo Ministério do Trabalho e pelo Ministério da Justiça na publicação *Brasil, gênero e raça*,[15] as mulheres negras ocupadas em atividades manuais perfazem um total de 79,4% da força de trabalho feminina negra. Destas, 51% são empregadas domésticas e 28,4% trabalham como lavadeiras, passadeiras, cozinheiras, serventes etc.

O mesmo documento demonstra o tamanho das desigualdades. O rendimento médio nacional por raça era o seguinte: homem branco, 6,3 salários mínimos; mulher branca, 3,6 salários mínimos; homem negro, 2,9 salários mínimos; mulher negra, 1,7 salário mínimo.

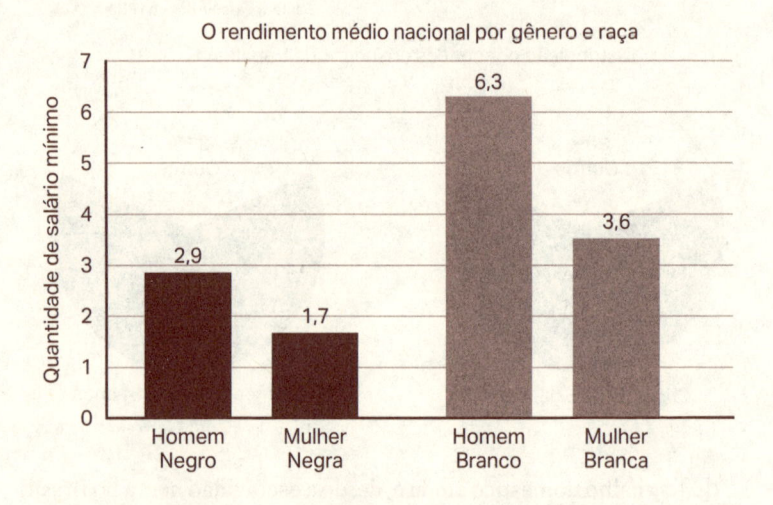

O rendimento médio nacional por gênero e raça

	Quantidade de salário mínimo
Homem Negro	2,9
Mulher Negra	1,7
Homem Branco	6,3
Mulher Branca	3,6

Outra pesquisa, esta realizada pela Federação de Órgãos para Assistência Social e Educacional (Fase), nos informa que vivemos num país com segregação racial, em que a magnitude da desigualdade pode ser mensurada pelo Índice de Desenvolvimento Humano (IDH) relacionado à cor. O IDH é uma medida instituída pelo PNUD, da Organização das Nações Unidas, para estabelecer o *ranking* nas nações em termos de qualidade

---

15 Programa Nacional de Direitos Humanos. Brasil, Gênero e Raça – Todos Unidos pela Igualdade de Oportunidades – Discriminação: Teoria e Prática. Ministério do Trabalho, Assessoria Internacional, Brasília, 1988, p. 10-11.

de vida, ou desenvolvimento humano. A Fase levantou esse índice a partir dos dados da Pesquisa Nacional por Amostragem Domiciliar (PNAD)[16] de 1999 para negros e brancos no Brasil e encontrou o seguinte: em 1999, o Brasil foi classificado como um país de desenvolvimento humano mediano, ocupando a 79ª posição no *ranking* internacional do PNUD; quando o indicador é especificado por raça, encontramos que o IDH relativo à população negra colocaria o Brasil na 108ª posição, enquanto o IDH da população branca faria o país ocupar o 49º lugar. Ou seja, existe, num mesmo território, um país habitado por brancos que apresenta IDH em patamar semelhante ao da Bélgica, e um país habitado por gente negra cuja qualidade de vida fica abaixo de dez países africanos e cinco posições abaixo da que se verifica na África do Sul – onde até recentemente vigorava o regime de *apartheid*. Os índices de desenvolvimento humano diferentes para brancos e negros no Brasil indicam, portanto, a coexistência, no mesmo território, de dois países apartados um do outro.

No entanto, essa realidade estatística da desigualdade racial não se conecta com o negro real confinado nas favelas, nas palafitas, nos cortiços. Não o toma como sujeito de direitos, demandador de políticas públicas específicas capazes de reverter esse quadro de exclusão, posto que as políticas universalistas não conseguem superar as desigualdades persistentes entre os dois grandes grupos raciais do país. Convive-se com a quase absoluta indiferença do conjunto da sociedade em relação a essas desigualdades. E, no entanto, as poucas e tímidas iniciativas voltadas para o enfrentamento dessas desigualdades encontram rapidamente uma oposição aguerrida. É o que ocorre neste momento com o debate sobre a implementação de ações afirmativas ou políticas de cotas para negros. Um dos argumentos mais

---

[16] Federação de Órgãos para Assistência Social e Educacional (Fase). Estudo sobre os Indicadores de Desenvolvimento Humano, no projeto "Brasil 2000 – Novos Marcos para as Relações Raciais". Rio de Janeiro, 2000.

"Os índices de desenvolvimento humano diferentes para brancos e negros no Brasil indicam... a coexistência, no mesmo território, de dois países apartados um do outro".

-
-
-
- 47º
- 48º
- 49º **Brasil Branco IDH Brasileiro (indicador específico por raça)**
- 50º
- 51º
-
-
-
- 77º
- 78º
- 79º **Brasil IDH Brasileiro (Média dos indicadores)**
- 80º
- 81º
-
-
-
- 103º África do Sul
- 104º
- 105º
- 106º
- 107º
- 108º **Brasil Negro IDH (indicador espacífico por raça)**

recorrentes contra a sua adoção é o de que elas reproduziriam as injustiças que pretendem corrigir, por abdicar do mérito como critério de acesso aos níveis superiores de educação.

O princípio que orienta a adoção de políticas de ação afirmativa – e um de seus instrumentos, as cotas para negros – baseia-se num imperativo ético e moral de reconhecimento das desvantagens historicamente acumuladas pelos grupos raciais discriminados numa dada sociedade, que sustentam os privilégios de que desfrutam os grupos dominantes e explicam as desigualdades de que padecem os dominados. Nesse sentido, as políticas compensatórias têm o claro objetivo de corrigir a "bolha inflacionária" em favor dos grupos racialmente dominantes no acesso às oportunidades sociais, de modo a realizar o princípio de igualdade para o que se impõe que os grupos discriminados sejam objeto de uma discriminação positiva que os aproxime dos padrões sociais alcançados pelos grupos dominantes.

É falso o argumento que atribui as desigualdades entre negros e brancos ao problema social e não considera a construção social da exclusão. De acordo com esse pensamento, o mérito na performance individual ou coletiva dos racialmente hegemônicos está mediado pela exclusão dos discriminados, o que limita o alcance da proeza pela desigualdade de origem instituída nos termos da competição social. Quando um negro que possui as condições exigidas para determinada ocupação no mercado de trabalho é preterido em nome do eufemismo "exige-se boa aparência", a vaga em questão vai para um branco. Quando um estudante negro é privado do acesso a uma educação de boa qualidade, continua assegurado aos brancos o monopólio do acesso ao conhecimento. Sendo a educação o principal instrumento de mobilidade social em nosso país, essa exclusão torna a promover socialmente o branco, a despeito de sua vontade.

O jornalista Marco Frenette, em seu livro *Preto e branco: a importância da cor da pele*, sintetiza corajosamente, com inusitada sinceridade, o significado da brancura em nossa sociedade. Diz ele:

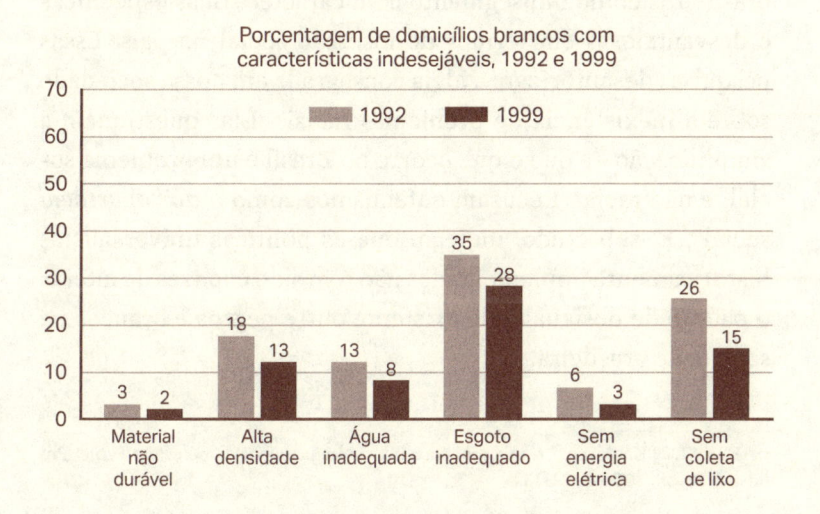

Porcentagem de domicílios brancos com características indesejáveis, 1992 e 1999

	1992	1999
Material não durável	3	2
Alta densidade	18	13
Água inadequada	13	8
Esgoto inadequado	35	28
Sem energia elétrica	6	3
Sem coleta de lixo	26	15

Era um alívio meio torpe poder olhar para nossas peles brancas, que víamos como futuros *passaportes informais para as coisas boas do mundo*. Era uma contida felicidade por não ser negro [...]. Gostávamos de ter sempre um pretinho por perto para nos sentirmos melhores do que ele.[17]

Então, quando o mérito é utilizado para barrar propostas de promoção de igualdade racial, omite-se, escamoteia-se a construção social segundo a qual nascer branco consiste por si só um mérito, uma vantagem inicial, cujo prêmio "natural" é o acesso privilegiado aos bens sociais. É fato, todos os indicadores socioeconômicos desagregados por cor/raça confirmam. Nós, negros, somos mais de 44% da população do país, e apenas 2% de nós alcançam o ensino universitário. Esse é o patamar de "equidade" atingido pelas políticas universalistas no campo da educação e pela democracia racial brasileira.

As pesquisas sobre as desigualdades raciais que vêm sendo desenvolvidas, especialmente por órgãos governamentais como o Instituto de Pesquisa Econômica Aplicada (Ipea), têm sido a principal alavanca para o reconhecimento dos negros brasileiros como um segmento com características específicas e desvantajosas em termos de inserção social no país. Essas pesquisas desautorizam a ideia consagrada em nossa sociedade sobre a inexistência de problemas raciais. Elas questionam a simplificação de que o que ocorre no Brasil é um problema social, e não racial. Recusam eufemismos como o do *"apartheid social"*. E, sobretudo, indicam que as políticas universalistas historicamente implementadas não têm sido capazes de alterar o padrão de desigualdade existente entre negros e brancos na sociedade brasileira.

---

17 FRENETTE, Marco: Preto e branco: a importância da cor da pele. São Paulo: Publisher Brasil, 2000. p. 22-23.

A urgência de implementação de políticas públicas na promoção da igualdade racial no Brasil decorre, em primeiro lugar, de um imperativo ético e moral, que reconhece a indivisibilidade humana e, por conseguinte, condena toda forma de discriminação. Em segundo lugar, a urgência em implementar políticas públicas para promover a igualdade racial no país atende a um imperativo de ordem econômica, na medida em que a exclusão dos negros do desenvolvimento conduziu o Brasil a uma situação de alijamento de metade de sua população dos processos de desenvolvimento – comprometendo a capacidade competitiva do país diante de outras nações do mundo, numa conjuntura em que um dos principais ativos econômicos é uma base social ampla, educada, em condições de se apropriar do desenvolvimento cultural e tecnológico, que resulta em maior produtividade, maior competitividade e melhores condições de consumir. Em terceiro lugar, a implementação de políticas públicas na promoção da igualdade racial no Brasil constitui uma vantagem competitiva no mundo empresarial. As empresas mais bem-sucedidas são as que têm programas de ação afirmativa agressiva. Estudos sobre o tema em empresas dos Estados Unidos[18] atestam que a inclusão já contribui para o crescimento positivo das empresas, representando grande vantagem competitiva e um veículo para aumentar a base de consumo.

Por fim, quero me referir a outra dimensão dessa problemática. No Brasil, o racismo e a discriminação transformam suas vítimas num ônus para a sociedade, um desafio ao desenvolvimento e um impasse para a consolidação da democracia. Desse ponto de vista, o sentido último de nossas reivindicações por equidade em relação às oportunidades sociais é a realização plena de nossa condição humana que o racismo e a discriminação negam. Portanto,

---

[18] Neste trecho a autora cita os dados do Pesquisa Nacional por Amostragem Domiciliar (PNAD) – IBGE de 1999, considerando como negros a soma da população preta e parda, duas categorias utilizadas pelo IBGE. De acordo com a sistemática definida pela instituição, a cor é autorreferida pelo entrevistado.

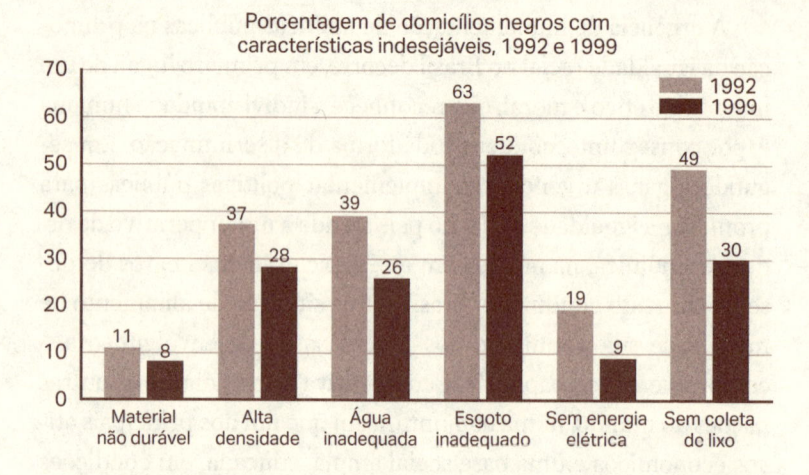

Porcentagem de domicílios negros com características indesejáveis, 1992 e 1999

Característica	1992	1999
Material não durável	11	8
Alta densidade	37	28
Água inadequada	39	26
Esgoto inadequado	63	52
Sem energia elétrica	19	9
Sem coleta de lixo	49	30

reivindicamos também o direito de oferecer e de doar. Porque a nossa condição de vítimas ou de credores sociais não está inscrita em nossa natureza, mas foi historicamente construída.

Queremos ser corresponsáveis por promover e proteger uma ordem adequada ao desenvolvimento em termos políticos, sociais e econômicos. Queremos conquistar o direito de oferecer ao desenvolvimento deste país nossa inteligência, nosso vigor físico, nossa herança cultural, nossos valores espirituais, nossa criatividade, nossa extraordinária capacidade de resistência. E, para que possamos nos tornar agentes ativos no progresso do Brasil, reivindicamos políticas de inclusão efetivas, que rompam com o *apartheid* informal existente, que reunifiquem os dois países aqui criados pela exclusão, que promovam a purificação de nossa memória, conduzindo à conscientização da nação sobre seu passado e seu presente de violência e exclusão racial.

Existe, sim, um racismo brasileiro, um tipo de racismo e de intolerância próprios, que causam miséria e exclusão. Esse tipo de racismo se assemelha a um animal perigoso, que ataca à noite, silenciosamente, e cuja existência se denuncia apenas pelos rastros, pelas vítimas que se encontram pela manhã. A problemática racial requer vontade política dos governos, empresas e demais instituições da sociedade para a adoção de medidas que rompam com a apartação racial existente no Brasil. Somente com ações efetivas conseguiremos alterar a realidade que se exprime nos índices de desigualdades raciais aqui demonstrados, com alguns indicadores piores do que os encontrados para a África do Sul.

Apesar do título desta plenária, "Expectativas de Ação das Empresas para Superar a Discriminação Racial",[19] não creio que me caiba dizer o que as empresas poderiam ou deveriam fazer para combater o problema. Acredito que minha missão é buscar sensibilizá-las para essa realidade social produzida pelo racismo e pela discriminação racial, que atinge seu grau de maior perversidade no mercado de trabalho, na medida em que compromete a possibilidade de realização de todas as demais dimensões da vida.

Creio que, se formos capazes de nos indignar com essa realidade, que – malgrado os privilégios que produz para uns, e exclusão, para outros – nos envergonha a todos, se formos capazes de romper com a indiferença em relação à *dor da cor* que o racismo produz, seremos capazes de encontrar, cada um na sua realidade particular, os instrumentos para agir intencionalmente na reversão das práticas discriminatórias. Penso que construímos uma das formas mais perversas de racismo conhecidas no mundo, pelo cinismo e pela hipocrisia de que ele aqui se reveste.

Mas, penso também, que essa sociedade tem potencialidades, aberturas e pontes, sobretudo culturais, que nos permitem ousar e renunciar a um tipo de sensibilidade que se habituou à exclusão. Creio sinceramente que os mitos revelam potencialidades presentes no real. Então, um país que foi capaz de construir o belo mito da democracia racial deve ser capaz também de torná-la realidade. E nisso vocês têm um papel estratégico.

Eu acredito que podemos. Muito obrigada!

---

[19] Diversos estudos sobre os resultados positivos dos programas de incentivo à diversidade cultural e étnica nos negócios podem ser encontrados nos sites do Business and Social Responsability <www.bsr.org> e no <www.diversityinc.com>.

Por um multiculturalismo democrático

Gênero, raça/etnia, orientação sexual, religião e classe social são algumas das variáveis que se impõem contemporaneamente, conformando novos sujeitos políticos que demandam ao Estado e à sociedade por reconhecimento e políticas inclusivas.

Publicado originalmente no boletim organizado por Azoilda Loretto da Trindade, Debates: Multiculturalismo e Educação, TV Escola, julho de 2002.

A emergência desses novos atores decorre da insuficiência da perspectiva universalista para contemplar as diferentes identidades sociais e realizar um dos fundamentos da democracia, que é o princípio de igualdade para todos. A imposição de um sujeito universal ao qual todos os seres humanos seriam redutíveis obscureceu, ao longo dos tempos, as ideologias discricionárias que promovem as desigualdades entre os sexos, as raças, as classes sociais, as religiões etc. São elas: o patriarcalismo que, ao instituir como natural a hegemonia do sexo masculino, justifica todas as formas de controle, violência e exclusão social da maioria dos seres humanos que pertencem ao sexo masculino; o elitismo classista determinado por modos de produção que instituem classes minoritárias abastadas, que submetem e exploram maiorias despossuídas; ahomofobia decorrente da imposição da heterossexualidade como forma exclusiva de relacionamento afetivo e sexual e a condenação arbitrária, muitas vezes violenta, do relacionamento entre pessoas do mesmo sexo; o fundamentalismo religioso responsável por grande parte dos martírios ocorrido na história da humanidade, em que cada denominação religiosa, ao buscar impor o seu Deus aos outros, transformam-no, paradoxalmente, em uma das principais fontes de intolerância do mundo; o racismo que, ao eleger que um grupo racial é superior ao outro, provoca a desumanização de grupos humanos, justificando as formas mais abjetas de opressão, tais como a escravidão, os holocaustos e genocídios e a discriminação étnica e racial.

Essas são algumas das ideologias que conspiram contra a consolidação da democracia e o pleno gozo dos direitos de cidadania para maioria da população em nosso país, tornando o homem branco, de classe superior e heterossexual, o único tipo humano a desfrutar plenamente do exercício de direitos e poder em nossa sociedade. Por isso, eles, embora se constituam uma minoria, estão em absoluta maioria nas instâncias de mando e de poder da sociedade.

É em função dessa evidência que adentram a cena política os movimentos de minorias políticas como o Movimento de Mulheres lutando pela igualdade de gênero, de gays e lésbicas pelo direito e respeito à orientação sexual diferente, de negros ou afrodescendentes por igualdade de direitos etc. Ou seja, a afirmação da diferença constituindo-se em pressuposto para conquistar a igualdade. E, dentre elas, a questão racial aparece no momento como aquela que maior peso tem na estruturação das desigualdades sociais no Brasil, impactando todos os indicadores sociais, como se pode auferir pelos estudos realizados por IBGE, Ipea, Dieese entre outros. Por isso, a enfatizamos nesse artigo.

A temática da diversidade sempre esteve presente no debate nacional e informou as principais teses sobre a identidade nacional ou a formação do País enquanto nação. Triunfou, nesse debate, um discurso ufanista em relação ao caráter plural de nossa identidade nacional, a despeito desta ter sido construída a partir de uma perspectiva hierárquica, segundo a qual no topo se encontram os brancos responsáveis pelo nosso processo civilizatório e na base os negros e indígenas, contribuindo com pinceladas culturais exóticas, que caracterizariam o jeito especial de ser do brasileiro.

A primeira questão que essa visão coloca é a despolitização dos processos de exclusão e discriminação que os "diferentes" sofrem em nossa sociedade, além de escamotear a forma pela qual historicamente este "diferente" vem sendo construído em oposição a uma universalidade cultural branca e ocidental, supostamente legítima, para se instituir como paradigma segundo o qual os diversos povos do mundo sejam avaliados.

Há um outro viés nesse debate sobre diversidade. Ele é tão melhor aceito quanto for capaz de encobrir um elemento básico e estruturante da nossa sociedade que é o racismo, o maior tabu da sociedade brasileira, em relação ao qual há uma verdadeira conspiração de silêncio.

As organizações negras vêm, ao longo das últimas três décadas, denunciando os processos de exclusão a que os negros estão submetidos na sociedade brasileira. No mercado de trabalho, procuram sensibilizar as entidades sindicais para a incorporação da luta contra o racismo e para a utilização dos mecanismos internacionais que combatem as discriminações no âmbito do trabalho. E, no setor empresarial, sensibilizando-o para a adoção de políticas de diversidade em seus processos de seleção. Ocupam-se ainda de projetos de capacitação e reciclagem da mão de obra negra para o mercado de trabalho.

As ações que vêm sendo realizadas pelas organizações negras no campo da educação expressam-se em diferentes dimensões dessa temática, incidindo sobre a educação formal nos diferentes níveis; na produção e avaliação crítica de instrumentos didáticos; em projetos de formação para o exercício da cidadania, para a capacitação para o mercado de trabalho e para o fortalecimento da capacidade de pressão sobre o Estado.

A compreensão de que o racismo e a discriminação impedem a distribuição igualitária da Justiça no Brasil vêm motivando diversas iniciativas. A Constituição de 1988, ao tornar o racismo crime inafiançável e imprescritível, criou uma oportunidade nova de enfrentamento do racismo na esfera legal. Desde então, essa perspectiva jurídica fez surgir projetos exemplares e pioneiros, como os SOS Racismo, serviços de assistência legal para vítimas de discriminação racial, uma experiência exitosa que já se multiplicou em diversos estados do país e em alguns dos países da América Latina.

No campo da cultura, são inúmeras as experiências de politização das expressões culturais negras, no sentido do fortalecimento da identidade étnica e racial da população negra, tais como as oriundas dos terreiros de candomblé, das bandas de rap ou dos blocos afros. Avançou a organização política das comunidades remanescentes de quilombos, adquirindo dimensões nacionais, e elas demandam cada vez com maior contundência ao Estado o direito pela titulação de suas terras ancestrais e a um desenvolvimento sustentado.

As organizações negras vêm monitorando e denunciando as práticas discriminatórias presentes nos veículos de comunicação de massa e por meio dos casos exemplares mobilizam a opinião pública para o debate da questão racial. Essas denúncias e críticas vêm obrigando os veículos de comunicação a ampliar e diversificar a presença de negros nesses veículos, em especial na televisão.

As organizações de mulheres negras, por sua vez, vêm desenvolvendo uma série de experiências-modelo em diversos campos, tais como em comunicação, novas tecnologias, *advocacy* em mídia; atendimento jurídico e psicossocial a mulheres vítimas de violência doméstica e sexual; experiências inovadoras na abordagem das sequelas emocionais produzidas pelo racismo. E, sobretudo, as organizações de mulheres negras impulsionaram a intervenção do ponto de vista racial na questão da saúde, dando visibilidade às questões das doenças étnicas/raciais ou doenças de maior incidência entre a população negra, denunciando o viés controlista sobre a população negra que a esterilização tem no Brasil. Portanto, as organizações negras vêm desenvolvendo um conjunto de "boas práticas", ou de experiências exemplares, em nível nacional, para a inclusão efetiva dos negros na sociedade brasileira.

Essas experiências expressam a responsabilidade que os negros organizados têm em relação à população negra, a busca de construção de uma rede de solidariedade baseada na identidade racial e na consciência do pertencimento a uma comunidade de destino fundada numa experiência histórica compartilhada. Essas práticas visam à superação da discriminação racial e, sobretudo, oferecer ao Estado e aos governos modelos para políticas públicas que, ao beneficiarem a comunidade negra, promovam a realização da igualdade de direitos e oportunidades.

A sociedade civil negra vem fazendo a sua parte: denuncia e reivindica, formulando e implementando propostas inclusivas.

No entanto, essas ações alcançam baixa visibilidade e pouca adesão e solidariedade do conjunto da sociedade.

A problemática racial requer vontade política dos governos, empresas e demais instituições da sociedade para a adoção de políticas que rompam com a apartação racial existente no Brasil, que se exprime nos índices de desigualdades raciais em alguns indicadores superiores aos encontrados para a África do Sul.

Como indica a atual propaganda da Fiat, "é hora de mudar os nossos conceitos". Isso implica, por exemplo, desnaturalizar a heterossexualidade, a hegemonia masculina, a supremacia branca. Nesse último caso, exige, sobretudo, no rompimento com o "conforto" do mito da democracia racial, em prol do reconhecimento de que é imperiosa a correção das injustiças sociais motivadas pela exclusão dos negros, em especial das mulheres negras em nossa sociedade.

É uma exigência ética, um pressuposto para a consolidação da democracia e condição de reconciliação do país com sua história, no sentido da construção de um futuro mais justo e igualitário para todos.

Uma inspiradora abordagem da questão do multiculturalismo no Brasil nos é oferecida por Jacques d'Adesky em seu livro *Racismo e anti-racismoantirracismo no Brasil*.

Partindo da noção hegeliana de reconhecimento, d'Adesky nos anuncia que é o desejo de reconhecimento que nos leva à luta. Desejo de reconhecimento de nossa igualdade e dignidade humanas, o que se traduz politicamente na luta pelo direito igualitário aos bens materiais e simbólicos de prestígio da sociedade. Desejo de reconhecimento de nossa identidade cultural diferenciada, do qual decorre a luta pelo direito de sermos quem somos, sem precisar nos negar para sermos aceitos.

Para Jacques d'Adesky, são esses os eixos de luta que estruturam o discurso e a práxis antirracista dos Movimentos Negros Brasileiros em resposta ao racismo característico de nossa sociedade que, segundo ele, ao fundar-se num tipo de pluralismo étnico que prescinde de um tratamento igualitário das diferentes culturas, legitima as hierarquias e desigualdades materiais e simbólicas entre os grupos étnicos e raciais.

Da exegese das contradições colocadas por essa forma de racismo e do tipo de antirracismo que ele produz, d'Adesky retirará o substrato para a formulação de sua concepção de um multiculturalismo democrático capaz de realizar, a um só tempo, o reconhecimento da igualdade da cidadania e do valor igualitário intrínseco das diferentes culturas.

Tal como afirma o jurista negro Jorge da Silva

> [...] a cidadania plena se afirma pela conjugação do desfrute dos direitos civis, dos direitos políticos e dos direitos sociais. A situação dos cidadãos negros pode ser aferida pela garantia desses direitos: de liberdade de ir e vir (e não ser molestado pela polícia como "suspeito" em função da cor da pele); de ser lembrado para ocupar posições de confiança e destaque; da possibilidade de acesso ao trabalho digno e à moradia; de educar-se nas mesmas condições dos cidadãos da classe média e de acesso aos sistemas de saúde, público ou privado.

Portanto, da forma pela qual a sociedade brasileira enfrenta estas questões depende o projeto de nação inclusiva que todos desejamos ou da consolidação do projeto de nação excludente que vem sendo construído a mais de 500 anos de extermínio dos povos indígenas e de marginalização social dos negros em prol do desejado embranquecimento racial, étnico e cultural do país.

Bibliografia consultada

D'ADESKY, Jacques. *Pluralismo étnico e multiculturalismo*: racismos e anti-racismos no Brasil. Rio de Janeiro: Ed. Pallas, 2001.

Ideologia tortuosa

Originalmente publicado na revista Caros Amigos em junho de 2002, em resposta ao artigo "Tortuosos caminhos", de César Benjamin, contrário às cotas raciais nas universidades.

No artigo "Tortuosos caminhos", publicado na revista *Caros Amigos* do último junho, César Benjamin, a propósito de questionar a adoção de cotas para negros, reproduz a fórmula clássica do *modus pensante* e *operandi* nos marcos de nossa democracia racial: o Brasil é um país mestiço, portanto é impossível determinar quem é negro e quem é branco. E, ainda que isso fosse possível, raça é um conceito falacioso já desmascarado pela ciência contemporânea e, por fim, "constituir uma identidade baseada na raça é especialmente reacionário", conclui Benjamin. Portanto, políticas afirmativas/cotas para negros seriam um anacronismo em nossa sociedade.

São argumentos de fácil aceitação pelo que reiteram das ideologias presentes no senso comum em que o elogio à mestiçagem e a crítica ao conceito de raça vem se prestando historicamente, não para fundamentar a construção de uma sociedade efetivamente igualitária do ponto de vista racial, e sim para nublar a percepção social sobre as práticas racialmente discriminatórias presentes em nossa sociedade.

A constatação da inexistência das raças e de que a diversidade intragrupos é maior do que entre os grupos diferentes, que a ciência vem nos revelando nos últimos tempos, não tem impacto sobre as diversas manifestações de racismo e discriminação em nossa sociedade e em ascensão no mundo, o que reafirma o caráter político do conceito de raça e sua atualidade, a despeito de sua insustentabilidade do ponto de vista biológico.

Raça é hoje, e sempre foi, um conceito eminentemente político cujo sentido estratégico foi exemplarmente sintetizado pelo historiador Anthony Marx em seu livro *Making Race and Nation*, onde ele afirma que

> Raça é uma questão central da política... porque o uso que as elites fizeram e fazem da diferença racial foi sempre com o objetivo de provar a superioridade branca e assim manter seus privilégios, à custa da escravidão e da exploração. Essa atitude foi sempre compartilhada com os setores populares brancos interessados em se associar às elites. Historicamente, esse comportamento foi comum às elites do Brasil, da África do Sul e dos Estados Unidos.

A análise de César Benjamin deixa deliberadamente de fora os estudos atuais sobre as desigualdades raciais existentes no Brasil. Silencia também sobre as evidências empíricas da exclusão dos negros em todas as esferas privilegiadas da sociedade e sua concentração desproporcional nos bolsões de miséria e pobreza. Vivemos num país em que, segundo os estudos realizados pelo

Instituto de Pesquisas Econômicas Aplicadas (Ipea), há 53 milhões de pobres e, desses, 22 milhões são indigentes, 65% e 70%, respectivamente, desses pobres e indigentes são pessoas negras.

O Dieese, em parceria com o Instituto Sindical Interamericano pela Igualdade Racial (Inspir), realizou outro estudo amplamente divulgado, o Mapa da População Negra no Mercado de Trabalho, que nos informa, por exemplo, que em São Paulo a taxa de desemprego da população economicamente ativa está assim distribuída: 25% para as mulheres negras, 20,9% para os homens negros, 19,2% para as mulheres brancas e 13,8% para os homens brancos.

Dados divulgados pelos ministérios do Trabalho e da Justiça na publicação *Brasil, Gênero e Raça* demonstram os diferenciais no rendimento médio nacional entre negros e brancos em salários mínimos: homem branco, 6,3 salários mínimos; mulher branca, 3,6; homem negro 2,9; mulher negra 1,7.

Porém, é a desagregação do Índice de Desenvolvimento Humano (IDH) para negros e brancos que revela a magnitude da desigualdade racial no Brasil:

> O Brasil em 1999 foi classificado como um país de desenvolvimento humano mediano, ocupando a 79ª posição, segundo o Índice de Desenvolvimento Humano, criado pelo PNUD (Programa das Nações Unidas para o Desenvolvimento), que é um instrumento de avaliação e mensuração das condições materiais e sociais de vida dos povos. Todavia, quando os indicadores de desenvolvimento humano são desagregados por sexo e raça da população negra no Brasil, conforme elaborado pela Federação de Associações de Órgãos de Assistência Social e Educação (Fase), evidenciam o impacto do racismo, fazendo com que o IDH relativo à população negra do Brasil ocupe a 108ª posição, em contraponto ao da população branca, que ocupa a 49ª posição.[1]

---

1 Documento da Articulação de Mulheres Negras Brasileiras – Rumo à III Conferência Mundial contra o Racismo, a Discriminação Racial, a Xenofobia e Formas Conexas de Intolerância, páginas 1 e 2.

Os negros apresentam, em todos os indicadores sociais constitutivos do IDH, brutais diferenças, das quais a mais dramática é uma esperança de vida, em média, seis anos inferior à dos brancos, variando até 12 anos a menos quando desagregamos esse indicador por faixa etária ou região, como é o caso de Norte e Nordeste do país. O IDH da população negra brasileira ocupa cinco posições abaixo da África do Sul, país que até recentemente viveu sob o regime de *apartheid*.

Os diferentes IDHs encontrados para brancos e negros no Brasil refletem, por fim, a coexistência, num mesmo território, de dois países apartados.

Intencionalmente, César Benjamin passa também por cima do processo histórico que produziu essas desigualdades, ocultando os benefícios materiais e simbólicos auferidos pelos brancos:

- da escravização dos negros, a principal fonte da acumulação primitiva de capital do país e da construção da riqueza das elites que se revezam no poder no Brasil;
- da forma como se processou a "abolição" da escravidão, sem qualquer tipo de reparação aos negros pelos séculos de trabalho escravo e sem a implementação de qualquer política de integração social da massa escrava "liberta";
- da substituição da mão de obra negra pelo imigrante europeu no processo de industrialização pós-escravidão, uma perspectiva eugenista claramente assinalada na Constituição de 1934;
- da restrição de sua participação política, visto que a Constituição de 1891 impedia o alistamento para as eleições aos mendigos e analfabetos (três anos após a abolição);
- da absoluta impunidade de que gozam as atitudes racistas e discriminatórias em nossa sociedade, em especial no mercado de trabalho, o que assegura o acesso privilegiado dos brancos aos postos de maior prestígio e remuneração;

- da desqualificação estética dos negros, em especial das mulheres negras;
- da indiferença social em relação às ações dos órgãos de repressão e dos grupos de extermínio sobre as populações pobres, majoritariamente negras.

A despeito de todas essas evidências, César Benjamin afirma:

> [...] não somos nem brancos nem negros – somos mestiços. Biológica e culturalmente mestiços. Aqui, mais do que em qualquer outro lugar, a tentativa de constituir uma identidade baseada na "raça" é especialmente reacionária. A afirmação, que tantas vezes já ouvi, de que o Brasil é o país mais racista do mundo é uma patética manifestação de nosso esporte nacional favorito – falar mal de nós mesmos.

Portanto, o negro é apenas uma realidade estatística para deleite acadêmico. Não tem concretude como credor social, demandador de políticas específicas em função das desigualdades de que padece, posto que essas são só reconhecíveis no plano virtual.

Pergunta-nos Benjamin: "Devemos fixar o que não é fixo, separar o que não está separado? Quem é negro e quem é branco no Brasil? Onde está a fronteira entre ambos?".

A carnavalização das nossas relações raciais escamoteia a rigidez da segregação espacial e social que separa negros e brancos. Ignora solenemente a concentração dos negros nas favelas, palafitas, cortiços, nas periferias das grandes cidades. Ou seja, encontra-se naturalizado o paradigma casa-grande e senzala, por isso trata-se com quase absoluta indiferença essas desigualdades raciais. E, no entanto, as poucas, tímidas e insuficientes iniciativas voltadas para o enfrentamento dessas desigualdades, como é o caso das cotas, encontram rapidamente uma oposição aguerrida.

É nisto que reside a perversidade do racismo brasileiro:

- na negação patológica da dimensão racial das desigualdades sociais;
- nos eufemismos que são utilizados para mascará-las: se não há negros nem brancos, como poderá haver políticas específicas para negros? Ou, o problema no Brasil não é racial e sim social, ou o que há é um *apartheid* social!
- na intransigente recusa de instituição de qualquer mecanismo redutor das desigualdades raciais;
- na defesa maníaca de propostas que postergam para as calendas o enfrentamento dessa realidade. A educação é sempre usada como panaceia nesses casos. Diz Benjamin que, em vez das cotas, "[...] melhor... seria, por exemplo, garantir uma escola pública universal, gratuita e de boa qualidade, onde todas as crianças convivessem juntas e recebessem a mesma educação fundamental [...]". Enquanto a escola pública de qualidade não vem, os negros devem esperar, de preferência "bem quietinhos", pois a reivindicação de política específica baseada na raça é, como diz o autor, "especialmente reacionária".

Mas o mito de a desigualdade racial ser produto das diferenças educacionais também está em xeque. Somos oficialmente 45% da população do país e apenas 2% de nós adentram o ensino universitário. Esse é o patamar de "equidade" alcançado, por exemplo, pelas políticas de universalistas no campo da educação. Pior, a avaliação dessas políticas empreendida pelo Ipea constatou que, apesar da democratização do acesso ao sistema educacional e da melhoria dos níveis educacionais de negros e brancos, desde a década de 20 do século anterior até o presente a diferença de escolarização de negros e brancos mantém-se inalterada. A conclusão desses estudos é que as políticas universalistas não têm sido capazes de alterar o padrão de desigualdade racial.

O conceito de raça se instituiu para justificar a dominação, a escravidão e a exploração de um grupo racial sobre outro. Hoje, a negação da realidade social da "raça" e da necessidade que dela decorre de focalizar as políticas públicas nos segmentos historicamente discriminados se presta à perpetuação da exclusão e dos privilégios que a ideologia que o sustenta produziu e reproduz cotidianamente.

Gênero e raça na sociedade brasileira

São suficientemente conhecidas as condições históricas que construíram a relação de coisificação dos negros em geral, e das mulheres negras em particular. Sabemos que em toda situação de conquista e dominação de um grupo humano sobre o outro é a apropriação sexual das mulheres, do grupo derrotado pelo vencedor, que melhor expressa o alcance da derrota. É a humilhação definitiva que é imposta ao derrotado e um momento emblemático de superioridade do vencedor.

Originalmente publicado no livro Gênero, democracia e sociedade brasileira, organizado por Maria Cristina Bruschini e Sandra Unbehaum, em 2002, pela Fundação Carlos Chaga e Editora 34.

No Brasil, o estupro colonial perpetrado pelos senhores brancos portugueses, sobre negras e indígenas, está na origem de todas as construções da identidade nacional e das hierárquicas de gênero e raça presentes em nossa sociedade, configurando aquilo que Angela Gilliam define como "a grande teoria do esperma da formação nacional" através do qual, segundo Gilliam:

1. "o papel da mulher negra na formação da cultura nacional é rejeitado;
2. a desigualdade entre homem e mulher é erotizada; e
3. a violência sexual contra as mulheres negras é romantizada."[1]

Portanto, no caso brasileiro, o discurso sobre identidade nacional possui essa dimensão escondida de gênero e raça. A teoria de superioridade racial teve na subordinação feminina seu elemento complementar. A expressiva massa de população mestiça construída na relação subordinada de mulheres escravas negras e indígenas com seus senhores tornou-se um dos pilares estruturantes da decantada "democracia racial" brasileira.

Em função dessas condições, para analisar a construção de gênero e raça na sociedade brasileira, deparamos com inúmeros entraves que dificultam qualquer tipo de levantamento histórico devido à escassez de documentos oficiais. O tema é pouco mencionado, e quando encontramos alguma referência na literatura, em especial sobre a mulher negra, a abordagem é tendenciosa, pois traz implícitas as impressões de quem as produz. Estes escritores são, em maioria, pertencentes à camada dominante e deixam entrever em seus escritos ideias geralmente eivadas de preconceitos e estereótipos em relação aos negros e as mulheres.

---

[1] GILLIAM, Angela Gilliam. Multiculturalismo e racismo: o papel da ação afirmativa nos Estados Democráticos Contemporâneos. *Anais do Seminário Internacional*. Ministério da Justiça, Secretaria Nacional de Direitos Humanos. Brasília, 1996. p. 54.

A historiadora Sônia Giacomini, autora de um dos poucos estudos sobre a mulher negra na sociedade brasileira, considera que

> Na verdade, tem ocorrido um "duplo silêncio". Ao silêncio sobre as mulheres em geral ("a história é masculina") soma-se o silêncio sobre as classes exploradas ("a história é a história das classes dominantes"). Sobre o segundo silêncio, muito já foi dito. Quanto ao primeiro, ele aparece travestido na mitologia sobre a natureza doce e patriarcalista do escravagismo brasileiro. Mas é interessante notar que esta mitologia não se limita a produzir uma imagem deformada da relação senhor-escravo. Isto porque, na sua lógica, a mulher escrava ocupa um papel central: "ponte entre duas raças", "embaixatriz da senzala na casa-grande, e vice-versa", [...] Em outras palavras: as relações senhor-escrava, senhora-escrava, filhos brancos-escravas jogam um papel estratégico na estruturação das teorias sobre o patriarcalismo da escravidão brasileira." [2]

Os estereótipos

Se a historiografia pouco se deteve na história da construção do gênero, em especial na sua conjugação com raça, será a ficção que de maneira mais sistemática se encarregará de estabelecer os atributos definidores do ser mulher e mulher negra em nossa sociedade. Jean M. Carvalho França, em análise sobre a imagem do negro na literatura brasileira do século XIX, nos informa que:

> Negritude e escravidão são temáticas que, desde os primórdios da literatura produzida em solo nacional, merecem a atenção de nossos escritores que terminaram por construir uma tipologia sobre o negro que pode ser assim agrupada: 'o escravo melancólico e saudoso de sua

---

2 GIACOMINI, Sônia. *Mulher e escrava*. Petrópolis: Vozes, 1988. p. 19.

terra'; [...] o negro sofredor, que se revolta com a condição de escravo; o escravo fiel, espécie de anjo da guarda do senhor e de sua família; a mãe negra, dilacerada entre a felicidade da maternidade e a tragédia do cativeiro; e sobretudo, *a bela mulata*. Esse último tipo, foi sem dúvida, o mais popular de todos. Seja na figura da amante do senhor, da dama de companhia da sinhazinha, da serviçal do casarão ou da preferida do feitor, sua presença foi constante na poesia do período.[3]

O primeiro nome de uma mulher que aparece em nossa História Oficial, com exceção aos das rainhas (que já nascem com direito de menção histórica), foi o da escrava Chica da Silva, a amante do português contratador das minas de ouro, "que o encantou através do afeto e do sexo".[4]

A mulher negra será retratada como exótica, sensual, provocativa. Enfim, com fogo nato; tais características chegam a aproximá-la de uma forma animalesca, destinada exclusivamente ao prazer sexual.

Inicialmente, colonizadores e camadas religiosas mantiveram relações sexuais com índias e, posteriormente, negras escravas, devido à escassez de mulheres brancas, com as quais constituíam suas famílias legítimas. Argumenta-se que foi a necessidade a razão inicial pelo qual as diferentes etnias que chegavam ao então Brasil Colônia começaram a misturar-se. Entretanto, mesmo com a vinda das mulheres brancas, as esposas oficiais, essa prática não foi posta de lado.

Criou-se também uma imagem da mulher senhora branca como alguém submissa e subalterna ao controle autoritário do marido, portador de sentimentos brutalizados. No entanto, a mulher branca era por excelência tão autoritária e despótica

---

[3] FRANÇA, Jean Marcel Carvalho. O Negro no romance urbano oitocentista. *Estudos Afro-Asiáticos*, Rio de Janeiro, v. 30, n.1, p. 99, 1996. (grifo nosso)
[4] Artigo de Ana Miranda, intitulado *Ser mulher*, publicado na edição de 25 anos da revista *Veja*, edição "Reflexões para o futuro" em 1993.

quanto o colonizador português, e são muitos os casos em que, por despeito ou ciúmes (ou até mesmo por capricho), essas senhoras maltratavam com castigos torturantes suas serviçais.

Em contrapartida, tais castigos não eram recebidos com a passividade que muitos escritores tradicionais afirmaram, pois "a nova historiografia sugere um escravo mais ativo, apesar da escravidão, da mesma forma que a sociologia recente descobre um negro mais ativo, apesar da opressão racial".[5]

A sociedade colonial e escravista contribuiu imensamente para a criação do mito de mulheres quentes, atribuído, até hoje, às negras e mulatas pela tradição oral e disseminado no meio intelectual através da literatura. O caráter de objeto sexual dado às escravas bonitas fica evidenciado em algumas quadrinhas populares, recolhidas por José Alípio Goulart em uma de suas obras:

> Preta bonita é veneno
> Mata tudo que é vivente
> Embriaga a criatura
> Tira a vergonha da gente
> Mulata é doce de coco
> Não se como sem canela
> Camarada de bom gosto
> Não pode passar sem ela.

Assim, a mulher negra é mostrada como responsável por atrair o homem com seus dotes, envenenando-o, embriagando-o e isentando-o de qualquer culpa, afinal de contas, ela era "irresistível" e, até certo ponto, indispensável. Junte-se a isso o fato de serem propriedades daquele que a comprou, podendo este fazer dela o que bem entendesse; não poucas vezes eram

---

[5] Artigo de João José Reis intitulado *Aprender a raça*, publicado na edição de 25 anos da revista *Veja*, edição "Reflexões para o futuro" em 1993.

obrigadas e constrangidas a concordarem com uma relação que sua condição de objeto alheio dificilmente conseguiria evitar. Essas relações extraconjugais ocorriam sem o consentimento das sinhás, tampouco das escravas.

As mulheres negras faziam parte da família periférica, formada pelos escravos, agregados e mestiços, nos quais estavam incluídas as concubinas do chefe e seus filhos ilegítimos. A relação senhor/escravo estava tão normalizada que, em favor da mulher negra, nenhum padre ousou tornar pública alguma opinião "de modo que, por muito tempo as relações entre colonos e mulheres africanas foram as de franca lubricidade animal. Pura descarga de sentidos", conforme a obra de Gilberto Freire, *Casa Grande & Senzala*.

Embora muitas obras retratem os escravos como seres pacatos, passivos, estáticos, um artigo do *Jornal do Comércio*, de 8 de janeiro de 1833, comprova que eram frequentes as fugas de escravas:

> Alguma mucama ou mumbanda de bonita figura, criada quase como filha e fugida talvez com o mulato de sua paixão, deixando o senhor branco sozinho, com saudade dos seus cafunés, dos seus dengos e dos seus quitutes. Está neste caso a neguinha Luísa, de beiços finos, olhos grandes, pés pequenos, espigadinha de corpo, peito em pé, que em 1833 fugiu da Rua das Violas, aqui em São Cristovão.[6]

Portanto,

> O escravo doméstico, em geral, e a ama-de-leite, em particular, são apontados como elementos corruptores da família dominante. O papel estratégico da ama nas relações entre casa grande e senzala confere àsamas de leite o lugar privilegiado de agentes de corrupção da família branca.[7]

---

[6] FREYRE, Gilberto. *O escravo nos anúncios de jornais brasileiros do século XIX*. Recife: Imprensa Universitária, 1963.
[7] *Idem*, p. 49.

No decorrer do século XX, persiste essa visão que limita a mulher negra a ser destinada ao sexo, ao prazer, às relações extraconjugais. Para as mulheres negras, consideradas como destituídas destes atrativos, reserva-se a condição de "burro de carga": "Preta pra trabalhar, branca para casar e mulata pra fornicar".[8] Esta é a definição de gênero/raça, instituída por nossa tradição cultural patriarcal colonial, para as mulheres brasileiras, que, além de estigmatizar as mulheres em geral ao hierarquizá-las do ponto de vista do ideal patriarcal de mulher, introduz contradições no interior do grupo feminino.

Essa herança colonial e a persistência desses paradigmas no pós-abolição terá impacto negativo na construção de uma perspectiva unitária de luta das mulheres por sua emancipação social, transformando o Movimento Feminista posterior em um campo de batalha no qual ressentimentos seculares decorrentes dos privilégios e opressões determinados por esses estereótipos se defrontarão de formas às vezes dramáticas, até que as diferenças pudessem ser admitidas o suficiente para viabilizar um diálogo que só agora se inicia de forma mais solidária, desarmada e consequente.

Após a abolição da escravatura, em 13 de maio de 1888, a população negra não foi integrada à sociedade; ela permaneceu discriminada, à margem das mudanças estruturais que ocorrem na economia. "O Brasil Republicano cioso por sua inserção na ordem capitalista, vinculado ao pensamento europeu e teorias racistas, alimentava uma perspectiva, onde a política de imigração torna-se central ao desejo da elite em recuperar seu passado europeu".[9]

As ofertas de emprego no mercado de trabalho continuaram restringindo a participação da mulher negra, e esta via-se obrigada a trabalhar como mucama, ama-de-leite, dama de companhia,

---

8 Dito popular brasileiro.
9 CARNEIRO, Sueli. 1997.

ou então prostituindo-se, aproveitando-se de sua disseminada fama de "boa de cama".

O papel relegado aos negros sempre foi secundário e chegamos a essa triste conclusão quando nos deparamos com documentos do início do século; um fato interessante é recorrermos às propagandas impressas em suplementos e revistas femininas do período. Primeiramente, notamos que o público-alvo, a quem o produto é destinado, é a família de classe média, comumente retratada com o pai, a mãe e os filhos, brancos, e ao fundo tem-se a figura de uma negra, forte e trajada de uniforme e avental, para que não haja dúvida de que ela não faz parte da família e, sobretudo, não possui nenhum laço consanguíneo. As cartilhas infantis, até bem pouco tempo atrás, também reforçavam essa visão de negras somente como empregada doméstica.

Vale ressaltar que, acompanhando a construção dessa mentalidade racista e preconceituosa, vemos que ela foi sendo incorporada ao cotidiano brasileiro e, gradativamente, foi se normalizando. Para ilustrar essa constatação, basta citarmos um dos mais conceituados escritores da literatura infantil do Brasil: Monteiro Lobato. Em sua obra, a mulher negra é mostrada como uma senhora gorda, quase da família, porque é empregada há muito tempo; cozinhava muito bem e sua atitude era de total subordinação, submissão, subserviência. Este é o outro grande estereótipo no qual as mulheres negras brasileiras estão aprisionadas, a figura da mãe-preta que "[...] suscita diferentes reflexões [...]. Privilegiado exemplo de 'corrupção' na maior parte de nossas referências, mas também 'alma de sentimentos extraordinariamente nobres' e 'coração transbordando de sublimes dotes'". Em outros textos, a ama-de-leite parece ser figura de proa das "inevitáveis" conclusões a que chega cada autor. O componente subjetivo presente nos atos de amamentar, ninar, cuidar do filho do senhor, serve em cada caso, negado, diluído ou amamentando, à conformação de visões específicas: seja na visão racista e etnocêntrica, que só reconhece a subjetividade da escrava na sua "nefasta influência" sobre as crianças brancas, seja na visão da "boa ama" enunciada em nossas fontes, cuja expressão acabada em nossos dias é a obra de Gilberto Freyre. Exacerbando ao extremo, com o componente subjetivo principalmente nas relações ama-de-leite/criança branca edifica esse autor a conhecida imagem da escrava "embaixadora" da senzala na casa-grande e vice-versa.

Os estereótipos construídos em torno da figura da "mãe-preta" desempenharam e desempenham papel estratégico nas diferentes visões quanto à natureza da escravidão em nosso país. O interessante a destacar é que as bases materiais que sustentaram a existência das "mães-pretas" são omitidas, entrando-se a atenção no investimento subjetivo da escrava no desempenho das funções de ama-de-leite. Que essa subjetividade seja ignorada, afirmada ou diluída, continuamos frente a análises absolutamente subjetivas da subjetividade da escrava. "Coisa" paradoxalmente dotada de subjetividade, a ela obviamente foi negada a possibilidade de falar dessa subjetividade na primeira pessoa".[10]

À medida que a sociedade brasileira vai realizando ao longo das décadas o seu projeto de branqueamento da população, seja pela apologia da miscigenação, seja pela política de incentivo à imigração europeia, vai-se consolidando os estigmas e o destino social de negras e brancas dentro da lógica racista e sexista. E o processo de emancipação da mulher e de liberação sexual que ganham força a partir dos anos 1960 irão estabelecer novos desafios para as mulheres negras do ponto de vista de sua identidade, afetividade e sexualidade por estabelecer a absoluta hegemonia da brancura como padrão privilegiado para a mulher, agora não mais somente do ponto de vista estético, afetivo ou de ideal de família burguesa branca, mas também do ponto de vista

---

10 GIACOMINI, Sônia. *Mulher e escrava*. Petrópolis: Vozes, 1988. p. 63-64

sexual para os homens brancos e também para significativa parcela dos homens negros brasileiros, especialmente aqueles considerados socialmente como "bem-sucedidos".

Este fenômeno vem instituindo a mulher negra como a antimusa da sociedade brasileira de tal forma que os estudos demográficos já identificam uma acentuada desvantagem das mulheres negras no mercado afetivo, o que caracterizaria uma situação de "solidão" estrutural motivada pelo desinteresse dos homens brancos e a deserção de grande parte dos homens negros.

Essa questão de abandono das mulheres negras pelos homens negros motivou um texto do historiador negro Joel Rufino, cujo título *Por que os negros que sobem na vida arranjam logo uma branca e de preferência loira?* reflete a dimensão do problema. Para responder esta questão o autor faz a seguinte reflexão:

> Essa foi a pergunta que mais ouvi até hoje, embora, sintomaticamente, nunca me perguntassem pela recíproca: por que as brancas, sobretudo as loiras, só arranjam negros que subiram na vida. A parte mais óbvia da explicação é que a branca é mais bonita que a negra e quem prospera troca automaticamente de carro. Quem me conheceu dirigindo um Fusca e hoje me vê de Monza tem certeza de que não sou um pé-rapado: o carro, como a mulher, é um signo. Há no Brasil uma multidão de pretas bonitas, mas a forma da beleza é a branca. A preta que se aproxima dela passa a cabrocha, jambete, mulata etc. Um brasilianista é que percebeu isto bem, ao explicar a queda nacional pela mulata: é a mulher ideal, pois tem, ao mesmo tempo, a beleza da branca e a facilidade da negra.

Em outra passagem do texto o autor reitera: "Quem venceu o duelo, na cabeça e no sexo dos brasileiros de qualquer cor, foram as brancaranas azedas. O cinema dá o golpe de misericórdia nas pretas: os tesões da minha infância suburbana foram Ninon Silveira". E mais além:

Toda a ânsia de ascensão do negro talvez tenha por objetivo ser o branco e ele só o alcança – ou julga alcançar – quando enfim possui sexualmente a branca. Se for verdadeiro isto, ao arranjar uma branca, de preferência loira, o negro foi movido, não principalmente por motivo social (a saber: a branca como o Monza, é signo de êxito), mas por compulsão sexual – o que é sem dúvida mais dramático.[11]

Com essa questão entramos no outro aspecto da violência racial na temática de gênero e de violência contra a mulher, que é a violência psicológica, com graves sequelas na autoestima das mulheres negras trazida por essa imagem desvalorizada presente no imaginário social.

Note-se que nessa construção de Joel Rufino há duas ordens diferentes de violência de gênero colocadas, uma oriunda da ideologia machista patriarcal, que concebe as mulheres em geral como objetos de propriedade masculina. E a outra, de natureza racial, que institui a desvalorização das negras em relação às brancas ao ponto desse autor, em outro momento do texto, sugerir que as negras são mulheres disponíveis que podem ser adquiridas por "precinhos" módicos.

Esta é a mesma opinião dos estrangeiros que aqui aportam na rota do turismo sexual, "Quando falam das mulheres da Bahia referem-se a elas como 'quentes, carinhosas e sensuais [...] algumas delas se satisfazem com uma simples lembrança'".[12] Esta é uma citação do artigo *As mulatas que não estão no mapa*, outro estudo sobre turismo sexual realizado por Antônio Jonas Dias Filho, na cidade de Salvador. O autor aponta outro aspecto do problema que estamos tratando, que é a questão da identidade racial das mulheres pesquisadas e como essa identidade é manipulada para atender as fantasias sexuais em relação ao exótico

---

11 BARBOSA, Wilson de Nascimento; SANTOS, Joel Rufino dos. *Atrás do muro da noite*. Brasília: Ministério da Cultura; Fundação Cultural Palmares, 1994. p. 165.
12 DIAS FILHO, Antonio Jonas. As mulatas que não estão no mapa. *PAGU – Núcleo de Estudos do Gênero*, n. 6, v. 7, p. 51-66, 1996.

que estão presentes no turismo sexual e, ao meu ver, prestam-se também, de um lado, para promovê-lo e, de outro, para ocultar a violência racial existente nesse comércio.

Diz o autor: "As baianas são consideradas as morenas-jambo, por sua cor da pele" e o artigo, "trata das mulheres negras e como o mercado de corpos interfere na construção de suas identidades, criando sonhos e alimentando fantasias masculinas sobre a mulher brasileira".[13]

O autor mostra como a denominação morena-jambo é uma construção do *sexmarketing*, que envolve esse comércio, fazendo parte de peças de propaganda governamental e de empresas de viagem, obrigando a mulheres a se redefinem racialmente nesse esquema de promoção. O autor afirma que essas mulheres "não escondem o fato de serem negras ou cafuzas", mas como o produto "morena-jambo" "tem saída com os gringos", conforme palavras de uma delas, "[...] o jogo é aceito e circunstancialmente introjetado".[14]

Essas identidades criadas com base num espectro cromático que vai da preta à mestiça, passando por mulatas, pardas, morenas-jambo e tantas outras designações utilizadas em nossa sociedade, promovem, como já colocado em outros artigos, em primeiro lugar a fragmentação da identidade racial negra, o que tem por função política escamotear a importância populacional dos negros e de seus descendentes na população do país e enfraquecer politicamente o grupo negro, impedindo sua unidade.[15]

Em segundo, estabelece outra hierarquia, tornando as mais escuras as mais desvalorizadas dentre o conjunto das mulheres, e as negras mais claras, o objeto sexual de segunda categoria mais valorizado.

Portanto, as imagens construídas historicamente sobre as mulheres negras continuam produzindo formas particulares de

---

[13] *Idem*, p. 51.
[14] *Ibidem*, p. 57.
[15] CARNEIRO, Sueli. 1985.

violências vividas presentemente por elas, dentre as quais destaca-se o turismo sexual e o tráfico de mulheres, temas que apresentam o corte racial como marcador fundamental particularmente nas regiões Norte e Nordeste do país, composta majoritariamente por populações afrodescendentes ou mesclas de indígenas.

O impacto de todo esse imaginário social sobre as mulheres negras é que, como nos alerta Diva Moreira, "as mulheres negras se casam mais tardiamente, têm mais dificuldades em contrair segundas núpcias caso o parceiro morra ou as abandone e encontram mais dificuldades de acesso ao que os demógrafos chamam de mercado afetivo".[16]

Outro resultado da pesquisa realizada por Diva Moreira sobre a rejeição das mulheres negras no mercado afetivo mostra que

> [...] as nossas adolescentes e jovens que se iniciam precocemente na sexualidade e engravidam o fazem motivadas pela vontade de cativar o parceiro e de firmar com ele uma relação duradoura, se possível eterna. O sonho da maioria de nossas mulheres é casar-se. Ter um lar, filhos, um marido e pai carinhoso.[17]

Essas mesmas características foram encontradas por Adriana Priscitelli e Antônio Jonas Dias Filho em suas pesquisas sobre as jovens e adolescentes envolvidas no turismo sexual. Sobre elas, um gringo diz: "Essas meninas não são prostitutas. Elas nos tratam com um carinho que jamais encontrei na Europa".[18] Outro afirma

> [...] não existem garotas como as morenas brasileiras, alegres e sensuais [...] elas são insuperáveis, novas, carinhosas, quentes e

---

16 MOREIRA, Diva. *Direitos Humanos no Cotidiano*. Secretaria Nacional de Direitos Humanos, UNESCO; Universidade de São Paulo, 1998. p. 176-177.
17 *Idem*.
18 PISCITELLI, Adriana, Ibdem, p. 20.

submissas. São as melhores do mundo pois, além de serem 'quentes', mexem de uma maneira especial com os homens.[19]

A explicação para uma performance tão especial talvez esteja nas palavras de uma dessas meninas: "eles podem se engraçar pela gente e levar embora".[20] Outra afirma: "Um dia vou casar com um homem de olhos azuis. Casarei na Europa, onde os pais não costumam espancar os filhos. Terei uma casa grande, com jardim bonito e três filhos".[21] Outra encontrou o príncipe encantado, "morou um tempo na Alemanha, com um homem que a levou para passar uma temporada. No entanto ele encaminhou-a para prostituição, obrigando-a a sair com outros homens."[22]

A pesquisadora Adriana Piscitelli, no artigo *Sexo tropical*, descreve o comportamento clássico do estrangeiro que vem consumir mulher brasileira. Diz ela:

> [...] eles chegam procurando mulheres, mas têm nítidas preferências: garotas muito jovens, mulatas ou negras. Esse estilo de gosto não se limitaria aos europeus que chegam ao Brasil, os "exportadores" de meninas para o exterior afirmam que as meninas "mais morenas" conseguem receber maiores salários no "Velho Continente".[23]

No entanto, nas reportagens sobre a questão, "As poucas alusões à cor dos turistas são realizadas contrastando sua "brancura" com a negritude das meninas".[24]

Dessas meninas, segundo a autora, 60% tem entre 13 e 16 anos de idade. As mulheres envolvidas com o turismo sexual ou

---

19 PISCITELLI, Adriana, Ibdem, p. 26.
20 Antonio Jonas Dantas Filho, *Ibidem* p. 55
21 PISCITELLI, Adriana, *Ibidem*, p. 27.
22 Antonio Jonas Dantas Filho, p. 54
23 PISCITELLI, Adriana. Sexo Tropical: comentários sobre gênero e "raça" em alguns textos da mídia brasileira. *PAGU – Núcleo de Estudos do Gênero*, n. 6, v. 7, p. 16-17, 1996.
24 *Ibidem*, p. 17.

tráfico de mulheres são invariavelmente muito pobres e em geral foram vítimas de abuso sexual. Acham-se submetidas a condições de opressão e marginalização tão intensas que, mesmo conhecendo ou intuindo os riscos presentes nos envolvimentos com esses homens estrangeiros, agem como se o que quer que viesse não pudesse ser pior do que o que ela já conhece.

A entrevista recolhida pela autora de uma entrevista em um veículo de comunicação é ilustrativa. Diz a entrevistada: "Em casa de família meu destino seria pior ainda. Iria ganhar um salário e teria que transar de graça com o patrão, normalmente um velho gordo e pelanqueiro. O pior que pode me acontecer é eu virar puta na Suíça. Pelo menos vou ganhar alguma coisa. No Brasil não ganho nada, nem tenho como ganhar."[25]

Essa fala coloca outro tema da violência de gênero: refiro-me ao assédio sexual. Embora tratado como um debate novo em nossa sociedade, esse tipo de relação, como já vimos anteriormente, faz parte de uma tradição cultural que vem sendo perpetuada até os nossos dias. A prática impunemente tolerada de utilização das mulheres negras, especialmente as empregadas domésticas, como objetos sexuais, destinadas à iniciação sexual dos jovens patrões ou de diversão sexual dos mais velhos.

Lélia Gonzales, em seu artigo *Racismo e sexismo na cultura brasileira*, nos relata estórias típicas dessa assimetria de gênero e raça presentes em nossa tradição:

> Não faz muito tempo que a gente estava conversando com outras mulheres, num papo sobre a situação da mulher no Brasil. Foi aí que uma delas contou uma história muito reveladora, que complementa o que a gente já sabe sobre a vida sexual da rapaziada branca até não faz muito: iniciação e prática com as crioulas [...].

---

[25] PISCITELLI, Adriana. Sexo Tropical: comentários sobre gênero e "raça" em alguns textos da mídia brasileira. *PAGU – Núcleo de Estudos do Gênero*, n. 6, v. 7, p. 21, 1996.

Quando chegava na hora do casamento com a pura, frágil e inocente virgem branca, na hora da tal noite de núpcias, a rapaziada simplesmente brochava. Já imaginaram o vexame? E onde é que estava o remédio providencial que permitia a consumação das bodas? Bastava o nubente cheirar uma roupa de crioula que tivesse sido usada, para "logo apresentar os documentos [...]".[26]

Note-se que estamos diante de um *continuum* histórico que, passando de mucama à doméstica, mantém a tradição de uso e abuso sexual da mulher negra, entendendo-se aqui por mulheres negras as diferentes matizes com que as pessoas se autoclassificam ou são classificadas porque, embora as pessoas no Brasil tendam a se esconder ou negar sua ascendência negra, por meio dos vários artifícios de autoclassificação como pardo, moreno-claro, moreno escuro, mulato etc., a imagem que o país tem no exterior é de um país de maioria negra, e esta é a imagem do Brasil que vende e é vendida lá fora, a de um país culturalmente exótico em função dessa maioria porque, para a maioria dos países de primeiro mundo, alvos desse comércio, qualquer grau de mestiçagem com negros faz da pessoa um negro.

Portanto, desprezar a variável racial na temática de gênero é deixar de aprofundar a compreensão de fatores culturais racistas e preconceituosos determinantes nas violações dos direitos humanos das mulheres no Brasil que estão intimamente articulados com a visão segundo a qual há seres humanos menos humanos do que outros, e portanto aceita-se complacentemente que estes não sejam tratados como detentores de direitos.

A consciência da desvalorização estética e consequente rejeição de que são vítimas no mercado afetivo interno, a condição de mulheres disponíveis neste mercado de "graça" ou por um

---

[26] GONZALEZ, Lélia. Racismo e sexismo na cultura brasileira. In: SILVA, Luiz Antônio Machado Silva *et al*. *Movimentos sociais urbanos, minorias étnicas e outros estudos*. Brasília: ANPOCS, 1983. p. 234.

"precinho" módico, a ausência de condições dignas de sobrevivência que perpetua o destino herdado da escravidão leva-as a projetarem neste mundo distante e idealizado, habitado por ricos homens de olhos azuis, a concretização de uma abolição que de fato nunca conheceram, de tal forma que, também conscientes dos riscos que essa aventura contém, ela parece ser encarada como menos aterradora do que a realidade em que estão imersas. Por isso, Ivana, a moça que o "príncipe encantado" prostituiu na Alemanha, de lá saiu com a ajuda de um francês que havia conhecido em outro verão, e "espera no momento permissão da embaixada para viajar e, segundo ela, se casar com este homem".[27]

Embora tratadas como antimusas da sociedade brasileira, são objetos privilegiados da fantasia racista e imperialista de homens brancos do primeiro mundo. Segundo Dias Filho, "Os alemães, por exemplo, chegam a pagar, por um pacote de quinze dias, o equivalente a 10 mil marcos para conhecer e namorar mulheres baianas, preferencialmente "negras ou mulatas, que apresentem as características daquelas que lhes foram mostradas em books, vídeos ou catálogos, por agenciadores do eixo Europa Brasil."[28]

Diante do cenário aqui colocado, resta perguntar: como é possível diante disso que o racismo, a discriminação racial e a violência racial permaneçam como temas periféricos no discurso e na militância sobre a questão da violência contra a mulher? Só podemos atribuir isso à conspiração de silêncio que envolve o tema do racismo em nossa sociedade e à cumplicidade que todos partilhamos em relação ao mito da democracia racial e tudo que ele esconde.

A citação de Adriana Pristicelli, de Alcoff e Potter, de que "[...] afirmam que a epistemologia feminista não pode ser considerada como comprometendo-se com o gênero como eixo primário da

---

[27] *Idem.* p. 54
[28] *Ibidem*, p. 57

opressão [...] ou colocando que o gênero é uma variável teórica que pode ser separada de outros eixos de opressão e é passível de uma análise única. Se o feminismo deve liberar as mulheres, deve defrontar virtualmente todas as formas de opressão".[29]

Deste ponto de vista, seria possível dizer que um feminismo negro construído no contexto de sociedades multirraciais e pluriculturais tem como principal eixo articulador o racismo e seu impacto sobre as relações de gênero. Porém, em sociedades em que o contingente negro compõe pelos critérios de classificação racial oficial quase 50% da população e que, para os padrões de classificação racial internacional, estaria muito acima de 50%, o problema do racismo adquire um caráter estrutural para qualquer análise das desigualdades existentes em nossa sociedade. Um desafio para a prática e o discurso feminista no Brasil.

O movimento de mulheres negras a partir da década de 1980

A mulher negra, no Brasil, a partir de meados da década de 1980, passa a se organizar politicamente em função de sua condição específica do ser mulher e negra, por meio do combate aos estereótipos que as estigmatizam; por uma real inserção social; pelo questionamento das desigualdades existentes entre brancas e não brancas em nossa sociedade; e contra a cidadania de terceira categoria a que está relegada por concentrar em si a tríplice discriminação de classe, raça e gênero.

Muita luta ainda existe pela frente, já que a batalha pelo reconhecimento e respeito à mulher negra ainda está no início. Entretanto, vitórias vêm sendo conquistadas dia a dia pela ação política organizada das mulheres negras, dos movimentos negros e dos

---

[29] Adriana Piscitelli, *Ibidem*, p. 10-11.

setores brancos aliados e progressistas interessados em construir uma história brasileira sob um prisma antirracista e antissexista.

Em outros estudos, tenho defendido que os esforços organizativos das mulheres negras decorrem da insuficiência com que a especificidade da mulher negra é tratada tanto no Movimento Feminista quanto no Movimento Negro, posto que não está estruturalmente integrada às concepções e práticas políticas desses dois movimentos sociais a perspectiva de que há sempre uma dimensão racial na questão de gênero, e uma dimensão de gênero na problemática étnico-racial. Este é o fundamento para a dupla militância que se impõe para as mulheres negras como forma de assegurar que as conquistas num campo de luta, por exemplo, no campo racial, não sejam inviabilizadas pela persistência das desigualdades de gênero e para que as conquistas dos movimentos de mulheres não privilegiem apenas as mulheres brancas em função das práticas discriminatórias de base racial presentes na sociedade, contra as mulheres negras.[30]

Se houve avanços da questão racial no âmbito da prática e da teoria feminista, isso tem tido pouco impacto no interior do Movimento Negro na medida em que não tem sido suficiente para pautar as relações de gênero no próprio Movimento e, consequentemente, não vem redefinindo o papel da mulher negra nos projetos políticos das correntes do Movimento Negro nem na distribuição do poder nas instâncias de decisão e na distribuição dos resultados das lutas empreendidas. O mesmo se repete em relação ao Movimento Feminista.

A consequência dessa leitura, feita pelas mulheres negras sobre a prática política dos movimentos em questão, tem sido a busca de um novo posicionamento político que tem por sentido estratégico o redimensionamento da questão da mulher negra a partir de uma perspectiva própria que coloca em questão o

---

[30] CARNEIRO, Sueli. 1993

alcance das vitórias conquistadas pelo Movimento Feminista nos últimos 20 anos no Brasil.

É nesse contexto que surge o Geledés Instituto da Mulher Negra como produto dessa avaliação crítica do encaminhamento da temática da mulher negra nos Movimentos Negros e Feministas. Inspirada na tradição de organização político-religiosa das mulheres yorubás, o Geledés Instituto da Mulher Negra foi criado em 1988 como uma proposta de atualização e adequação de matrizes culturais negro-africanas às necessidades contemporâneas da luta negra, em especial das mulheres negras.

A consciência dos limites da concepção feminista tradicional para contemplar a temática específica das mulheres negras conduziu-nos a construir uma plataforma de luta que nos habilitasse a tratar simultaneamente das dimensões particulares de gênero e das questões gerais colocadas pela questão racial em nossa sociedade.

A condição de mulher e negra, o papel histórico que as mulheres negras desempenham em suas comunidades, a comunidade de destino colocada para homens e mulheres negras pelo racismo e a discriminação impedem que os esforços organizativos das mulheres negras possam se realizar dissociados da luta geral de emancipação do povo negro.

Portanto, o ser mulher negra na sociedade brasileira se traduz na tríplice militância contra os processos de exclusão decorrentes da condição de raça, sexo e classe, isto é, por força das contradições que o ser mulher negra encerra, recai sobre elas a responsabilidade de carregar politicamente bandeiras históricas e consensuais do movimento negro, do movimento de mulheres e somar-se aos demais movimentos sociais voltados para a construção de outro tipo de sociedade baseada nos valores da igualdade, solidariedade, respeito à diversidade e justiça social.

Com essa perspectiva, estruturou-se o Geledés em quatro programas básicos que abrigam diversos projetos, por meo dos quais busca-se atuar politicamente sobre as questões de gênero e raça, além de realizar a missão institucional do Geledés Instituto da Mulher Negra, que é a promoção e a valorização política da temática da mulher negra, em especial em combate às diversas manifestação de racismo, sexismo e exclusão social presentes em nossa sociedade.

Essa questão põe em evidência que a construção da cidadania para as mulheres não brancas envolve questões que extrapolam as contradições e as formas de discriminação que são produto das relações assimétricas existentes na sociedade entre o homem e a mulher.

Nesse sentido, a luta das mulheres em geral depende não somente de nossa capacidade de superar as desigualdades geradas pela histórica hegemonia do sexo masculino, como também impõe o combate a outras ideologias, como o racismo, que constroem a inferioridade social dos segmentos não brancos da sociedade, em especial das mulheres negras, e operam como elemento divisionistas da luta das mulheres em função dos privilégios que instituem para as mulheres do grupo étnico dominante. Desse ponto de vista, o estabelecimento de medidas concretas de combate ao racismo é uma prioridade política e uma bandeira de luta que deve ser assumida pelo conjunto do movimento de mulheres nos níveis nacionais e internacionais, posto que o racismo atinge pelo menos dois terços das mulheres em nível mundial, sendo também um dos principais fundamentos das práticas xenofóbicas em ascensão em todo o mundo.

Portanto, a construção da plena cidadania para as mulheres negras passa pela eliminação dos mecanismos de discriminação racial e pela aplicação efetiva dos dispositivos legais, nacionais e internacionais, que criminalizam a prática do racismo e da discriminação racial.

Nesse sentido, a luta das mulheres negras contra a opressão de gênero e de raça vem desenhando novos contornos para a ação política feminista e antirracista, enriquecendo tanto a discussão da questão racial como também a questão de gênero na sociedade brasileira. Esse novo olhar feminista e antirracista, ao integrar em si tanto a tradição de luta do movimento negro como a tradição de luta do movimento de mulheres, afirma essa nova identidade política decorrente da condição específica do ser mulher e negra.

O atual movimento de mulheres negras, ao trazer para a cena política as contradições resultantes da articulação das variáveis de raça, classe e gênero, promove a síntese das bandeiras de luta historicamente levantadas pelos movimentos negro e de mulheres do país, enegrecendo, de um lado, as reivindicações das mulheres, tornando-as, assim, mais representativas do conjunto das mulheres brasileiras e, de outro, promovendo a feminização das propostas e reivindicações do movimento negro.

Enegrecer o movimento feminista brasileiro tem significado concretamente demarcar e instituir na agenda do movimento de mulheres o peso que a questão racial tem na configuração, por exemplo, das políticas demográficas; na caracterização da questão da violência contra a mulher pela introdução do conceito de violência racial como aspecto determinante das formas de violência sofridas por metade da população feminina do país que é não branca; na introdução da discussão sobre as doenças étnicas/raciais ou de doenças com maior incidência sobre a população negra como questões fundamentais na formulação de políticas públicas na área da saúde; na instituição da crítica aos mecanismos de seleção no mercado de trabalho como a boa aparência, que mantém as desigualdades e os privilégios entre mulheres brancas e negras. Tem-se ainda estudado e atuado politicamente sobre os aspectos éticos e eugênicos colocados pelos avanços das pesquisas nas áreas de biotecnologia, em particular da engenharia genética.

Os documentos da Articulação de Mulheres Brasileira Rumo a Beijing, de junho e de setembro de 1995, são os que melhor expressam o avanço da questão racial no movimento de mulheres brasileiro e também o crescimento da parceria e solidariedade entre as mulheres negras e brancas e que explicam os resultados positivos em especial para a temática racial no processo de Beijing.

Esses avanços estão presentes na primeira versão de junho de 1995 das propostas da Articulação de Mulheres Brasileiras Rumo a Beijing, na qual se constata o aumento significativo da participação política das mulheres negras no movimento de mulheres:

> Outras atrizes entraram em cena com a organização das mulheres negras. O racismo presente na nossa sociedade, ao mesmo tempo que ganha maior visibilidade, passa a ser questionado através de novas dimensões trazidas pelos movimentos de mulheres negras, ao articularem gênero e raça.

Os novos conceitos como gênero e sua articulação/relação com raça e classe ampliam os instrumentos de análise da ação e organização das mulheres.

A história recente deixou muitos aprendizados. A ideia da mulher como sujeito único e com necessidades iguais foi repensada, primeiro pela organização das mulheres negras e segundo pela própria necessidade de se intervir numa realidade cada vez mais complexa, com questões de classe, raça, orientação sexual, religião, idade.[31]

Como consequência de todo este trabalho, o *Relatório geral sobre a mulher na sociedade brasileira*, produzido pelo governo brasileiro com vistas à IV Conferência Mundial sobre a Mulher, Ação para a Igualdade, Desenvolvimento e Paz, é o reconhecimento oficial da falácia da democracia racial brasileira que era tão decantada no exterior pelo Estado brasileiro.

Resultado de um esforço de cooperação e parceria entre governo e sociedade civil, notadamente as organizações de mulheres

---

31 p. 34-35.

do país, este documento reconhece em diversos momentos como o racismo promove a ampliação das desigualdades sociais entre as mulheres pela seguinte afirmação:

> A raça, quando associada ao gênero, interfere na determinação de desigualdades salariais. Trabalhadores pretos e pardos ganham, em média, menos do que homens e mulheres brancos, mas são as mulheres negras as mais discriminadas de todos os grupos, tanto na cidade quanto no campo.

Ainda no capítulo sobre a Desigualdade na Participação da Mulher no Mercado de Trabalho e no Processo Produtivo reconhece-se que, dentre os "[...] obstáculos a serem superados para que a mulher possa se beneficiar do desenvolvimento social, econômico, político e cultural do país [...] encontram-se [...] as práticas discriminatórias de gênero e raça no mercado de trabalho: na admissão, promoção, qualificação e remuneração que limitam ás mulheres ocupações desqualificadas e subalternas [...]".[32]

Em relação ao acesso à educação, o relatório é contundente ao demonstrar que

> [...] o problema da educação no país não se prende a questões de gênero, mas ao processo de exclusão a que estão submetidos segmentos da população, variando os índices mais em função das condições raciais (brancos e negros) e socioeconômicas do que sexuais.[33]

Dentre as várias questões que são apontadas no capítulo referente a Estratégias e Perspectivas Futuras, recomenda-se que:

---

[32] MINISTÉRIO DAS RELAÇÕES EXTERIORES. *Relatório geral sobre a mulher na sociedade brasileira*. 1995. p. 42.
[33] *Ibidem*, p. 45.

Os modelos de desenvolvimento sustentável, por sua vez, devem considerar as diferenças de gênero, raça e etnia, e a necessidade imperiosa de maior equidade social. As estratégias nacionais propostas para a consecução desses objetivos devem tomar por base: [...] 'o estabelecimento de medidas concretas para combater o racismo e qualquer outra forma de discriminação'.[34]

De outro lado, a ação política das mulheres negras vem ampliando também a agenda política do movimento negro ao considerar como prioridade temas que historicamente têm sido pouco tratados pelo movimento negro. Ao trabalhar essas questões, o movimento de mulheres negras revela novos aspectos da violência racial cuja magnitude se desconhecia.

Um exemplo concreto disso tem se dado, por exemplo, em relação às questões de Saúde e de População. Se, historicamente, as práticas genocidas, tais como a violência policial, o extermínio de crianças, a ausência de políticas sociais que assegurem o exercício dos direitos básicos de cidadania, têm sido objetos prioritários da ação política dos movimentos negros, os problemas colocados hoje pelos temas de Saúde e de População nos situam num quadro talvez mais alarmante ainda em relação aos processos de genocídio do povo negro no Brasil. Os reflexos da esterilização em massa de mulheres negras no país já se fazem sentir na redução do percentual da população negra nesta década em comparação com a década anterior.

Convivemos hoje com um quadro de expansão da Aids entre nossa população, posto que a Aids, cada vez mais, assume características clássicas das doenças sexualmente transmissíveis, ou seja, as populações pobres e excluídas sempre pagaram o maior tributo do adoecer e morrer pelas DSTs. Ao lado disso, temos

---

[34] MINISTÉRIO DAS RELAÇÕES EXTERIORES. *Relatório geral sobre a mulher na sociedade brasileira*. 1995. p. 68

fatores culturais interferindo no crescimento da doença entre negros, mas principalmente há um novo componente diferenciado que a epidemia da Aids está colocando para nós, que é um índice superior de contágio determinado pelo uso de drogas endovenosas e outras. Num contexto mais amplo, a Organização Mundial da Saúde declarou o fenômeno da Aids incontrolável no Continente Africano. O Caribe é a segunda região de predominância da Aids no mundo.

Portanto, esse novo contexto de redução populacional, fruto de esterilização massiva aliado à progressão tanto da Aids como do uso de drogas entre a nossa população, as novas biotecnologias, em particular a engenharia genética, com as possibilidades que ela oferece para práticas eugênicas, constituem novos e alarmantes desafios sobre os quais o conjunto do movimento negro precisa atuar.

A importância dessas questões para as populações consideradas descartáveis como nós e o crescente interesse dos organismos internacionais no controle do crescimento dessas populações têm conduzido o movimento de mulheres negras a desenvolver uma perspectiva internacionalista. Essa visão vem promovendo a diversificação das temáticas que são objeto da ação política das mulheres negras, o estabelecimento de novas parcerias e a ampliação da cooperação interétnica. Cresce entre as mulheres negras a consciência de que os processos de globalização, determinados pela ordem neoliberal, que entre outras coisas agudiza o processo de feminização da pobreza, colocam a necessidade de articulação e intervenção da sociedade civil em nível mundial.

Essa nova consciência tem nos levado ao desenvolvimento de ações regionais no âmbito da América Latina, do Caribe e com as mulheres negras dos países do Primeiro Mundo e à participação crescente nos fóruns internacionais, nos quais governos e sociedade civil se defrontam e definem a inserção dos povos terceiro-mundistas no terceiro milênio.

Dentre essas ações destaca-se o documento consensual produzido pelas mulheres negras representantes de 16 países da América Latina presentes ao Foro de Mar Del Plata preparatório da Conferência de Beijing em painel sobre a mulher negra organizado pelo Geledés Instituto da Mulher Negra com apoio da UNIFEM.

O documento nominado de "Proposta das mulheres negras latino-americanas e caribenhas para Beijing" tem a seguinte redação:

No exercício de nossos direitos democráticos, enquanto mulheres negras, reivindicamos a inclusão de aspectos de interesses específico enquanto setor particular da população da América Latina e Caribe.

Nosso objetivo é a construção de um projeto político plural, que pressupõe a diversidade como forma de alcançar níveis de desenvolvimento e de participação social e política.

Nós, mulheres negras reunidas em Mar del Plata, no Fórum de ONGs Preparatório para a IV Conferência Mundial da Mulher – Pequim'95, consideramos:

1. Que o racismo como forma ideológica que sustenta a dominação de um setor da população sobre outro é uma das causas fundamentais que não permite o desenvolvimento sustentável para os setores não brancos das populações latino-americanas e caribenhas, que compõem as maiorias do nosso continente. O racismo tem estado presente inclusive no movimento de mulheres, já que se trata de uma ideologia inscrita em nossas estruturas sociais. Considerando a luta e a participação das mulheres negras na construção de nossas sociedades, convocamos o conjunto das mulheres a incorporar-se na luta pelo fim do racismo.
2. Que se incorpore ao documento político do Fórum de ONGs o pleno reconhecimento de que nossos países são constituídos por populações multirraciais e multiculturais, conferindo às nossas sociedades um perfil onde a diversidade tem sido a contribuição

mais enriquecedora. Nesse sentido, exigimos nosso papel de protagonistas nos espaços onde se decidem os nossos destinos.
3. Exigimos de nossos governos que sejam implementadas políticas de desenvolvimento para saldar a dívida histórica contraída com nossas populações, e que tenham as mulheres negras como beneficiárias prioritárias.
4. Exigimos que sejam formuladas e implementadas estratégias apropriadas, que assegurem às mulheres negras o direito ao acesso à terra, ao trabalho, à saúde, à habitação, educação, meio ambiente saudável e garantindo-se o direito à identidade diferenciada.
5. Exigimos que sejam incorporados os itens etnia e gênero nos Censos Governamentais de nossos países, como forma de obtermos um conhecimento real dos números, e situação socioeconômica e política da população negra.
6. Que os organismos de Estado, como por exemplo o Ministério da Saúde, coletem dados sobre os grupos étnicos atendidos, a fim de obter dados consistentes para diagnosticar as enfermidades de que sofrem as populações não brancas, para que sejam formuladas políticas públicas adequadas.
7. A cor da pele não é um elemento que determine que as mulheres negras sejam incluídas dentro da concepção utilizada pelas instâncias internacionais como grupo vulnerável, de alto risco ou especiais. Portanto, propomos que as mulheres negras sejam consideradas como pessoas pertencentes a um determinado grupo étnico, com particularidades culturais específicas.
8. Que em todas as conferências internacionais preparatórias para Beijing se formem grupos de pressão e monitoramento junto aos governos dos países onde as mulheres negras sofrem situações de violência.
9. Que os Estados promovam a revisão das políticas educativas, textos didáticos, curriculum, estrutura educacional, com vistas a eliminar os estereótipos racistas (crianças/idosos mulheres/ homens) que afetam a construção de uma identidade

etno-racial positiva para as populações negras e que deem visibilidade à nossa contribuição através da história na construção de nossas sociedades.

10. Que os Estados revisem todos os instrumentos, procedimentos, convenções, pactos, convênios e mecanismos que regulam a prática do racismo a nível internacional com o objetivo de dar visibilidade aos mesmos, para as populações negras, e que se criem comissões e grupos de trabalho com a participação das mulheres negras, para garantir que nossas perspectivas e realidades estejam presentes neles.

11. Que os Estados avaliem o impacto da reprodução e transmissão do racismo através dos meios de Comunicação e implementem programas de vigilância e controle sobre as imagens negativas e discriminatórias contra as mulheres negras, como também pela omissão, e promovam estratégias de comunicação não racista.

12. Que os Estados declarem o Ano Internacional de Ação pelos Direitos das Mulheres Negras, para que sejam feitos esforços concentrados para a eliminação das condições de discriminação de que somos objeto; promover a participação política, combater a violência; revisar as legislações que explícita ou sutilmente promovem a discriminação em função de nossa condição étnica e de gênero; promover o exercício pleno de nossas cidadanias e a recuperação de nossos valores culturais e espirituais; adotar medidas legislativas que favoreçam uma mudança real no *status* jurídico e legal das mulheres negras.

13. Que os Estados investiguem, sancionem e denunciem o impacto negativo nas mulheres negras do militarismo, xenofobia, fundamentalismos religiosos e dos ajustes estruturais, especialmente o tráfico sexual, migrações forçadas e prostituições, a limpeza étnica, mutilação corporal, controles reprodutivos, violência sexual.

14. Que as populações negras migrantes possam ter condições de estabelecer-se em qualquer lugar sem serem molestadas,

respeitando-se sua identidade e em condições adequadas, que lhes permitam a continuação de uma existência digna.
15. O exercício da democracia baseada na igualdade e desenvolvimento para o alcance da Paz Universal requer respeito àsdiferenças existentes, para que seja possível a construção de uma sociedade plural, democrática, plena e solidária.

[...] sublinhamos, o lugar a partir do qual as mulheres latino-americanas falamos como um continente mestiço na língua, na corporalidade e na espiritualidade. Destacamos o fato de que nossos países estão integrados por populações multirraciais e multiculturais, onde a diversidade tem sido o aporte mais enriquecedor a nossas sociedades e a humanidade em si. Neste sentido, exigimos a participação substantiva das mulheres negras e indígenas nos espaços onde se decidem os destinos de nossas sociedades. (p. 16 item 10).

A intervenção nas Conferências mundiais, convocadas pela ONU a partir da década de 1990, têm nos permitido ampliar o debate sobre a questão racial em âmbito nacional e internacional e sensibilizar movimentos, governos e a ONU para a inclusão da perspectiva antirracista e de respeito à diversidade em todos os seus temas. Com essa perspectiva, atuamos em relação à Conferência do Cairo sobre População em relação à qual as mulheres negras operaram a partir da ideia de que "em tempos de difusão do conceito de populações supérfluas, liberdade reprodutiva é essencial para as etnias discriminadas para barrar as políticas controlistas e racistas". Assim, estivemos em Viena, da qual saiu o compromisso sugerido pelo Governo brasileiro de realização de uma Conferência Mundial sobre o Racismo e outra sobre Imigração, para antes do ano 2000. Assim trabalhamos no processo de preparação da Conferência de Beijing dentro do qual foi realizado um conjunto de ações através das quais é possível medir o crescimento da temática racial no movimento de mulheres do Brasil e no mundo.

Nesta década, as mulheres negras brasileiras encontraram seu caminho e autodeterminação política, soltaram suas vozes, brigaram por espaço e representação e fizeram-se presentes em todos os espaços de importância para o avanço da questão da mulher hoje. Foi a temática que mais cresceu politicamente no movimento de mulheres nesta década integrando definitivamente a questão racial ao movimento de mulheres.

Para Sônia Correia, feminista branca brasileira, o reconhecimento de raça e etnia como causas de discriminação e fatores de desigualdade é um dos resultados positivos de Beijing e

> [...] o fato de que os termos raça e etnia tenham sido finalmente incorporados a um documento das Nações Unidas significa a superação de uma antiga e renitente resistência por parte de alguns países membros. Até Beijing, apenas os Estados Unidos e, com menor vocalidade, o Brasil, defendiam sem restrições a utilização desta terminologia. Sua adoção no parágrafo 32 da Declaração assim como em outras duas seções da Plataforma de Ação compensa, ainda que parcialmente, sua eliminação no capítulo de saúde.[35]

Segundo Nilza Iraci, diretora do Geledés Instituto da Mulher Negra, que foi uma das articuladoras do *looby* de mulheres negras presentes a Beijing

> [...] mais importante do que a inclusão da temática racial na Declaração e Plataforma de Ação de Beijing, foi o processo de discussão que o tema provocou exigindo um eficiente lobby de mulheres negras do Norte e Sul, aliado à solidariedade de feministas brancas e da disposição do corpo diplomático brasileiro de não tergiversar diante dessa questão, para garantir a inclusão de raça e etnia como

---

35 CORREIA, Sônia. *Fêmea*. p. 6, set. 1995.

fatores de desigualdade entre as mulheres sob os quais os governos devem atuar.[36]

A redação final do artigo 32 da Declaração de Beijing afirma a necessidade de

[...] intensificar os esforços para garantir o desfrute em condições de igualdade de todos os direitos humanos e liberdades fundamentais a todas as mulheres e meninas que enfrentam múltiplas barreiras à expansão de seu papel e a seu avanço devido a fatores como raça, idade, origem étnica, cultural, religião..."

O Parágrafo 132 da Plataforma de Ação reitera que

[...] Essas violações [aos direitos humanos] e estes obstáculos incluem, além da tortura e do tratamento cruel, desumano e degradante ou das detenções sumárias e arbitrárias, todas as formas de racismo e discriminação racial, xenofobia, negação dos direitos econômicos, sociais e culturais e intolerância religiosa [...].

O desafio agora é assegurar a concretização dessas conquistas no plano da vida real. Tal como expresso na *Carta das mulheres negras brasileira para a Conferência do Cairo*, a garantia dos direitos de cidadania das mulheres negras passa pela definição de

[...] políticas globais que garantam pleno emprego, programas de abastecimento, de saúde e saneamento básico, educação, e políticas urbanas e de habitação que têm sido sistematicamente boicotadas por setores conservadores incrustados no aparelho de Estado e por "lobbies" poderosos, comprometidos com interesses minoritários, elitistas e racistas. Tais políticas públicas globais

---

36 CORREIA, Sônia. *Fêmea*. p. 9, set. 1995.

devem incluir a análise das desigualdades de etnia, gênero e classe. [...] Acreditamos, enfim, na possibilidade de construção de um novo modelo civilizatório, humano, fraterno e solidário, tendo como base os valores expressos pela luta antirracista, feminista e ecológica, assumidos pelas mulheres negras de todos os continentes, pertencentes que somos a mesma comunidade de destinos.

Por uma sociedade multirracial e pluricultural, onde a diferença seja vivida como equivalência e não mais como inferioridade.

Conclusões

A origem branca e ocidental do feminismo estabeleceu sua hegemonia para o equacionamento das diferenças de gênero e vem determinando que as mulheres não brancas e pobres em toda parte do mundo lutem para integrar em seu ideário as suas especificidades raciais, étnicas, culturais, religiosas e de classe social.

Até onde as mulheres não brancas avançaram nessas questões, as alternativas à esquerda, à direita ou ao centro se constroem a partir desses paradigmas instituídos pelo feminismo que, segundo Lélia Gonzalez, padecem de duas dificuldades para as mulheres negras: de um lado, o viés eurocentrista do feminismo brasileiro, ao omitir a centralidade da questão de raça nas hierarquias de gênero presentes na sociedade, e ao universalizar os valores de uma cultura particular (a ocidental) para o conjunto das mulheres, sem as mediações que os processos de dominação, violência e exploração que estão na base da interação entre brancos e não brancos, constitui-se em mais um eixo articulador do mito da democracia racial e do ideal de branqueamento.

Por outro lado, também revela um distanciamento da realidade vivida pela mulher negra ao negar "toda uma história feita de resistências e de lutas, em que essa mulher tem sido protagonista graças à dinâmica de uma memória cultural ancestral (que nada tem a ver com o eurocentrismo desse tipo de feminismo).[37]

Na sociedade brasileira a questão da mulher negra tem potencialmente a possibilidade de redefinir as prioridades da questão de gênero pela síntese que o ser mulher negra opera enquanto elemento que agrega as contradições de raça, classe e gênero.

Nesse contexto, quais seriam os novos conteúdos que as mulheres negras poderiam trazer para a cena política além da introdução do quesito cor nas propostas de gênero?

A feminista negra norte-americana Patrícia Collins argumenta que o pensamento feminista negro seria um conjunto de "experiências e ideias compartilhadas por mulheres afro-americanas que oferecem um ângulo particular de visão do eu, da comunidade e da sociedade [...] ele envolve interpretações teóricas da realidade de mulheres negras por aquelas que a vivem".

A partir dessa visão, Collins elege cinco temas como fundamentais que caracterizariam o ponto de vista feminista negro:

1. o legado de uma história de luta;
2. a natureza interligada de raça, gênero e classe;
3. o combate aos estereótipos ou "imagens de controle";
4. a atuação como mães, professoras e líderes comunitárias;
5. e a política sexual".[38]

Acompanhando o pensamento de Patrícia Collins, Luíza Bairros usa como paradigma a imagem da empregada doméstica como elemento analisador da condição de marginalização da

---

[37] GONZALEZ, Lélia *apud* BAIRROS, Luiza. Lembrando Lélia Gonzalez. In: WERNECK, Jurema; MENDONÇA, Maísa; WHITE, Evelyn C. (Org.). *O livro da Saúde das Mulheres Negras*. Rio de Janeiro: Editora Pallas/Criola, 2000. p. 57.
[38] COLLINS, Patricia *apud* BAIRROS, Luiza. Nossos Feminismos Revisitados. *Revista Estudos Feministas – IFCS/UFRJ – PPCIS/UERJ*. v. 3, n. 2, p. 462, 1995.

mulher negra, e a partir dela busca encontrar a especificidade capaz de rearticular os cinco pontos colocados por Patrícia Collins, concluindo que "essa marginalidade peculiar é que estimula um ponto de vista especial da mulher negra, [permitindo] uma visão distinta das contradições nas ações e ideologia do grupo dominante". "A grande tarefa é potencializá-la afirmativamente, através da reflexão e da ação política", continua.

O poeta negro Aimé Cesaire disse que há duas maneiras de se perder: por segregação encurralado na particularidade ou por diluição no universal.

A utopia que perseguimos hoje consiste em buscar um atalho entre uma negritude redutora da dimensão humana e a universalidade ocidental hegemônica que anula a diversidade. Ser negro sem ser somente negro, ser mulher sem ser somente mulher, ser mulher negra sem ser somente mulher negra.

Realizar a igualdade de direitos e tornar-se um ser humano pleno e prenhe de possibilidades e oportunidades para além da condição de raça e de gênero é o sentido final desta luta.

A batalha de Durban

Após a queda do muro de Berlim, as Conferências Mundiais convocadas pelas Nações Unidas tornaram-se espaços importantes no processo de reorganização do mundo e vêm se constituindo em fóruns de elaboração de diretrizes para políticas públicas. Como vimos reiterando em outros artigos, ao longo dos anos 1990 as várias Conferências deram visibilidade a temas essenciais, tais como direitos humanos, meio ambiente, direitos reprodutivos, gênero e pobreza, entre outros. Espera-se que o mesmo aconteça em relação ao racismo, à discriminação racial, à xenofobia e à intolerância no Brasil e no mundo.[1] Por isso, a III Conferência Mundial contra o Racismo, Discriminação Racial, Xenofobia e Intolerâncias Correlatas foi motivo de grandes expectativas e esperanças para o Movimento Negro do Brasil e para o conjunto da população negra.

[1] CARNEIRO, Sueli, 2000a.

Tais expectativas refletiram-se no intenso engajamento das organizações negras brasileiras na construção e realização da Conferência Mundial contra o Racismo. No plano nacional, esse processo teve início em abril de 2000, com a constituição de um Comitê Impulsor Pró-Conferência, formado por lideranças de organizações negras e organizações sindicais, que assumiu a realização de inúmeras tarefas organizativas. Entre elas, o Comitê formulou uma denúncia pelo "descumprimento e violação sistemática da Convenção Internacional sobre a Eliminação de Todas as Formas de Discriminação Racial, resultantes de ações diretas e de omissões do Estado brasileiro" na implementação de políticas públicas de combate ao racismo e à discriminação e de promoção da igualdade racial;[2] também realizou contatos com organizações internacionais envolvidas no processo da Conferência, como o International Law Group. O Comitê foi responsável pela constituição do Fórum Nacional de Entidades Negras para a III Conferência contra o Racismo, a partir do qual foi elaborado um documento das entidades negras sobre os efeitos do racismo no Brasil e formadas delegações para a participação no processo da Conferência.

No plano internacional, destaca-se a criação da Alianza Estratégica Afro-Latino-Americana y Caribenha Pró III Conferencia Mundial del Racismo,[3] que, juntamente com a chilena Fundação Ideas e outras organizações, assumiu a convocação da

---

[2] Esse documento foi entregue a Walter Franco, coordenador das Nações Unidas no Brasil, e a Mary Robinson, Alta Comissária das Nações Unidas para os Direitos Humanos. Quando da visita desta última ao Brasil, também foi solicitada sua intervenção para que o governo brasileiro voltasse atrás na decisão de não sediar a Conferência Regional das Américas, preparatória para a Conferência Mundial de Racismo. A desistência do Brasil implicou a escolha do Chile para sediar a Conferência Regional das Américas.

[3] Dessa articulação continental faziam parte, além do Brasil – Geledés, o Centro de Articulação de Populações Marginalizadas (CEAP), Rede de Advogados e Operadores do Direito Contra o Racismo e o hoje extinto Escritório Nacional Zumbi dos Palmares (ENZP) –, organizações negras do Uruguai, Colômbia, Costa Rica, Guatemala, Honduras, Peru, Equador, Colômbia, República Dominicana e Venezuela, e Redes Regionais tais como Rede de Mulheres Afro-Caribenhas e Afro-Latino-Americanas, Rede Continental de Organizações Afro-Americanas, Organização Negra Centro-Americana (ONECA), Rede Andina de Organizações Afro, Aser Parlamento Andino.

Conferencia Ciudadana. Esta foi o fórum paralelo das ONGs, que antecedeu a Conferência das Américas, em dezembro de 2000, estabelecido com o objetivo de fortalecer as alianças e coalizões entre ONGs e influir nas decisões da III Conferência Mundial contra o Racismo e de seus eventos preparatórios.

Mulheres negras brasileiras: um show à parte

A III Conferência constituiu um momento especial do crescente protagonismo das mulheres negras no combate ao racismo e à discriminação racial, tanto no plano nacional como no internacional. Entre as diferentes iniciativas desenvolvidas, destaca-se a Articulação de Organizações de Mulheres Negras Brasileiras Pró-Durban, composta por mais de uma dezena de organizações de mulheres negras do país e coordenada pelo Criola, organização de mulheres negras do Rio de Janeiro, pelo Geledés/Instituto da Mulher Negra, de São Paulo, e pelo Maria Mulher, do Rio Grande do Sul.

Em sua declaração inicial, a Articulação alertava para as múltiplas formas de exclusão social a que as mulheres negras estão submetidas, em consequência da conjugação perversa do racismo e do sexismo, as quais resultam em

> [...] uma espécie de asfixia social com desdobramentos negativos sobre todas as dimensões da vida. Esses se manifestam em sequelas emocionais com danos à saúde mental e rebaixamento da autoestima; numa expectativa de vida menor, em cinco anos, em relação às mulheres brancas; num menor índice de nupcialidade; e sobretudo no confinamento nas ocupações de menor prestígio e remuneração.[4]

---

4 CARNEIRO, Sueli, 2000b, p. 5.

Mais tarde, tais constatações foram desdobradas na publicação *Nós, Mulheres Negras*, elaborada a partir de múltiplas contribuições de mulheres negras de todo o país. Esse diagnóstico exaustivo sobre as condições de vida das mulheres negras no Brasil contém um rol de reivindicações que se constituem em um programa de ação política para as mulheres negras para mais de uma década.

A significativa presença das mulheres negras no processo que levou até Durban já era marcante desde a Conferência Regional das Américas, ocorrida em Santiago do Chile, em dezembro de 2000. Compondo a maioria da delegação brasileira e concorrendo decisivamente para a aprovação dos parágrafos relativos aos afrodescendentes, as mulheres ofereceram contribuições originais que sensibilizaram várias delegações governamentais de países da América Latina. Exemplo disso é o papel ativo de Fátima Oliveira na formulação de questões de saúde, destacando a

> [...] necessidade de ações, por parte da Organização Pan-Americana de Saúde (OPAS), para o reconhecimento do recorte racial/étnico e de gênero no campo da saúde acrescido de recomendação aos governos para a execução de políticas de atenção à saúde da população negra [...] e a inclusão da *condição genética humana* no rol das possibilidades de discriminação (discriminação e/ou violência genética).[5]

As mulheres negras lograram ainda estreitar parcerias e cooperação com outras organizações feministas que potencializaram a problemática específica das mulheres negras no contexto de Durban. Ressalte-se, nesse caso, o *Jornal da Rede*, de março de 2001, dedicado à III Conferência, em que a Rede Feminista de Sexualidade e Saúde apresenta estudos e pesquisas sobre raça/etnia e saúde. Editado em português e inglês, o *Jornal* foi amplamente distribuído com enorme aceitação nos

---

[5] OLIVEIRA, Fátima, 2001, p. 25.

fóruns internacionais relativos à Conferência. De igual maneira, o documento da Articulação de Mulheres Brasileiras (AMB), *Mulheres negras: um retrato da discriminação racial no Brasil*, consistiu mais uma contribuição das mulheres brasileiras à Conferência, para ampliar a visibilidade da problemática específica das mulheres negras na sociedade brasileira. Essas iniciativas refletem o novo estágio de relacionamento entre mulheres negras e brancas no Brasil, sinalizando o aumento da cumplicidade e da colaboração na luta antirracista e antissexista.

Durban não terminou...

Sob muitos aspectos, poderíamos, sem exagero, falar na "batalha de Durban". Nela aflorou, em toda a sua extensão, a problemática étnico/racial no plano internacional, levando à quase impossibilidade de alcançar um consenso mínimo entre as nações para enfrentá-la. O que parecia retórica de ativista antirracista se manifestou em Durban como de fato é: as questões étnicas, raciais, culturais e religiosas, e todos os problemas nos quais elas se desdobram – racismo, discriminação racial, xenofobia, exclusão e marginalização social de grandes contingentes humanos considerados "diferentes" – têm potencial para polarizar o mundo contemporâneo. Podem opor Norte e Sul, Ocidente e não Ocidente, brancos e não brancos, além de serem responsáveis, em grande medida, pelas contradições internas da maioria dos países. Essa carga explosiva esteve presente até os últimos momentos da Conferência, ameaçando a aprovação de seu documento final e a permanência nela de diversos países.

O que se viu em Durban foi, em primeiro lugar, mais uma demonstração de unilateralismo dos Estados Unidos ao abandonar a Conferência em apoio ao Estado de Israel, acusado pelo Fórum de ONGs e por representantes de delegações oficiais de práticas racistas e colonialistas contra o povo palestino; e, em segundo lugar, uma evidente disposição dos países ocidentais, em seu conjunto, de fazer naufragar a Conferência caso esta caminhasse no sentido da condenação do colonialismo e suas consequências. Entre as questões mais polêmicas destacaram-se a exigência de reconhecimento do tráfico transatlântico como crime de lesa-humanidade e de reparações pelos séculos de escravidão e de exploração colonial do continente africano.[6]

Questões de natureza jurídica e de princípios são subjacentes à intransigência dos países ocidentais em admitir a escravidão africana como crime de lesa-humanidade, pois tal reconhecimento daria suporte para demandas por reparações, por parte de africanos e de afrodescendentes, contra os países que se beneficiaram direta ou indiretamente do tráfico negreiro, da exploração da escravidão e das riquezas do continente africano.

Uma outra dimensão dessa problemática constituiu um permanente não dito, mas subentendido no posicionamento dos países ocidentais. Para além do objetivo de impedir a aprovação de qualquer proposta que abrisse brechas para reparações, estes também lutavam para impedir a condenação do passado colonial, sobretudo porque isso significaria o questionamento e a crítica aos fundamentos que justificaram o colonialismo e a expansão econômica do Ocidente: (a) a sua suposta superioridade racial e cultural; e (b) a convicção de sua missão civilizatória em relação aos povos considerados inferiores, ou seja, a certeza de que acordaram os povos da África para a civilização e destinaram os bens ociosos no continente africano para o progresso de toda a humanidade. Entendemos ser a persistência dessas visões um dos condicionantes do fato de que o máximo que as delegações ocidentais se dispuseram a aceitar como desculpas pelo passado colonial foi a admissão de "eventuais males ou excessos" do colonialismo.

---

6   Esses temas mantiveram o Canadá e a União Europeia em permanente ameaça de também abandonarem a Conferência, e foram usados pelos Estados Unidos, durante as três reuniões do Comitê Preparatório, ocorridas em Genebra, para justificar a sua não participação em Durban.

Nesse contexto, a aprovação da *Declaração e do Plano de Ação* da Conferência, em um clima de alta dramaticidade, foi, em si mesma, uma de suas grandes vitórias, dada a intensidade dos conflitos e disputas ali presentes. Entretanto, para os afrodescendentes das Américas e os afro-brasileiros em particular, há muito que comemorar.

Durban ratificou as conquistas da Conferência Regional das Américas, incorporando vários parágrafos consensuados em Santiago do Chile e tornou o termo "afrodescendente" linguagem consagrada nas Nações Unidas, assim designando um grupo específico de vítimas de racismo e discriminação. Além disso, reconheceu a urgência de implementação de políticas públicas para a eliminação das desvantagens sociais de que esse grupo padece, recomendando aos Estados e aos organismos internacionais, entre outras medidas, que

> [...] elaborem programas voltados para os afrodescendentes e destinem recursos adicionais aos sistemas de saúde, educação, habitação, eletricidade, água potável e às medidas de controle do meio ambiente, e que promovam a igualdade de oportunidades no emprego, bem como outras iniciativas de ação afirmativa ou positiva.[7]

O protagonismo dos afrodescendentes das Américas para se verem reconhecidos pela Conferência de Durban se consubstancia, também, no parágrafo 33 da *Declaração*, aprovado com a seguinte redação:

> Consideramos essencial que todos os países da região das Américas e de todas as demais zonas da diáspora africana reconheçam a existência de sua população de origem africana e as contribuições

---

[7] Parágrafo 5 do Programa de Ação da Conferência de Durban.

culturais, econômicas, políticas e científicas dadas por essa população, e que admitam a persistência do racismo, a discriminação racial, a xenofobia e as formas conexas de intolerância que a afetam de maneira específica, e reconheçam que, em muitos países, a desigualdade histórica no que diz respeito, entre outras coisas, ao acesso à educação, à atenção à saúde, à habitação tem sido uma causa profunda das disparidades socioeconômicas que a afetam.

O *Plano de Ação*, por sua vez, apresenta vários parágrafos que instam os Estados à adoção de políticas públicas nas diversas áreas sociais voltadas para a promoção social dos afrodescendentes. E o seu parágrafo 176, tendo por base as metas internacionais de desenvolvimento acordadas nas Conferências da ONU da década de l990, estabelece um marco temporal de até 2015 para que aquelas metas sejam alcançadas,

[...] com o fim de superar de forma significativa a defasagem existente nas condições de vida com que se defrontam as vítimas do racismo, da discriminação racial, da xenofobia e das formas conexas de intolerância, em particular no que diz respeito às taxas de analfabetismo, de educação primária universal, à mortalidade infantil, à mortalidade de crianças menores de 5 anos, à saúde, à atenção da saúde reprodutiva para todos e ao acesso a água potável; a aprovação dessas políticas também levará em conta a promoção da igualdade de gênero.

A III Conferência reconhece a problemática específica das mulheres afrodescendentes e as múltiplas formas de discriminação que enfrentam. O parágrafo 9 do *Plano de Ação* pede aos Estados que "reforcem medidas e políticas em favor das mulheres e jovens afrodescendentes, tendo presente que o racismo os afeta mais profundamente, colocando-os em situação de maior marginalização e desvantagens". E o parágrafo 10 insta os Estados a

[...] garantirem aos povos africanos e afrodescendentes, em particular a mulheres e crianças, o acesso à educação e às novas tecnologias, oferecendo-lhes recursos suficientes nos estabelecimentos educacionais e nos programas de desenvolvimento tecnológico e de aprendizagem à distância nas comunidades locais, e os insta também a que façam o necessário para que os programas de estudos em todos os níveis incluam o ensino cabal e exato da história e da contribuição dos povos africanos.

Em suma, os documentos aprovados em Durban instam os Estados a adotarem a eliminação da desigualdade racial nas metas a serem alcançadas por suas políticas universalistas. No Brasil, isso equivaleria, por exemplo, a alterar o padrão de desigualdade nos índices educacionais de negros e brancos, que, segundo os dados do Ipea, manteve-se inalterado por quase todo o século XX, apesar da democratização do acesso à educação. Significaria redesenhar as políticas na área de saúde, de forma a permitir a equalização da expectativa de vida de brancos e negros, que é em média de cinco anos menor para os negros; promover o acesso racialmente democrático ao mercado de trabalho, às diferentes ocupações, à terra, à moradia e ao desenvolvimento cultural e tecnológico.

Assim posto, a agenda que Durban impõe vai muito além das propostas de cotas que vêm monopolizando e polarizando o debate da questão racial no Brasil. Embora sejam um dos efeitos positivos da Conferência, as cotas podem reduzir e obscurecer a amplitude e diversidade dos temas a serem enfrentados para o combate ao racismo e à discriminação racial na sociedade brasileira. O que Durban ressalta e advoga é a necessidade de uma intervenção decisiva nas condições de vida das populações historicamente discriminadas. É o desafio de eliminação do fosso histórico que separa essas populações dos demais grupos, o qual não pode ser enfrentado com a mera adoção de cotas para o ensino universitário. Precisa-se delas e de muito mais.

Como sempre ocorre com as Conferências convocadas pelas Nações Unidas, é preciso transformar as boas intenções em ações concretas que permitam ao Estado brasileiro realizar a equidade de gênero e de raça pela qual lutamos em Durban e sempre.

Bibliografia consultada

CARDEMIL, Patrícia. *Notecierres*, 2000.
CARNEIRO, Sueli. A conferência sobre racismo. *Correio Braziliense*, Coluna Opinião, 7 jul. 2000a.
CARNEIRO, Sueli. Matriarcado da miséria. *Correio Braziliense*, p. 5, 15 set. 2000b.
OLIVEIRA, Fátima. Atenção adequada à saúde e ética na ciência: ferramentas de combate ao racismo. *Revista Perspectivas em Saúde Reprodutiva*, ano 2, n. 4, maio 2001.

Mulheres em movimento

O movimento de mulheres do Brasil é um dos mais respeitados do mundo e referência fundamental em certos temas do interesse das mulheres no plano internacional. É também um dos movimentos com melhor performance dentre os movimentos sociais do país. Fato que ilustra a potência desse movimento foram os encaminhamentos da Constituição de 1988, que contemplou cerca de 80% de suas propostas, o que mudou radicalmente o *status* jurídico das mulheres no Brasil. A Constituição de 1988, entre outros feitos, destituiu o pátrio poder.

Esse movimento destaca-se, ainda, pelas decisivas contribuições no processo de democratização do Estado produzindo, inclusive, inovações importantes no campo das políticas públicas. Destaca-se, nesse cenário, a criação dos Conselhos da Condição Feminina – órgãos voltados para o desenho de políticas públicas de promoção da igualdade de gênero e combate à discriminação contra as mulheres. A luta contra a violência doméstica e sexual estabeleceu uma mudança de paradigma em relação às questões de *público* e *privado*. A violência doméstica tida como algo da dimensão do *privado* alcançou a esfera pública e tornou-se objeto de políticas específicas. Esse deslocamento fez com que a administração pública introduzisse novos organismos, como as Delegacias Especializadas no Atendimento à Mulher (Deams), os abrigos institucionais para a proteção de mulheres em situação de violência, e outras atenções para a efetivação de políticas públicas voltadas para as mulheres, a exemplo do treinamento de profissionais da segurança pública no que diz respeito às situações de violência contra a mulher, entre outras iniciativas. De acordo com Suárez e Bandeira:

> Apesar de suas imperfeições, as Deams são instituições governamentais resultantes da constituição de um espaço público, onde se articulou o discurso relativo aos direitos das mulheres de receberem um tratamento equitativo quando se encontram em situações de violências denunciadas. Diferentemente das outras delegacias, as Deams, evitam empregar métodos de condutas violentas, promovendo a negociação das partes em conflito. A grande particularidade dessas instituições policiais é admitirem a mediação como um recurso eficaz e legítimo. Nesse sentido, não é demais lembrar que a prática da mediação é crescentemente considerada um recurso valioso na administração dos conflitos interpessoais, na medida em que diminui o risco de os conflitos administrados terem desdobramentos violentos.[1]

---

1 SUÁREZ, Mireya; BANDEIRA, Lourdes, 2002, p. 299.

No campo da sexualidade, "a luta das mulheres para terem autonomia sobre os seus próprios corpos, pelo exercício prazeroso da sexualidade, para poderem decidir sobre quando ter ou não filhos, resultou na conquista de novos direitos para toda a humanidade: os direitos sexuais e reprodutivos".[2]

A desigualdade sofrida pelas mulheres em relação ao acesso ao poder foi enfrentada por diversas campanhas das quais resultaram a aprovação de projeto de lei, de iniciativa da então deputada Marta Suplicy, de reserva de 20% das legendas dos partidos para as candidatas mulheres.

Embora as desigualdades salariais significativas entre homens e mulheres que ocupam as mesmas funções permaneçam, é inegável que a crítica feminista sobre as desigualdades no mercado de trabalho teve papel importante na intensa diversificação, em termos ocupacionais, experimentada pelas mulheres nas últimas três décadas. Um dos orgulhos do movimento feminista brasileiro é o fato de, desde o seu início, estar identificado com as lutas populares e com as lutas pela democratização do país.

São memoráveis, para as feministas, o protagonismo que tiveram nas lutas pela anistia, por creche (uma necessidade precípua das mulheres de classes populares), na luta pela descriminalização do aborto que penaliza, inegavelmente, as mulheres de baixa renda, que o fazem em condições de precariedade e determinam em grande parte os índices de mortalidade materna existentes no país; entre outras ações. Porém, em conformidade com outros movimentos sociais progressistas da sociedade brasileira, o feminismo esteve, também, por longo tempo, prisioneiro da visão eurocêntrica e universalizante das mulheres. A consequência disso foi a incapacidade de reconhecer as diferenças e desigualdades presentes no universo feminino, a

---

2 Plataforma Política Feminista, parágrafo 8 – Aprovada na Conferência Nacional de Mulheres Brasileiras em 6-7 de junho de 2002. Distribuição: Centro Feminista de Estudos e Assessoria (CFEMEA). Brasília, 2002.

despeito da identidade biológica. Dessa forma, as vozes silenciadas e os corpos estigmatizados de mulheres vítimas de outras formas de opressão além do sexismo continuaram no silêncio e na invisibilidade.

As denúncias sobre essa dimensão da problemática da mulher na sociedade brasileira, que é o silêncio sobre outras formas de opressão que não somente o sexismo, vêm exigindo a reelaboração do discurso e das práticas políticas do feminismo. E o elemento determinante nessa alteração de perspectiva é o emergente movimento de mulheres negras sobre o ideário e a prática política feminista no Brasil.

Enegrecendo o feminismo

Enegrecendo o feminismo é a expressão que vimos utilizando para designar a trajetória das mulheres negras no interior do movimento feminista brasileiro. Buscamos assinalar, com ela, a identidade branca e ocidental da formulação clássica feminista, de um lado; e, de outro, revelar a insuficiência teórica e prática política para integrar as diferentes expressões do feminino construídos em sociedades multirraciais e pluriculturais. Com essas iniciativas, pôde-se engendrar uma agenda específica que combateu, simultaneamente, as desigualdades de gênero e intragênero; afirmamos e visibilizamos uma perspectiva feminista negra que emerge da condição específica do ser mulher, negra e, em geral, pobre, e delineamos, por fim, o papel que essa perspectiva tem na luta antirracista no Brasil.

Ao politizar as desigualdades de gênero, o feminismo transforma as mulheres em novos sujeitos políticos. Essa condição faz com esses sujeitos assumam, a partir do lugar em que estão inseridos, diversos olhares que desencadeiam processos particulares subjacentes na luta de cada grupo particular. Ou seja, grupos de mulheres indígenas e grupos de mulheres negras, por exemplo, possuem demandas específicas que, essencialmente, não podem ser tratadas, exclusivamente, sob a rubrica da questão de gênero se esta não levar em conta as especificidades que definem o ser mulher neste e naquele caso. Essas óticas particulares vêm exigindo, paulatinamente, práticas igualmente diversas que ampliem a concepção e o protagonismo feminista na sociedade brasileira, salvaguardando as especificidades. Isso é o que determina o fato de o combate ao racismo ser uma prioridade política para as mulheres negras, assertiva já enfatizada por Lélia Gonzalez, "a tomada de consciência da opressão ocorre, antes de tudo, pelo racial".[3]

A fortiori, essa necessidade premente de articular o racismo às questões mais amplas das mulheres encontra guarida histórica, pois a "variável" racial produziu gêneros subalternizados, tanto no que toca a uma identidade feminina estigmatizada (das mulheres negras), como a masculinidades subalternizadas (dos homens negros) com prestígio inferior ao do gênero feminino do grupo racialmente dominante (das mulheres brancas).

Em face dessa dupla subvalorização, é válida a afirmação de que o racismo rebaixa o *status* dos gêneros. Ao fazê-lo, institui como primeiro degrau de equalização social a igualdade intragênero, tendo como parâmetro os padrões de realização social alcançados pelos gêneros racialmente dominantes. Por isso, para que as mulheres negras atingissem os mesmos níveis de desigualdades existentes entre homens e mulheres brancos seria necessário experimentar uma extraordinária mobilidade social, uma vez que os homens negros, na maioria dos indicadores sociais, encontram-se abaixo das mulheres brancas.

Nesse sentido, o racismo também superlativa os gêneros por meio de privilégios que advêm da exploração e exclusão dos gêneros subalternos. Institui para os gêneros hegemônicos padrões

---

[3] GONZALEZ, Lélia Gonzalez *apud* BAIRROS, Luiza, 2000, p. 56.

que seriam inalcançáveis numa competição igualitária. A recorrência abusiva, a inflação de mulheres loiras, ou da "loirização", na televisão brasileira, é um exemplo dessa disparidade.

A diversificação das concepções e práticas políticas que a ótica das mulheres dos grupos subalternizados introduz no feminismo é resultado de um processo dialético que, se de um lado promove a afirmação das mulheres em geral como novos sujeitos políticos, de outro exige o reconhecimento da diversidade e desigualdades existentes entre essas mesmas mulheres.

Lélia Gonzalez faz sínteses preciosas que balizam a discussão: a primeira delas diz respeito às contradições que historicamente marcaram a trajetória das mulheres negras no interior do Movimento Feminista Brasileiro, e a segunda refere-se à crítica fundamental que a ação política das mulheres negras introduziu no feminismo e que vem alterando significativamente suas percepções, comportamentos e instituições sociais. De acordo com González, as concepções do feminismo brasileiro:

> [...] padeciam de duas dificuldades para as mulheres negras: de um lado, o viés eurocentrista do feminismo brasileiro, ao omitir a centralidade da questão de raça nas hierarquias de gênero presentes na sociedade, e ao universalizar os valores de uma cultura particular (a ocidental) para o conjunto das mulheres, sem as mediações que os processos de dominação, violência e exploração que estão na base da interação entre brancos e não-brancos, constitui-se em mais um eixo articulador do mito da democracia racial e do ideal de branqueamento. Por outro lado, também revela um distanciamento da realidade vivida pela mulher negra ao negar toda uma história feita de resistências e de lutas, em que essa mulher tem sido protagonista graças à dinâmica de uma memória cultural ancestral – que nada tem a ver com o eurocentrismo desse tipo de feminismo.[4]

---

4   GONZALEZ, Lélia *apud* por Bairros, Luiza, 2000, p. 57.

A consciência de que a identidade de gênero não se desdobra naturalmente em *solidariedade racial intragênero* conduziu as mulheres negras a enfrentar, no interior do próprio movimento feminista, as contradições e as desigualdades que o racismo e a discriminação racial produzem entre as mulheres, particularmente entre negras e brancas no Brasil. O mesmo se pode dizer em relação à solidariedade de gênero intragrupo racial que conduziu as mulheres negras a exigirem que a dimensão de gênero se instituísse como elemento estruturante das desigualdades raciais na agenda dos Movimentos Negros Brasileiros.

Essas avaliações vêm promovendo o engajamento das mulheres negras nas lutas gerais dos movimentos populares e nas empreendidas pelos Movimentos Negros e Movimentos de Mulheres nos planos nacional e internacional, buscando assegurar neles a agenda específica das mulheres negras. Tal processo vem resultando, desde meados da década de 1980, na criação de diversas organizações de mulheres negras que hoje se espalham em nível nacional; de fóruns específicos de discussões programáticas e instâncias nacionais organizativas das mulheres negras no país a partir dos quais os temas fundamentais da agenda feminista são perscrutados pelas mulheres negras à luz do efeito do racismo e da discriminação racial. Nesse sentido, apontamos a seguir os principais vetores que nortearam as propostas do movimento, o que resultou em mudanças efetivas na ótica feminista.

Mercado de trabalho

É sobejamente conhecida a distância que separa negros e brancos no país no que diz respeito à posição ocupacional. O movimento de mulheres negras vem pondo em relevo essa distância, que assume proporções ainda maiores quando o tópico de gênero e raça é levado em consideração.

Nesse sentido, é mister apontar os ganhos obtidos pela luta feminista no mercado de trabalho. Malgrado se constituírem em grandes avanços, não conseguiram dirimir as desigualdades raciais que obstaculizam maiores avanços para as mulheres negras nessa esfera. Sendo assim, as propostas universalistas da luta das mulheres não só mostram a sua fragilidade, como a impossibilidade de as reivindicações que daí advêm tornarem-se viáveis para enfrentar as especificidades do racismo brasileiro.

Em relação às mudanças na estrutura ocupacional do país, Carlos Hasenbalg e Nelson do Valle Silva afirmavam, na década de 1980, que

> Em definitivo, as mulheres não só tendem a conseguir uma melhor distribuição na estrutura ocupacional, como também abandonam os setores de atividade que absorvem a força de trabalho mais qualificada e pior remunerada, para ingressar em proporções crescentes na indústria e nos serviços modernos. As tendências observadas permitem sugerir, de maneira provisória, a possibilidade de uma diferenciação dos mercados de trabalho para as mulheres: enquanto as mulheres oriundas das classes populares, com baixos níveis de escolaridade, tendem a concentrar-se na prestação de serviços e nos empregos ligados à produção na indústria, as mulheres de classe média, dotadas de níveis mais elevados de educação formal, dirigem-se para os serviços de produção e de consumo coletivo.[5]

Em outros estudos, como o de Márcia Lima sobre *Trajetória educacional e realização socioeconômica das mulheres negras*, torna-se evidente que

> [...] o fato de 48% das mulheres pretas [...] estarem no serviço doméstico é sinal de que a expansão do mercado de trabalho para

---

5 HASENBALG, Carlos; VALLE, Nelson Silva, p. 37.

essas mulheres não significou ganhos significativos. E quando esta barreira social é rompida, ou seja, quando as mulheres negras conseguem investir em educação numa tentativa de mobilidade social, elas se dirigem para empregos com menores rendimentos e menos reconhecidos no mercado de trabalho.[6]

Os diferentes retornos auferidos pelas mulheres de uma luta que se pretendia universalizante tornava insustentável o não reconhecimento do peso do racismo e da discriminação racial nos processos de seleção e alocação da mão de obra feminina, posto que as desigualdades se mantêm mesmo quando controladas as condições educacionais. Em síntese, o quesito "boa aparência", um eufemismo sistematicamente denunciado pelas mulheres negras como uma forma sutil de barrar as aspirações dos negros, em geral, e das mulheres negras, em particular, revela em números, no mercado de trabalho, todo o seu potencial discricionário.

A questão política que decorre dessa realidade será a exigência de que o combate ao racismo, à discriminação racial e aos privilégios que ele institui para as mulheres brancas seja tomado como elemento estrutural do ideário feminista; um imperativo ético e político que reflita os anseios coletivos da luta feminista de representar as necessidade e os interesses do conjunto de mulheres.

No entanto, se é crescente no âmbito do movimento feminista brasileiro a compreensão da imperiosidade do combate às desigualdades raciais de que padecem as mulheres negras no mercado de trabalho, permanece no senso comum, e mesmo na percepção de importantes formadores de opinião, as visões consagradas pelo mito da democracia racial, tal como demonstrado no artigo da juíza federal Mônica Sifuentes "Direito e justiça" publicado no jornal *Correio Braziliense*, de 18 de fevereiro de 2002. Na oportunidade, a juíza argumenta contra a adoção das

---

6   LIMA, Márcia, 1995, p. 28.

políticas de cotas para negros. Peremptoriamente, ela diz "para nós, mulheres, não houve necessidade de se estipular quotas. Bastou a concorrência em igualdade de condições com os homens para que hoje fôssemos maioria em todos os cursos universitários do país".

Em resposta a esse artigo, reagimos ao pronome nobre utilizado pela juíza, com o artigo "Nós?", publicado no mesmo jornal em 22 de fevereiro de 2002, no qual fazíamos os seguintes questionamentos:

> O argumento da juíza não leva em conta o fato de os homens entrarem mais cedo do que as mulheres no mercado de trabalho com prejuízos para a sua permanência no sistema educacional e que apesar disso, os estudos recentes sobre a mulher no mercado de trabalho revelam que elas precisam de uma vantagem de cinco anos de escolaridade para alcançar a mesma probabilidade que os homens têm de obter um emprego no setor formal. Para as mulheres negras alcançarem os mesmos padrões salariais das mulheres brancas com quatro a sete anos de estudos elas precisam de mais quatro anos de instrução, ou seja, de oito a onze anos de estudos. Essa é a igualdade de gênero e de raça instituídas no mercado de trabalho e o retorno que as mulheres, sobretudo as negras, tem do seu esforço educacional.[7]

Violência: os outros aspectos da questão

Em relação ao tópico da violência, as mulheres negras realçaram ainda outra dimensão do problema. Tem-se reiterado que, para além da problemática da violência doméstica e sexual que

---

[7] CARNEIRO, Sueli, 2002e, p. 5.

atinge as mulheres de todos os grupos raciais e classes sociais, há uma forma específica de violência que constrange o direito à imagem ou a uma representação positiva, limita as possibilidades de encontro no mercado afetivo, inibe ou compromete o pleno exercício da sexualidade pelo peso dos estigmas seculares, cerceia o acesso ao trabalho, arrefece as aspirações e rebaixa a autoestima.

Esses são os efeitos da hegemonia da "branquitude" no imaginário social e nas relações sociais concretas. É uma violência invisível que contrai saldos negativos para a subjetividade das mulheres negras, resvalando na afetividade e sexualidade destas. Tal dimensão da violência racial e as particularidades que ela assume em relação às mulheres dos grupos raciais não hegemônicos vem despertando análises cuidadosas e recriação de práticas que se mostram capazes de construir outros referenciais. A historiadora e cineasta negra Beatriz Nascimento, em seu belo artigo "A mulher negra e o amor", salienta que:

> Convivendo em uma sociedade plurirracial, que privilegia padrões estéticos femininos como ideal de um maior grau de embranquecimento (desde mulher mestiça até à branca), seu trânsito afetivo é extremamente limitado. Há poucas chances para ela numa sociedade em que a atração sexual está impregnada de modelos raciais, sendo ela representante da etnia mais submetida. Sua escolha por parte do homem passa pela crença de que seja mais erótica ou mais ardente sexualmente do que as demais, crença relacionada às características do seu físico, muitas vezes exuberante. Entretanto, quando se trata de um relacionamento institucional, a discriminação étnica funciona como um impedimento, mais reforçado à medida que essa mulher alça uma posição de destaque social [...] No contexto em que se encontra, cabe a essa mulher a desmistificação do conceito de amor, transformando este em dinamizador cultural e social (envolvimento na atividade política, por exemplo),

buscando mais a paridade entre os sexos do que a "igualdade iluminista". Rejeitando a fantasia da submissão amorosa, pode surgir uma mulher preta participante, que não reproduza o comportamento masculino autoritário, já que se encontra no oposto deste, podendo, assim, assumir uma postura crítica, intermediando sua própria história e seus *ethos*. Levantaria ela a proposta de parcerias nas relações sexuais que, por fim, se distribuiria nas relações sociais mais amplas.[8]

A médica negra Regina Nogueira, em seu artigo "Mulher negra e obesidade", questiona a tirania estética que o padrão branco hegemônico impôs a todas as mulheres não brancas e advoga um novo direito: "A mulher negra deve exigir que sua imagem represente toda a diversidade de seus valores culturais".[9]

Saúde

Dentre as contribuições do feminismo negro, ocupa lugar privilegiado a incorporação da temática da saúde e dos direitos reprodutivos na agenda da luta antirracista e no reconhecimento das diferenças étnicas e raciais nessa temática.

Nessa perspectiva, a luta pela inclusão do quesito cor, sobretudo nos sistemas de classificação da população, tem se constituído um desafio permanente e objeto da ação política de aguerridas ativistas para as quais, como afirma a médica negra Fátima Oliveira:

> [...] a compreensão da dimensão das diferenças e diferenciais raciais/étnicas, da opressão de gênero e do racismo na manutenção, recuperação e perda da saúde em sociedade classista. As controvérsias são

---
[8] NASCIMENTO, Beatriz, 1990, p. 3.
[9] NOGUEIRA, Regina, 2000, p. 201.

tantas e tamanhas que o quesito cor – a identificação racial – é um problema/desafio nos meios científicos, entre profissionais, serviços, formuladores e implementadores das políticas de saúde. [...] Os argumentos a favor e contra o preenchimento da cor das pessoas são inúmeros. As acusações de posturas racistas partem de ambos os lados. Quando o item existe nos formulários, a negligência no seu preenchimento é regra. Mesmo quando preenchido por autodeclaração ou por observação do(a) profissional, não se sabe muito bem nem para que serve e nem o que fazer com ele. Em geral, os serviços não o consideram um dado epidemiológico essencial.[10]

A esterilização ocupou lugar privilegiado durante anos na agenda política das mulheres negras que produziram campanhas contra essa prática em função dos altos índices que esse fenômeno adquiriu no Brasil, fundamentalmente entre mulheres de baixa renda (a maioria das mulheres que são esterilizadas o fazem porque não encontram no sistema de saúde a oferta e a diversidade dos métodos contraceptivos reversíveis que lhes permitiriam não ter de fazer a opção radical de não poder mais ter filhos). Esse tema foi, também, objeto de proposições legislativas, numa parceria entre parlamentares e ativistas feministas que culminou no projeto de Lei nº 209/91, e que regulamentou o uso da esterilização.

Outro tema de relevância na luta das mulheres negras na área da saúde é a implantação de um programa de atenção à anemia falciforme, que consiste "numa anemia hereditária e constitui a doença genética mais comum da população negra". No Brasil, é "uma questão de saúde pública",[11] e as ações por políticas públicas para a atenção aos portadores dessa doença de ativistas negras e outros atores da área da saúde resultaram no Programa de Anemia Falciforme do Ministério da Saúde – PAF-MS.

---

10 OLIVEIRA, Fátima, 1998, p. 43.
11 OLIVEIRA, Fátima, 1998, 133.

Apesar da importante conquista que o PAF representa para o enfrentamento da anemia falciforme, somente no Estado de Minas Gerais esse programa foi adotado integralmente, havendo ainda iniciativas esparsas em alguns municípios de outros Estados do país. A doença atinge, segundo as estimativas, cerca de 10% da população brasileira, notadamente negros ou seus descendentes.

Uma nova área de pesquisa e intervenção política – a da bioética – vem sendo desenvolvida quase que solitariamente por Fátima de Oliveira numa perspectiva feminista e antirracista, cujas preocupações fundamentais são "as interfaces dos novos saberes das biociências, em particular da genética, sobretudo os oriundos dos megaprojetos da genética humana (Projeto Genoma Humano – PGH e Projeto da Diversidade do Genoma Humano – PDGH) e a utilização distorcidas deles pelas teorias racistas".[12]

Oliveira aponta os riscos de desenvolvimento de práticas eugenistas nas pesquisas com seres humanos. E, sobretudo, convoca feministas e antirracistas para atuarem nos fóruns em que esses temas são tratados, pois considera que:

> Na atualidade, bioeticistas e fóruns de bioética, majoritariamente masculinos e brancos, são os setores da sociedade que adquiriram legitimidade, no mundo, perante legisladores e governos. Movimentos sociais com tradição de luta como o feminista, o antirracista e da juventude ainda estão fora dos debates e das decisões na área de bioética. O que é preocupante, pois a bioética aborda assuntos que dizem respeito a toda a sociedade, tais como: os temas dos direitos reprodutivos (concepção, contracepção, esterilização, aborto. Infertilidade e NTRc – Novas Tecnologias Reprodutivas conceptivas), saúde pública, sexualidade, doentes terminais, eutanásia e manipulação genética.[13]

---

12 *Ibidem*, p. 132.
13 *Ibidem*, p. 130.

Meios de comunicação

Os meios de comunicação vêm se constituindo em um espaço de interferência e agendamento de políticas do movimento de mulheres negras, pois a naturalização do *racismo* e do *sexismo* na mídia reproduz e cristaliza, sistematicamente, estereótipos e estigmas que prejudicam, em larga escala, a afirmação de identidade racial e o valor social desse grupo. Segundo Antonia Quintão, "[...] a exclusão simbólica, a não representação ou distorções da imagem da mulher negra nos meios de comunicação são formas de violência tão dolorosas, cruéis e prejudiciais que poderiam ser tratadas no âmbito dos direitos humanos".[14]

Se partimos do entendimento de que os meios de comunicação não apenas repassam as representações sociais sedimentadas no imaginário social, mas também se instituem como agentes que operam, constroem e reconstroem no interior da sua lógica de produção os sistemas de representação, levamos em conta que eles ocupam posição central na cristalização de imagens e sentidos sobre a mulher negra. Muito tem se falado a respeito das implicações dessas imagens e dos mecanismos capazes de promover deslocamentos para a afirmação positiva desse segmento.

A presença minoritária de mulheres negras nas mídias, bem como a fixação dessa presença em categorias específicas (a mulata, a empregada doméstica) foi um dos assuntos mais explorados nesse aspecto.

A despeito de algumas mudanças, pois presenciamos gradativamente a presença de mulheres negras em espaços outros que não somente os de subserviência, consideramos que mudanças radicais ainda precisam ser efetivadas (temos, atualmente, uma apresentadora negra no *Fantástico*, exibido pela

---

14 QUINTÃO, Antonia Aparecida, 1999.

Rede Globo, as novelas passam a contar com personagens que ocupam posições de certo prestígio e destaque). De acordo com os produtores dos meios, essa mudança reflete, igualmente, mudanças radicais na situação da mulher negra brasileira, que não mais estão ocupando apenas posições subalternas.

Embora proceda sob certos aspectos, consideramos que essa afirmativa possui uma conotação capciosa e perversa, que encobre as manobras de padrão já estabelecidas pela mídia e que são encobertas por uma possível correlação com a realidade. Esperamos que a mulher negra seja representada levando-se em conta o espectro de funções e as habilidades que ela pode exercer, mesmo em condições econômicas adversas.

Nesse sentido, segundo Nilza Iraci,[15] são ainda grandes os desafios na área dos meios de comunicação e da imagem em prol da construção de um novo imaginário da mulher negra nesse espaço, e, por extensão, nas instâncias de decisão política e na sociedade. Existe uma consciência crescente entre as mulheres negras de que os processos relacionados à globalização e à nova ordem mundial requerem novas formas de ação e, nesse sentido, tratar a comunicação como um nexo de empoderamento tem sido fundamental para garantir-lhes uma representação positiva bem como a visibilização do processo de mobilização e de lutas.

As mulheres negras vêm atuando no sentido de não apenas mudar a lógica de representação dos meios de comunicação de massa, como também de capacitar suas lideranças para o trato com as novas tecnologias de informação, pois a falta de poder dos grupos historicamente marginalizados para controlar e construir sua própria representação possibilita a crescente veiculação de estereótipos e distorções pelas mídias, eletrônicas ou impressas.

---

[15] Em *Nós, mulheres negras* – Diagnóstico e propostas da Articulação de ONGs de Mulheres Negras rumo à III Conferência Mundial contra o Racismo, 2001, p. 22-23.

Novas utopias e as novas agendas feministas

A consequência do crescente protagonismo das mulheres negras no interior do Movimento Feminista Brasileiro pode ser percebida na significativa mudança de perspectiva que a nova Plataforma Política Feminista adota. Essa Plataforma, proveniente da Conferência Nacional de Mulheres Brasileiras realizada em 6 e 7 de junho de 2002, em Brasília, reposiciona a luta feminista no Brasil nesse novo milênio, sendo gestada (como é da natureza feminina) coletivamente por mulheres negras, indígenas, brancas, lésbicas, nortistas, nordestinas, urbanas, rurais, sindicalizadas, quilombolas, jovens, de terceira idade, portadoras de necessidades especiais, de diferentes vinculações religiosas e partidárias... que se detiveram criticamente sobre as questões mais candentes da conjuntura nacional e internacional, nos obstáculos contemporâneos persistentes para a realização da igualdade de gênero e os desafios e mecanismos para a sua superação tendo os seguintes princípios como orientadores das análises e propostas:

- reconhecer a autonomia e a autodeterminação dos movimentos sociais de mulheres;
- comprometer-se com a crítica ao modelo neoliberal injusto, predatório e insustentável do ponto de vista econômico, social, ambiental e ético;
- reconhecer os direitos econômicos, sociais, culturais e ambientais das mulheres;
- comprometer-se com a defesa dos princípios de igualdade e justiça econômica e social;
- reconhecer o direito universal à educação, saúde e previdência;
- comprometer-se com a luta pelo direito à terra e à moradia;

- comprometer-se com a luta antirracista e a defesa dos princípios de equidade racial-étnica;
- comprometer-se com a luta contra todas as formas de discriminação de gênero, e com o combate à violência, maus-tratos, assédio e exploração de mulheres e meninas;
- comprometer-se com a luta contra a discriminação a lésbicas e gays;
- comprometer-se com a luta pela assistência integral à saúde das mulheres e pela defesa dos direitos sexuais e reprodutivos;
- reconhecer o direito das mulheres de ter ou não ter filhos com acesso de qualidade à concepção e/ou contracepção;
- reconhecer o direito de livre exercício sexual de travestis e transgêneros;
- reconhecer a discriminalização do aborto como um direito de cidadania e uma questão de saúde pública e reconhecer que cada pessoa tem direito as diversas modalidades de família e apoiar as iniciativas de parceria civil registrada [...].[16]

Diz a feminista e cientista política norte-americana Nancy Fraser que a um conceito amplo de gênero que incorpore a diversidade de femininos e feminismos historicamente construídos deve corresponder "um conceito de justiça tão abrangente quanto, e que seja capaz de englobar igualmente a distribuição e o reconhecimento".[17]

Nessa direção, como já apontamos no artigo citado anteriormente, a Plataforma Política Feminista que resulta da *Conferência Nacional das Mulheres Brasileiras* representa o coroamento de quase duas décadas de luta pelo reconhecimento e incorporação do racismo, da discriminação racial e das desigualdades de gênero e raça que eles geram. Tal concepção constitui-se em

---

16 CARNEIRO, Sueli, 2002d, p. 5.
17 FRASER, Nancy, 2002, p. 63.

um dos eixos estruturais da luta das mulheres brasileiras. A Plataforma, ao incorporar esse princípio, sela um pacto de solidariedade e corresponsabilidade entre mulheres negras e brancas na luta pela superação das desigualdades de gênero e entre as mulheres no Brasil. Redefine os termos de uma verdadeira justiça social no Brasil. Como afirma Guacira César de Oliveira da Articulação de Mulheres Brasileiras (AMB) e uma das integrantes da Comissão Organizadoras da Conferência:

> [...] reafirmamos que os movimentos de mulheres e feministas querem radicalizar a democracia, deixando claro que ela não existirá enquanto não houver igualdade; que não haverá igualdade sem distribuição das riquezas; e não há distribuição sem o reconhecimento das desigualdades entre os homens e mulheres, entre brancos e negros, entre urbanos e rurais, que hoje estruturam a pobreza. Não almejam a mera inversão dos papéis, mas um novo marco civilizatório.[18]

Diz-nos Fraser ainda: "[...] situo lutas de gênero como uma das facetas de um projeto político mais amplo que busque uma justiça democrática institucionalizante, cruzando os múltiplos eixos da diferenciação social".[19]

Nessa perspectiva, a *Plataforma Política Feminista* oferece à sociedade a contribuição para uma sociedade democrática e socialmente justa. Sinaliza, claramente, para a urgência de instituição de um novo marco civilizatório no qual são colocados em questão a necessidade de avançar a democracia política:

> A democracia política representativa – que tem no voto seu instrumento básico de funcionamento – vigora no Brasil como se fosse a

---

[18] Esses comentários foram, originalmente, publicados no jornal na Coluna Opinião do *Correio Braziliense* de 14 de junho de 2002.
[19] FRASER, Nancy, 2002, p. 63.

única prática legítima de exercício de poder, apesar da forte crise de legitimidade de suas instituições. [...] A democracia representativa ainda está impregnada dos perfis racista, sexista e classista da sociedade brasileira, que consolidaram um poder hegemônico de face masculina, branca e heterossexual, em que pesem as diferenças político-ideológicas entre os partidos. Essa situação tem sido ainda agravada pela política liberal/conservadora vigente que, com seus mecanismos de poder junto ao sistema econômico e ao sistema de comunicação de massa, restringe as possibilidades de disputa política para muitos segmentos.[20]

A crítica incide também sobre o Estado Democrático de Direito e Justiça Social onde se aponta a concentração de riqueza, a dimensão de gênero e raça etnia das desigualdades e exclusão social:

[...] a desigualdade cresce também através das atuais práticas fiscais, que favorecem a acumulação livre do capital e restringem o acesso à riqueza nacional por parte da grande maioria da população, principalmente as mulheres negras e indígenas. (parágrafo 31)

E, fundamentalmente, em busca de um novo marco civilizatório, as mulheres se posicionam claramente contra a ordem neoliberal:

Os movimentos brasileiros de mulheres opõem-se às políticas neoliberais e de ajuste estrutural e reafirmam a necessidade de que o Estado desenvolva políticas públicas afirmativas para a superação da pobreza, a geração de renda e emprego e a garantia de bem-estar. (parágrafo 33)

---

20 Plataforma Política Feminista aprovada na Conferência Nacional de Mulheres Brasileiras (CNMB) em 6 e 7 de junho de 2002. Parágrafos 12 e 13.

O grande desafio é propor, articular e implementar propostas consequentes que estejam afinadas com um projeto radical de superação desses problemas e vislumbre novos ideais. Paulatinamente, o movimento de mulheres negras vem sinalizando para iniciativas fundamentais nas imbricações entre racismo e sexismo.

> Nas últimas décadas o movimento de mulheres vem se firmando como sujeito político ativo no processo brasileiro de democratização política e de mudança de mentalidades. É nessa condição que convidamos toda a sociedade a debater os entraves que, ainda nesse início de milênio, dificultam em nosso país o estabelecimento da justiça social de gênero, de raça/etnia e de classe, para todos as pessoas em todos os aspectos de suas vidas.[21] (parágrafo 11)

Essa articulação permanente das exclusões de gênero e raça determinadas pelas práticas sexistas e racistas constituía um dos pré-requisitos fundamentais para selar uma perspectiva de luta comum entre mulheres negras e brancas no contexto da luta feminista.

O jornal *Folha de S.Paulo* assim noticiou o evento de lançamento da Plataforma Política Feminista em 6 de agosto de 2002 na OAB – São Paulo: "Um grupo de ONGs lançará hoje a Plataforma Política Feminista. O documento traz propostas de interesse das mulheres para reforma agrária e meio ambiente e de combate ao racismo".[22]

Os conteúdos destacados pelo jornal são indicativos do impacto da perspectiva das mulheres negras sobre a agenda feminista brasileira. O combate ao racismo, antes questão periférica ou inexistente, torna-se um dos elementos estruturais da Plataforma Política Feminista. De igual maneira, as questões de

---

[21] Plataforma Política Feminista aprovada na Conferência Nacional de Mulheres Brasileiras (CNMB) em 6 e 7 de junho de 2002. Parágrafo 11.
[22] Jornal *Folha de S.Paulo* de 6 de agosto de 2002. Painel – A4.

reforma agrária e meio ambiente sublinhadas pelo jornal são temas do interesse das mulheres populares nas quais as mulheres negras estão diretamente imbricadas pela prevalência da população negra nas áreas rurais do país. Some-se a isso a conflituosa situação das comunidades remanescentes de quilombos em disputa de suas terras ancestrais com empreendimentos agropecuários, madeireiros e grilagens para fins de especulação imobiliária que operam para postergar a titulação de suas terras um direito conquistado e reconhecido pelo artigo 68 da Constituição Federal.

Seguindo em frente...

Pensar a contribuição do feminismo negro na luta antirracista é trazer à tona as implicações do racismo e do sexismo que condenaram as mulheres negras a uma situação perversa e cruel de exclusão e marginalização sociais. Tal situação, por seu turno, engendrou formas de resistência e superação tão ou mais contundentes.

O esforço pela afirmação de identidade e de reconhecimento social representou para o conjunto das mulheres negras, destituído de capital social, uma luta histórica que possibilitou que as ações dessas mulheres do passado e do presente (especialmente as primeiras) pudessem ecoar de forma a ultrapassarem as barreiras da exclusão. O que possibilitou, por exemplo, que a primeira romancista brasileira fosse uma negra a despeito das contingências sociais em que ela emergiu?

Os efeitos do racismo e do sexismo são tão brutais que acabam por impulsionar reações capazes de recobrir todas as perdas já postas na relação de dominação.

O efervescente protagonismo das mulheres negras, orientado num primeiro momento pelo desejo de liberdade, pelo resgate de humanidade negada pela escravidão e, num segundo momento, pontuado pelas emergências das organizações de mulheres negras e articulações nacionais de mulheres negras, vem desenhando novos cenários e perspectivas para as mulheres negras e recobrindo as perdas históricas.

Sumariamente, podemos afirmar que o protagonismo político das mulheres negras tem se constituído em força motriz para determinar as mudanças nas concepções e o reposicionamento político feminista no Brasil. A ação política das mulheres negras vem promovendo:

- o reconhecimento da falácia da visão universalizante de mulher;
- o reconhecimento das diferenças intragênero;
- o reconhecimento do racismo e da discriminação racial como fatores de produção e reprodução das desigualdades sociais experimentadas pelas mulheres no Brasil;
- o reconhecimento dos privilégios que essa ideologia produz para as mulheres do grupo racial hegemônico;
- o reconhecimento da necessidade de políticas específicas para as mulheres negras para a equalização das oportunidades sociais;
- o reconhecimento da dimensão racial que a pobreza tem no Brasil e, consequentemente, a necessidade do corte racial na problemática da feminização da pobreza;
- o reconhecimento da violência simbólica e da opressão que a brancura, como padrão estético privilegiado e hegemônico, exerce sobre as mulheres não brancas.

A introdução dessas questões na esfera pública contribuem, ademais, para os alargamentos dos sentidos de democracia, igualdade e justiça social, noções sobre as quais gênero e raça impõem-se como parâmetros inegociáveis para a construção de um novo mundo.

Bibliografia consultada

BAIRROS, Luiza. Lembrando Lelia Gonzalez. In: WERNECK, Jurema; MENDONÇA, Maisa; WHITE, Evelyn C. *O livro da saúde das mulheres negras:* nossos passos vêm de longe. Rio de Janeiro: Criola; Pallas, 2000.

CARNEIRO, Sueli; SANTOS, Tereza. Bené. *Correio Braziliense*, Coluna Opinião, v. 19, n. 4, p. 5, 2002a.

CARNEIRO, Sueli; SANTOS, Tereza. A batalha de Durban. *Revista Estudos Feministas*, v. 10, n. 1, 2002b.

CARNEIRO, Sueli; SANTOS, Tereza. A mulher negra na década: a busca da autonomia. Apresentação. *Cadernos Geledés*, São Paulo, n. 5, 1995.

CARNEIRO, Sueli; SANTOS, Tereza. Matriarcado da miséria. *Correio Braziliense*, Coluna Opinião, v. 15, n. 9, p. 5, 2000.

CARNEIRO, Sueli; SANTOS, Tereza. *Mulher negra*. São Paulo: Conselho Estadual da Condição Feminina; Nobel, 1985.

CARNEIRO, Sueli; SANTOS, Tereza. Mulheres negras: lembrando nossas pioneiras. *Correio Braziliense*, Coluna Opinião, v. 8, n. 3, p. 5, 2002c.

CARNEIRO, Sueli; SANTOS, Tereza. Mulheres. *Correio Braziliense*, Coluna Opinião, v. 14, n. 6, p. 5, 2002d.

CARNEIRO, Sueli; SANTOS, Tereza. Nós? *Correio Braziliense*, Coluna Opinião, v. 22, n. 2, p. 5, 2002e.

FRASER, Nancy. Políticas feministas na era do conhecimento: uma abordagem bidimensional da justiça de gênero. BRUSCHINI, Cristina; UNBEHAUM, Cristina (Orgs.). São Paulo: Fundação Carlos Chagas; Editora 34, 2002.

HASENBALG, Carlos; VALLE, Nelson Silva. *Industrialização, emprego e estratificação social no Brasil*, p. 37.

LIMA, Márcia. Trajetória educacional e realização sócio-econômica das mulheres negras brasileiras. *Revista Estudos Feministas*, v. 3, n. 2, 1995.

NASCIMENTO, Beatriz. A mulher negra e o amor. *Maioria Falante*, p. 3, fev./mar. 1990.

NOGUEIRA, Regina. Mulher negra e obesidade. In: WERNECK, Jurema; MENDONÇA, Maisa; WHITE, Evelyn C. (Org.). *O livro da saúde das mulheres negras:* nossos passos vêm de longe. Rio de Janeiro: Pallas; Criola, 2000.

OLIVEIRA, Fátima. Atenção adequada à saúde e ética na Ciência: ferramentas de combate ao racismo. *Revista Perspectivas em Saúde Reprodutiva*, São Paulo, Fundação MacArthur, n. 4, ano 4, maio 2001.

OLIVEIRA, Fátima. *Oficinas mulher negra e saúde*. Belo Horizonte: Mazza Edições, 1998.

PLATAFORMA DA IV CONFERÊNCIA MUNDIAL DA MULHER. Nações Unidas, 1995.

PLATAFORMA POLÍTICA FEMINISTA, parágrafo 8, aprovada na Conferência Nacional de Mulheres Brasileiras. Brasília, 6-7, jun. 2002.

SIFUENTES, Monica. Direito & Justiça. *Correio Braziliense*, Brasília, fev. 2002.

SUAREZ, Mireya; BANDEIRA, Lourdes. A politização da violência contra a mulher e o fortalecimento da cidadania. In: BRUSCHINI, Cristina; UNBEHAUM, Cristina (Orgs.). *Gênero, democracia e sociedade brasileira*. São Paulo: Fundação Carlos Chagas; Editora 34, 2002.

A obra civilizatória

Inúmeras análises tentam explicar o comportamento do eleitorado nas eleições presidenciais de 2006. Em muitas delas emergem ou são insuflados conflitos reais ou preconceitos de natureza regional, de raça e classe, sobretudo quando enfocam as intenções de voto no presidente Lula.

Publicado no jornal Irohin, n. 18, ago./set. 2006.

Um exemplo lapidar está na análise feita pelo jornal *O Estado de S.Paulo* dos resultados de pesquisa encomendada ao Ibope para aferir o nível de tolerância da população brasileira à corrupção, tendo sido divulgados os seguintes resultados, conforme o *Estadão*: "No Nordeste, 10% dos eleitores declaram que votariam em político acusado de corrupção [...]. No Sul e no Sudeste, esses índices são de 6% e 7%, respectivamente". Mas o melhor vem agora:

> Os que se autodeclaram brancos são mais implacáveis com a ética: 88% não votariam num corrupto; os que se autodeclaram pardos cobram menos e 85% não votariam em indiciados por corrupção; mas os que se autodeclaram pretos são os menos rígidos com a ética: só 82% negam o voto a corruptos.

Em comentário sobre essa pesquisa, o jornalista Franklin Martins, além de apontar que os dados utilizados não autorizam as conclusões deles extraídas, sublinha que "está claro que o jornal tinha uma tese" que cabia à pesquisa legitimar, qual seja: a de que negros em geral, e nordestinos em particular, são menos exigentes em relação à ética do que, respectivamente, brancos e sulistas.

Mas não é uma tese nova no que diz respeito ao *Estadão*, sobretudo em relação aos negros. Ela é consistente com outras que vêm sendo defendidas por esse jornal desde 1929, quando então Júlio Mesquita Filho já afirmava em editoriais que:

> [...] as portas das senzalas abertas em 88 haviam permitido que se transformassem em cidadãos como os demais dezenas e dezenas de milhares de homens vindos da África e que, infiltrando-se no organismo frágil. da coletividade paulista, iriam não somente retardar, mas praticamente entravar o nosso desenvolvimento cultural.

Ou, mais ainda, ao rejeitar a abertura da imigração para negros norte-americanos disse ele: "não é desejável a contribuição dos pretos americanos para o caldeamento de raças no Brasil. Um contingente preto nesse momento seria mais nocivo que útil à obra da civilização em que estamos empenhados".[1] Resta a *O Estado de S.Paulo* explicar os resultados dessa obra na qual ele tanto se empenhou e que tinha a brancura como um de seus principais pilares.

As elites brancas construíram um mundo para si no Brasil à custa de muitas perversões, em especial a de alijar da cidadania negros e pobres. No entanto, o embranquecimento das estruturas de poder da sociedade brasileira não resultou na criação daquilo que eles imaginavam pudesse ser a Europa nos trópicos. Pelo contrário, tem-se uma elite medíocre, prisioneira de conhecida sabujice em relação aos EUA e à Europa, que reverenciam com humildade bovina. Pior, no reino encantado que organizaram para si, só há lugar para a autocomplacência com a própria incompetência e descompromisso com o país. O problema é sempre o povo.

A crise política e os escândalos que se sucedem revelam que parece não haver um ramo de atividade no país que não esteja atravessado, desde sempre, por práticas de corrupção, compadrio, protecionismo, lançando sérias dúvidas sobre a forma pela qual as fortunas são construídas no Brasil, quando elas não advêm dos talentos individuais consagrados como o de artistas, desportistas, escritores etc. A cada nova quadrilha presa das que saqueiam os cofres públicos fico esperando para ver uma cara preta. Nada. Esse é o primeiro saldo da obra civilizatória.

Há outros aspectos, mas pouco é o espaço para arrolar todos. A Universidade de São Paulo (USP), por exemplo, criada pelos Mesquita para reproduzir as classes dominantes, tem absoluta maioria branca nos seus corpos docente e discente, mas não figura entre as 100 universidades mais importantes do

---

[1] Em 8 jun. 1929.

mundo, estando abaixo, inclusive, de países de menor importância econômica e geopolítica do que o Brasil; neles proliferam prêmios Nobel, invenções tecnológicas e estratégias inovadoras de desenvolvimento econômico e social de reconhecimento internacional. Aliás, é o preto Milton Santos o único brasileiro a conquistar um prêmio internacional de grande envergadura o Prêmio Internacional de Geografia Vautrin Lud, Paris, 1994 – mais conhecido como o Prêmio Nobel da Geografia.

A performance dos alunos da elite brasileira é também constrangedora:

> [...] apenas 21% dos alunos da elite brasileira conseguiram notas que os colocavam nos dois níveis mais avançados de aprendizado, o que indica que conseguem ler e interpretar textos e gráficos com níveis mais avançados de complexidade. O resultado é muito inferior ao encontrado entre as elites dos outros sete países pesquisados: França (57%), Coreia do Sul (55%), Estados Unidos (53%), Portugal (48%), Espanha (46%), Rússia (33%) e México (27%).

Clóvis Rossi, em artigo na *Folha de S.Paulo*, afirmou que os únicos profissionais brasileiros respeitados internacionalmente são os nossos jogadores de futebol, aos quais se atribui inegável *expertise*. São *eles*, na maioria, negros. Não é à toa, portanto, que o ministro Furlan constata que "um país precisa ter marcas internacionais, que sejam reconhecidas e desejadas em qualquer parte do planeta. [...] Quando chego a um país, a primeira pergunta que faço é qual a imagem que eles têm do Brasil. A resposta é sempre a mesma: samba, café e Pelé".

Esse é o resultado final da obra civilizatória. Adorei!

Viva a constituição cidadã

Eu quero agradecer a essa Câmara dos Deputados pelo honroso convite para participar desse importante momento de comemoração dos 20 anos da Constituição promulgada em 1988.

O presidente desta Casa, o deputado Arlindo Chinaglia, na apresentação das atividades comemorativas dos 20 anos da Constituição, apontou que "a nossa história constitucional não apresenta evolução linear na direção do constitucionalismo democrático e social representado pela Constituição de 1988".[1]

---

1 Referindo-se aos limites dos canais constitucionais para as reivindicações democráticas presentes nas Constituições anteriores a 1988.

Seminário Constituição 20 Anos: Estado, Democracia e Participação Popular, que ocorreu em 28 de novembro de 2008. Mesa 3: Ausências e Esquecimentos.

Lembrou ainda o deputado Chinaglia que a Constituição de 88 é produto da ampla participação popular e da emergência de novos sujeitos políticos que se organizaram para participar do processo Constituinte. O resultado de tal esforço cívico foi, segundo o deputado Chinaglia, que

> A Constituição Cidadã, assim chamada pelo presidente da Assembleia Constituinte, deputado Ulysses Guimarães, inaugurou novo período político-jurídico ao restaurar o Estado Democrático de Direito, ampliar as liberdades civis e os direitos e garantias fundamentais e instituir um verdadeiro Estado Social.

Na promulgação da Constituição em 05/10/1988 disse o deputado Ulysses Guimarães que o processo que a engendrou teve foro de multidões. No interior dessas multidões, o Movimento Negro Brasileiro foi um dos sujeitos políticos mais ativos.

O inciso 42 do artigo 5º da Constituição promulgada, que tornou o racismo crime inafiançável e imprescritível, foi uma das conquistas alcançadas no texto Constitucional que parecia indicar que estávamos adentrando ao limiar de um novo tempo, de reconciliação da nação brasileira consigo mesma, com sua história e a superação efetiva das fábulas de cordialidade raciais, que mascararam por tempo demais as sequelas de um passado escravista e de um presente de exclusão de base racial em todas as dimensões da vida, que os números das desigualdades raciais sistematicamente divulgados pelos institutos de pesquisa teimam em demonstrar.

O inciso constitucional que tornou o racismo crime teve a sua tipificação na lei complementar nº 7.716/89 de autoria do ex-deputado federal Carlos Alberto Caó (PDT-RJ). Essa lei define a punição aos crimes resultantes da prática, indução ou incitamento à discriminação ou ao preconceito de raça, cor, etnia, religião ou procedência nacional.

Tais dispositivos constitucionais e infraconstitucionais alavancaram as primeiras iniciativas de tratamento da questão racial do ponto de vista jurídico. Nesse sentido, o SOS Racismo, assessoria jurídica para vítimas de discriminação racial do Geledés Instituto da Mulher Negra, foi pioneiro em procurar sensibilizar o Poder Judiciário com os casos concretos de racismo e a discriminação com vistas à devida punição.

A volumosa demanda revelada pela procura extraordinário desse serviço não foi acompanhada da sensibilidade da Justiça em fazer valer as prescrições legais conquistadas para esse fim. Por vários anos, os resultados aparentemente desoladores de arquivamento sistemático das queixas de racismo e discriminação pareciam conduzir essa experiência para o fracasso.

No entanto, foi essa mesma dinâmica que mantinha impune o crime de racismo que permitiu que as formas de descaracterização do crime de racismo inspirasse iniciativas parlamentares como a do então deputado federal pelo PT do Rio Grande do Sul, Paulo Paim, a propor a emenda que "modificou o artigo 140 do Código Penal para incluir a figura penal de injúria racista que sancionava a injúria consistente na utilização de elementos referentes à raça, cor, etnia, religião ou origem". Porém, mesmo essa iniciativa não tem sido capaz de conter, com eficácia, a prática da discriminação racial.

Essa impunidade vem conduzindo as organizações de combate ao racismo e à discriminação racial a buscarem em instâncias internacionais após esgotadas as possibilidades de punição e reparação desses crimes nas esferas jurídicas nacionais.

Em 2009, a Comissão Interamericana de Direitos Humanos da Organização dos Estados Americanos (OEA), em uma decisão inédita, condenou o Brasil em um caso de discriminação racial. Segundo o organismo internacional, o Estado brasileiro violou artigos da Convenção Americana de Direitos Humanos ao permitir que um caso de racismo fosse arquivado sem a abertura sequer de uma ação penal. Foi a primeira vez que um país do continente foi responsabilizado pelo sistema interamericano de direitos humanos pelo crime de discriminação racial. Segundo o relatório da comissão da OEA, o Estado brasileiro "falhou ao não cumprir a sua obrigação", definida em convenções internacionais as quais assinou, de garantir a investigação de casos de racismo. A sanção da comissão da OEA ocorreu oito anos após o caso ter sido arquivado pela Justiça de São Paulo, a pedido do Ministério Público. Outros casos semelhantes ao da doméstica Simone André Diniz, vítima nessa ação, já estão à espera de julgamento na OEA. No relatório,[2] a comissão da OEA estipula ainda que o Brasil reconheça publicamente a violação de direitos de Simone André Diniz, pague uma indenização, dê apoio financeiro para que ela faça um curso superior e promova a reabertura das investigações.[3]

---

2 No relatório apresentado pela OEA foram feitas as seguintes recomendações ao Estado brasileiro:
• Reparar plenamente a vítima
• *Realizar as modificações legislativas e administrativas necessárias para que a legislação anti-racismo seja efetiva;*
• *Realizar uma investigação completa, imparcial e efetiva dos fatos, com o objetivo de estabelecer e sancionar a responsabilidade a respeito com os fatos relacionados com a discriminação racial*
• Adotar e instrumentalizar medidas de educação dos funcionários de Justiça e da Polícia a fim de evitar ações que impliquem discriminação nas investigações, no processo ou na condenação civil ou penal das denúncias de discriminação racial e de racismo;
• Organizar seminários estaduais com representantes do Poder Judiciário, Ministério Público e Secretarias de Segurança Pública locais com objetivo de fortalecer a proteção contra a discriminação racial e o racismo;
• Solicitar aos governos estaduais a criação de delegacias especializadas na investigação de crimes de racismo e discriminação racial;
• Solicitar aos Ministérios Públicos Estaduais a criação de Promotorias Públicas Estaduais Especializadas no combate ao racismo e a discriminação racial;
• Promover campanhas publicitárias contra a discriminação racial e o racismo.
3 Simone André Diniz procurava emprego e no dia 2 de março de 1997 viu um anúncio nos classificados do jornal *Folha de S.Paulo*. Encontrou a oferta para uma vaga de empregada doméstica para a qual uma das exigências era que a candidata fosse de "preferência branca". Quando ligou para saber mais detalhes, perguntaram a cor de sua pele e, quando Simone informou sua cor, foi informada que por ser negra não preenchia os requisitos. Simone registrou queixa na Delegacia de Investigações de Crimes Raciais.

Outra vitória celebrada pelos movimentos negros brasileiros pelo que sinalizava de reconhecimento e reparação da perversa herança colonial foi a que consta do Título X – Ato das Disposições Constitucionais Transitórias. Nele o Art. 68 estabelece que "aos remanescentes das comunidades dos quilombos que estejam ocupando suas terras é reconhecida a propriedade definitiva, devendo o Estado emitir-lhes os títulos respectivos".

No entanto, tal disposição constitucional esbarra na conflituosa situação em que estão imersas as comunidades remanescentes de quilombos em disputa de suas terras ancestrais com empreendimentos agropecuários, madeireiros e grilagens para fins de especulação imobiliária que operam para postergar ou negar a titulação de suas terras, um direito arduamente conquistado e constantemente postergado. Mesmo quando a comunidade já obteve a titulação, não se encontra protegida de agressões, muitas na forma de racismo ambiental, em que certos empreendimentos que produzem grandes quantidades de lixo tóxico se alojam perto dessas comunidades comprometendo as suas já precárias condições de vida.

Um caso: em 2006 uma empresa denominada Norte Leather Comércio de Couro Ltda. iniciou a construção das instalações de um curtume na região do Baixo Acará, município de Acará, no Pará, perto do igarapé Jacarequara, precisamente junto à nascente do referido igarapé e de terras consideradas de Comunidades Quilombolas, sendo que quatro delas já estão tituladas: Filhos de Zumbi, Carananduba, Espírito Santo e Itacoã-Mirim, enquanto

---

Em depoimento à Polícia, a mãe das crianças, a empregadora, confirmou que não queria uma empregada negra, pois já havia tido outra que maltratara seus filhos. Ela disse também que não tinha preconceito racial e que o fato de seu marido ser negro era uma prova disso. Com base nos depoimentos, a denúncia foi considerada inconsistente, apesar de provas irrefutáveis como o anúncio e a confirmação da empregadora de que não queria uma pessoa negra trabalhando em sua casa. Após o Ministério Público do Estado de São Paulo ter requisitado o arquivamento do processo, segundo eles por não reconhecerem a prática do crime de discriminação racial, o Instituto do Negro Padre Batista e Cejil denunciaram o caso à Comissão Interamericana.

que outras comunidades também próximas e interligadas entre si estão com suas terras em processo de titulação, que são a Comunidade Quilombola Menino Jesus, Paraíso, São José, Tapera, Jabaquara, Monte Alegre, Tapoama, Catiuaia, Trindade I, II e III.

Nos artigos relativos ao tema da Cultura, na Seção II – Da Cultura, o artigo 215 assegura que "o Estado garantirá a todos o pleno exercício dos direitos culturais e acesso às fontes da cultura nacional, e apoiará e incentivará a valorização e a difusão das manifestações culturais".

Pode-se considerar que dentre os desdobramentos e/ou regulamentação desse dispositivo constitucional, embora com 15 anos de atraso, foi a promulgação da Lei 10.639/03, em 9 de janeiro de 2003, que alterou a Lei 9394, de 20 de dezembro de 1996, que estabelece as diretrizes e bases da educação nacional, e passou a instituir no currículo oficial da Rede de Ensino a obrigatoriedade da temática História e Cultura Afro-brasileira. Uma reivindicação antiga dos Movimentos Negros Brasileiros, e considerado um novo para o reconhecimento e valorização da participação dos afro-brasileiros na história do país, bem como para resgatar os valores culturais africanos.

No entanto, o avanço na implantação dessa lei vem dependendo dos mesmos atores de sempre, do esforço dos movimentos sociais e das organizações da sociedade civil. Diante das inúmeras denúncias de descumprimento dessa lei, foi aberto inquérito civil público para que cada escola pública e privada do ensino fundamental fosse intimada a dar as razões do não cumprimento da lei.

Uma das vitórias dessa iniciativa é o fato do juiz da infância Guaraci Viana, do Rio de Janeiro, ter intimado "o MEC e demais órgãos competentes da capital a cumprirem já a lei federal que manda ensinar história africana e cultura afro-brasileira nos colégios. Viana acatou ação movida por entidades do movimento negro, liderada pelo Instituto de Advocacia Racial e Ambiental (IARA)". Esse é, porém, um fato isolado.

O que a resistência "à implementação da lei coloca é a violação ao direito de metade da população que é afrodescendente ter assegurado o seu direito a sua história, ao seu passado". O que significa não ter direito ao próprio passado? Sem memória não é possível construir projeto, pensar futuro.

O inciso 1º do mesmo artigo 215 da Secção de Cultura da Constituição prescreve que "O Estado protegerá as manifestações das culturas populares, indígenas e afro-brasileiras, e das de outros grupos participantes do processo civilizatório nacional". Essa disposição constitucional coexiste tranquilamente com a violência sistemática praticada *cotidianamente* pelas Igrejas eletrônicas contra as religiões afro-brasileiras. Consiste num processo de demonização das religiosidades de matriz africana, notadamente a umbanda e o candomblé. A hegemonia televisiva e a impunidade de que gozam certas denominações ferem a cidadania de negros e negras na medida em que não assegura o disposto na Constituição[4] que diz ser "inviolável a liberdade de consciência e de crença, sendo assegurado o livre exercício dos cultos religiosos e garantida, na forma da lei, a proteção aos locais de culto e a suas liturgias [...]".

O poder dessas denominações religiosas, porém, impede aos que são atingidos por sua intolerância de exercer o "direito de resposta, proporcional ao agravo, além da indenização por dano material, moral ou à imagem [...]" como dispõe a Constituição.[5]

Então nesses casos os espaços televisivos tornam-se concessões públicas a serviço da estigmatização e da discriminação das manifestações religiosas de matrizes africanas que, segundo a Constituição, caberia ao Estado brasileiro proteger e valorizar.

---

4 Título II – Dos Direitos e Garantias Fundamentais Capítulo I – Dos Direitos e Deveres Individuais e Coletivos) Artigo 5º, inciso VI.
5 Artigo 5º inciso V do TÍTULO II – Dos Direitos e Garantias Fundamentais. Capítulo I – dos direitos e deveres individuais e coletivos.

Outra conquista obtida por negros e mulheres está no Capítulo II – Dos Direitos Sociais, em seu inciso XX, que estabelece proteção do mercado de trabalho da mulher, mediante incentivos específicos, nos termos da lei; com ele abria-se a possibilidade da adoção de medidas que promovessem a inclusão igualitária de mulheres no mercado de trabalho superando-se as práticas sexistas que determinam as desigualdades salariais e de ocupação que as mulheres em geral e as negras em particular experimentam no mercado de trabalho. Passados vinte anos, os indicadores apontam a inércia da estratificação de gênero e raça no mercado de trabalho conforme demonstrado por pesquisa realizada pelo Instituto Ethos entre as 500 maiores empresas do país na qual os postos de gerência, chefias e diretorias são apropriados em mais de 90% por homens brancos. Sendo que mulheres negras nessas posições não alcançam valor estatístico.

A possibilidade de aprovação de dispositivos legais que institucionalizariam a política de cotas e de promoção da igualdade racial motivou o manifesto assinado por parcela da *intelligentsia* nacional endereçado ao Congresso Nacional, deputados e senadores, "pedindo-lhes que recusem o PL 73/1999 (PL das Cotas) e o PL 3.198/2000 (PL do Estatuto da Igualdade Racial)". Alegam que o Estatuto e as cotas raciais rompem com o princípio da igualdade e ameaçam a República e a democracia.

No combate que parcelas das elites nacionais travam contra as políticas de promoção da igualdade racial, elas se servem da desqualificação pública dos movimentos negros e de seus parceiros e aliados, da negação do racismo e da discriminação racial, da deslegitimação acadêmica de estudos e pesquisas que há décadas vêm demonstrando a magnitude das desigualdades raciais e a utilização de experiências genéticas para consubstanciar a miscigenação e a negação do negro como sujeito social demandador de políticas específicas e seu direito democrático de reivindicá-las. A desqualificação e/ou criminalização dos movimentos sociais é uma prática autoritária consagrada na nossa tradição política e causa espanto que seja utilizada sem cerimônia por aqueles que se manifestam em defesa dos princípios da igualdade, da democracia e do pacto republicano.

Assiste-se, portanto, nesse momento, um ativismo de novo tipo: um suposto antirracismo protagonizado por parcelas de intelectuais, formadores de opinião, empresários etc. Um antirracismo que se afirma pela negação do racismo existente destinado a barrar as políticas públicas de promoção da igualdade racial.

Por fim, termino apontando o maior dos esquecimentos. Sirvo-me para isso das palavras do jurista Fábio Konder Comparato que, em declaração de rara coragem e dignidade, disse em recente entrevista:[6]

> Eu sou descendente do maior proprietário de escravos do Império Brasileiro, o Conde Joaquim José de Souza Breves. Tive que entender, e só entendi isso muito tarde, que esta realidade, ou seja, a culpa por isso, se transmite aos descendentes, não é propriamente uma culpa penal, mas é uma herança de um débito social. É um débito social porque, se eu sou o que sou hoje é pelo fato de eu ter herdado várias coisas, a capacidade de me educar, o fato de ter tido determinados tipos de formação e isto só foi conseguido porque durante séculos os negros sustentaram a nossa economia. [...] Todos nós, das ditas classes dominantes, somos o que somos, devido a sangue, suor e lágrimas de todos os africanos e afro-descendentes escravizados no Brasil.

Em relação à adoção de ações afirmativas para a inclusão social dos negros, Comparato lembra os pesos e medidas diferentes que regem as posições sobre o tema no que tange à sua constitucionalidade.

---

6 Entrevista dada ao jornalista Renato Ferreira do projeto da UFRJ, "Política da Cor?"

A política de cotas visa dar um incentivo, é uma política tímida, com 120 anos de atraso. A própria Constituição determina que haja no mercado de trabalho a proteção da mulher com incentivos específicos, é exatamente a política de cotas, mas ninguém diz que esse inciso é uma medida discriminatória. Mas tudo o que se propõe em defesa do negro é considerado discriminatório ou racista.

A sociedade civil faz a sua parte, luta, se organiza, reivindica o que se espera do exercício de cidadania no Estado democrático de Direito, mas vê os seus esforços frustrados pela ausência de implementação de suas conquistas, o que mina a confiança na experiência democrática e em sua capacidade de prover plena igualdade.

Apesar dessas circunstâncias ousamos, mais uma vez, festejar a aprovação do projeto de cotas por essa Casa no último 20 de novembro apesar da história recente em relação a nós recomendar cautela. O Senado ainda deliberará sobre essa matéria carregando de incertezas o desfecho final. O exemplo do Estatuto da Igualdade Racial que há nove anos espera por aprovação sugere moderação no júbilo.

Eu deveria falar de ausências e esquecimentos, porém no percurso que aí arrolei só há um esquecimento essencial a ser registrado: o da implementação da própria Constituição-Cidadã naquilo em que ela concerne à questão racial. Talvez para que lembremos, negros e negras, que a plena cidadania não se destina a descendente de escravos.

Nas palavras aqui citada de Konder Comparato encontra-se, portanto, a gênese ou a raiz de todos os "esquecimentos", omissões e ausências na proteção dos direitos de cidadania da população negra.

Muito obrigada!

Racismo, religião e crime

"Eu acreditaria somente num deus que soubesse dançar."
 Friedrich Nietzsche, *Assim falou Zaratustra*

Uma das imagens mais utilizadas para ilustrar a ideia do brasileiro como um povo cordial é a recorrência à suposta inexistência de ódio racial e de intolerância religiosa tal como se conhece em outros países. Essa visão passa ao largo do longo período de ilegalidade de que padeceram as religiões de matriz africana e seus adeptos, vítimas constantes de perseguição policial que perdurou até o final da década de 50 do século passado. A despeito disso, a crença na tolerância religiosa e racial compõe elementos naturalizados de nossa tradição cultural. No entanto, essa concepção torna-se cada dia mais difícil de ser sustentada diante das práticas de certas denominações religiosas que revelam a face perversa e insidiosa da intolerância religiosa e racial em nossa sociedade.

Publicado originalmente na Revista MPD Dialógico, informativo do Ministério Público Democrático, ano V, n. 22, em dezembro de 2008.

O inciso 1º do artigo 215 da Secção de Cultura da Constituição prescreve que "O Estado protegerá as manifestações das culturas populares, indígenas e afro-brasileiras, e das de outros grupos participantes do processo civilizatório nacional". Essa disposição constitucional coexiste tranquilamente com a violência sistemática praticada cotidianamente pelas igrejas eletrônicas contra as religiões afro-brasileiras.

A hegemonia televisiva e a impunidade de que gozam essas denominações ferem a cidadania dos negros brasileiros na medida em que violam dispositivo constitucional que assegura ser "inviolável a liberdade de consciência e de crença, sendo assegurado o livre exercício dos cultos religiosos e garantida, na forma da lei, a proteção aos locais de culto e a suas liturgias [...]".[1]

O incitamento que essas igrejas praticam nos espaços televisivos e em seus templos está provocando a expansão de atitudes de intolerância contra as religiosidades negras e seus adeptos, em diferentes cidades do país, enredando diferentes e, por vezes, inusitados atores nessas ações. É o que a imprensa nos informa, por exemplo, sobre atos de violência de motivação religiosa praticados por criminosos incrustados em favelas da cidade do Rio de Janeiro.

> Traficantes de diversas favelas estão proibindo manifestações de umbanda, candomblé e expulsando donos de terreiros. A intolerância religiosa está ligada à expansão de igrejas independentes – que nada têm a ver com as tradicionais igrejas evangélicas nas comunidades. [...] Seus líderes se intitulam pastores e exigem muito pouco da conversão: os bandidos podem continuar no crime e, mesmo assim, ostentar o título de "convertidos por Jesus". Em troca, expulsam a "concorrência" de seus territórios. [Há] relatos impressionantes de

---

[1] Título II – Dos Direitos e Garantias Fundamentais. Capítulo I – Dos Direitos e Deveres Individuais e Coletivos, Artigo 5º, inciso VI.

moradores, líderes comunitários e religiosos sobre o fim da liberdade religiosa nas comunidades carentes do Rio.[2]

Temos, nesse caso, paradoxalmente, "soldados do tráfico" transmutados em "soldados de Cristo". Um exército armado a serviço da intimidação e/ou eliminação dos "infiéis".

Outro episódio veiculado pela mídia relata o ataque realizado por quatro jovens ao Centro Espírita Cruz de Oxalá, ocorrido em bairro da zona Sul do Rio de Janeiro.[3] Ensandecidos, os jovens invadiram o Centro empreendendo a destruição dos símbolos rituais que encontraram pela frente. Conforme relato da dirigente do Centro,

> Eles [os agressores] se diziam evangélicos e gritavam que nosso centro era "coisa do demônio". Já entraram sabendo o que iriam destruir. Arrancaram fotos e quebraram todas as imagens. O altar ficou completamente destruído. É um atentado à nossa fé.

As lideranças das religiões de matriz africana tem apontado que o Código Penal é brando para punir essas manifestações de intolerância religiosa que geralmente são enquadradas em seu artigo 208, que estabelece detenção de um mês a um ano, ou multa – que pode ser aumentada em até um terço, no caso do emprego da violência –, para os casos de intolerância. Consideram que esses crimes deveriam ser inscritos na Lei nº 7.716/89, de autoria do ex-deputado federal Carlos Alberto Caó (PDT/RJ), que pune com reclusão de um a três anos, além de multa, os

---

2   DINIZ, Adriana. Bandidos proíbem manifestações de umbanda, candomblé e expulsam donos de terreiros dos morros. Extra, 15 mar. 2018. Disponível em: <https://extra.globo.com/noticias/rio/bandidos-proibem-manifestacoes-de-umbanda-candomble--expulsam-donos-de-terreiros-dos-morros-479344.html>. Acesso em: 23 nov. 2018.
3   UMBANDISTAS atacados vão cobrar indenização na Justiça. G1, 3 jun. 2008. Disponível em: <http://g1.globo.com/Noticias/Rio/0,,MUL588075-5606,00.html>. Acesso em: 23 nov. 2018.

crimes resultantes da prática, indução ou incitamento à discriminação ou ao preconceito de raça, cor, etnia, religião ou procedência nacional.

Uma primeira medida nessa direção foi motivada pela violência praticada contra o Centro Espírita Cruz de Oxalá. É a RECOMENDAÇÃO Nº 057 DE 13/06/2008 que

> RECOMENDA aos Delegados de Polícia que seja observado o teor do art. 20 da Lei nº 7.716, de 05 de janeiro de 1989 LEI CAÓ, em homenagem ao princípio da especialidade, notadamente em relação aos casos em que houver ataque à cultos religiosos de todo o gênero, bem como impedimento ou perturbação relativos aos mesmos.[4]

São algumas ocorrências dentre os inúmeros ataques que indicam o impacto social das pregações, exorcismos e demonizações diariamente veiculadas pelas redes de televisão. Somam-se, como agravante, o poder político e econômico dessas denominações religiosas que impedem aos que são atingidos por sua intolerância de exercerem o "direito de resposta proporcional ao agravo, além da indenização por dano material, moral ou à imagem [...]" como prevê a Constituição.[5]

Essa contínua perseguição às religiões de matriz africana pelas igrejas eletrônicas conduziu a uma ação de direito de resposta de autoria do Centro de Estudos das Relações de Trabalho e Desigualdades (CEERT), o Instituto Nacional da Tradição e Cultura Afro-Brasileira (INTECAB) e o Ministério Público Federal. Em decisão inédita, a rede de TV Record e a Rede Mulher foram condenadas a exibir, por sete dias

---

[4] Recomendação nº 057 de 13/06/2008 Secretaria de Estado de Segurança RJ, Secretaria de Estado de Segurança Polícia Civil do Estado do Rio de Janeiro Boletim Informativo Ano LXXV – Rio de Janeiro, 19 de Junho de 2008 – Quinta-Feira – Nº 111.
[5] Artigo 5º inciso V do TÍTULO II Dos Direitos e Garantias Fundamentais CAPÍTULO I DOS DIREITOS E DEVERES INDIVIDUAIS E COLETIVOS.

consecutivos, um programa de TV, com uma hora de duração, cuja finalidade seria o exercício do direito democrático de resposta e de esclarecimento contra as acusações discriminatórias veiculadas em seus programas religiosos. A condenação também determinou a inserção de três chamadas diárias durante a programação daquelas emissoras (uma pela manhã, uma à tarde e outra à noite), e o anúncio da exibição com o respectivo horário do programa de resposta.

A decisão da juíza Marisa Cláudia Gonçalves Cucio, de maio de 2005, decorreu de análise minuciosa do conteúdo dos programas veiculados pelas referidas redes, concluindo a juíza que "não há como negar o ataque às religiões de origem africana e às pessoas que as praticam ou que delas são adeptas".

Porém, uma decisão dessa importância não foi capaz de vencer a conivência e a impunidade com que vem sendo beneficiadas as manifestações crescentes de fundamentalismo religioso no Brasil, potencializadas pelas pregações das igrejas eletrônicas. Elas permanecem construindo um exército de fanáticos que esgrimem com a espada de um Deus por elas concebido como cruel e impiedoso, que precisa destituir os demais deuses e seus adeptos para instituir-se como único e verdadeiro, do qual os crentes se fazem imagem e semelhança. Nesse perigoso e explosivo contexto, os espaços televisivos utilizados por essas denominações religiosas para praticarem o seu proselitismo tornam-se concessões públicas a serviço da estigmatização e discriminação das manifestações religiosas de matriz africana que, segundo a Constituição Cidadã promulgada em 1988, caberia ao Estado brasileiro proteger e valorizar.

Essas são algumas questões que exigem a persistente atuação do Ministério Público na defesa da cidadania.

Estado laico, feminismo e ensino religioso em escolas públicas

Publicado originalmente no livro Ensino religioso em escolas públicas: impacto sobre o Estado Laico, organizado por Roseli Fischmann em 2008 e publicado pela Editora Factash.

Este ensaio tem por objetivo apresentar algumas questões que problematizam as relações entre Estado laico, ensino religioso e relações de gênero no Brasil. Busca-se, por meio de alguns documentos exemplares, evidenciar as dificuldades de conciliação, do ponto de vista normativo público,[1] entre as teses e proposições que decorrem da antropologia bíblica e as teses e proposições que são defendidas por mulheres feministas que operam para a promoção dos direitos humanos das mulheres de uma perspectiva igualitária em relação aos gêneros.

[1] A conciliação em nível pessoal é sempre uma questão de consciência individual, que não cabe analisar aqui.

Toma-se para isso, no tópico Feminismo e Religião, *A carta aos bispos da igreja católica sobre a colaboração do homem e da mulher na igreja e no mundo*[2] que, embora seja um documento específico da Igreja Católica Romana, é coincidente com as posições da maioria das denominações religiosas cristãs, em relação ao estatuto de homens e mulheres; por serem majoritárias e com grande interação nas estruturas de poder do país, colocam-se, muitas vezes, como obstáculos para a efetivação, pelo Estado, de políticas públicas do interesse das mulheres, por isso seu interesse para análise. No tópico *A contribuição do feminismo ao Estado laico*, trazemos o *II Plano Nacional de Política para as Mulheres* como modelo de formulação em políticas públicas que, ao corresponder às expectativas das mulheres em termos de programas e projetos voltados para a promoção da igualdade e equidade de gênero, fortalece a democracia brasileira e a laicidade do Estado, embora sempre sob ameaça e risco de retrocesso pela intervenção de agentes políticos vinculados a diferentes crenças religiosas. Por fim, no tópico *Ensino religioso nas escolas públicas e suas interações com a laicidade e a questão da mulher* escolhemos refletir sobre os dispositivos legais do Estado de Mato Grosso do Sul que dispõem sobre o ensino religioso nas escolas, tomado como ilustrativo, embora não exclusivo, das aporias presentes entre a agenda que o feminismo defende para uma educação inclusiva, tolerante e libertária, e alguns dogmas religiosos.

Feminismo e religião

Na *Carta aos bispos da igreja católica sobre a colaboração do homem e da mulher na igreja e no mundo*, de 31 de maio de 2004,

---

[2] RATZINGER, Joseph Card; AMATO, Ângelo. Carta aos Bispos da Igreja Católica Sobre a Colaboração do Homem e da Mulher na Igreja e no Mundo. Disponível em: <http://wwwth_doc_20040731_collaboration_po.html>. Acesso em: jan. 2008.

redigida pela Congregação da Doutrina da Fé, dirigida pelo então cardeal Joseph Ratzinger (depois Papa Bento XVI), e aprovada à época pelo Papa João Paulo II, são desferidos diversos ataques ao feminismo.

Nessa *Carta*, em sua parte introdutória, a Igreja afirma que "perita em humanidade, a Igreja está sempre interessada por tudo o que diz respeito ao homem e à mulher". A partir dessa condição, de "perita em humanidade", ela se sente desafiada a contrapor-se a correntes de pensamento que tem a tendências de abordar o tema da mulher acentuando a condição de subordinação feminina. De acordo com a Carta, esta abordagem teria como perspectiva,

> [...] criar uma atitude de contestação. A mulher, para ser ela mesma, apresenta-se como antagónica do homem. Aos abusos de poder, responde com uma estratégia de busca do poder. Um tal processo leva a uma rivalidade entre os sexos, onde a identidade e o papel de um são assumidos em prejuízo do outro, com a consequência de introduzir na antropologia uma perniciosa confusão, que tem o seu revés mais imediato e nefasto na estrutura da família.

Nessa visão, a crítica feminista sobre a milenar subordinação das mulheres aos homens é interpretada pela Igreja como indução à contestação, e a luta pela autonomia e emancipação das mulheres são apontadas como promotoras da luta entre os sexos.

A rivalidade entre os sexos se estabelece, segundo a *Carta*, no momento em que a mulher tenta reagir aos abusos do poder marital ou masculino pela busca do poder pela via da contestação. A recomendação da *Carta*, nesse caso, é que as mulheres devem responder a esse poder abusivo pela via da negociação ou do convencimento do homem a mudar sua atitude, dependendo, portanto, do seu assentimento.

Da ótica que orienta a posição da Igreja, as mulheres deveriam relativizar o peso de sua subordinação, renunciar a participar em condições de igualdade das instâncias de poder da sociedade, para garantir a paz social e a harmonia familiar.

Por outro lado, o essencialismo biológico comparece na argumentação do Vaticano para questionar o igualitarismo feminista, e acusá-lo de fomentador da desagregação da estrutura familiar que seria, segundo a *Carta*, "por sua índole natural biparental, ou seja, composta de pai e de mãe". Tal ameaça à família se daria pela equiparação da homossexualidade à heterossexualidade o que promoveria "um novo modelo de sexualidade polifórmica".

Com tal afirmação, a Igreja reitera a associação da homossexualidade e da lesbianidade (e as formas parentais que delas decorrem) como práticas situadas no sentido contrário ao da natureza e/ou da normalidade. Ou seja, os novos arranjos familiares formados por pessoas do mesmo sexo que vêm sendo gradualmente reconhecidos pela justiça brasileira – inclusive quanto ao direito de adoção desses casais e de herança entre os parceiros(as), entre outros direitos e deveres mútuos reconhecidos no casamento civil –, são condenados pela Igreja Católica e outras denominações religiosas, quando não objeto de franca intolerância, em flagrante desrespeito à liberdade de escolha de cada um quanto ao exercício da sexualidade e à formação familiar, um dos princípios do feminismo.

O outro ponto de condenação da Santa Sé consiste no que ela designa, na mesma *Carta*, como consequência da "radicalização do feminismo" que se explicitaria "na ideia de que a libertação da mulher implica uma crítica às Sagradas Escrituras, que veiculariam uma concepção patriarcal de Deus, vista como uma cultura essencialmente machista". Assim, o feminismo, para a Igreja, em sua "sanha" de erradicação da supremacia masculina estabelecida por Deus, seria cego às diferenças dos sexos tratando-as como "simples efeitos de um condicionamento histórico e cultural" quando, na verdade bíblica, haveria características humanas que, conforme a *Carta*, se "imporiam de forma absoluta" para cada um dos sexos.

Resgatando o que considera serem os elementos-chaves da antropologia bíblica, a Carta aos Bispos demarca o que sejam "os valores fundamentais associados à mulher na tradição religiosa cristã: a sua "capacidade para o outro". E acrescenta que

> Não obstante o facto de um certo discurso feminista reivindicar as exigências "para ela mesma", a mulher conserva a intuição profunda de que o melhor da sua vida é feito de actividades orientadas para o despertar do outro, para o seu crescimento, a sua protecção.[3]

Essa "qualidade" especial da mulher seria derivada do dom da maternidade (potencial ou real) considerada "um elemento chave da identidade feminina" que a conduziria, naturalmente, segundo a *Carta*, "para o cuidado dos outros". Dada essa capacidade "singular", a *Carta* especifica o papel social da mulher que decorre dessa "identidade", pois é a partir dela que: "compreende-se o papel insubstituível da mulher em todos os aspectos da vida familiar e social que envolvam relações humanas e o cuidado do outro".

Delineia-se aos poucos como o sentido do "cuidado do outro" se opõe à reivindicação feminista, citada na *Carta*, do *"para ela mesma"*; trata-se de uma diferença substancial, que está na raiz das oposições das teses feministas aos dogmas religiosos, na medida em que o *viver para o outro,* como sentido da existência feminina, implica o renunciar a si, aos seus desejos, às suas ambições e possibilidades de realização humana, para além da maternidade e do cuidado familiar, ou prescindindo, de livre escolha, dessas atribuições.

Porém, o que a Igreja prediz, na *Carta* é, antes de mais nada, que "[...] as mulheres estejam presentes, ativamente e até com firmeza, na família, que é 'sociedade primordial e, em certo sentido, soberana'".

---

[3] Observe-se que por terem sido extraídas da página do Vaticano as citações que se fazem aqui, considerou-se apropriado manter a grafia em português ao estilo de Portugal, tal como lá se encontram.

Essa proeminência da vida familiar para as mulheres na tradição religiosa faz com que a inserção da mulher no trabalho fora do lar seja cercada de precauções pelo Vaticano tais como consta neste trecho da *Carta*:

> [...] não se pode, porém, esquecer que a interligação das duas actividades – família e trabalho – assume, no caso da mulher, características diferentes das do homem. Põe-se, portanto, o problema de harmonizar a legislação e a organização do trabalho com as exigências da missão da mulher no seio da família. O problema não é só jurídico, económico e organizativo; é antes de mais um problema de mentalidade, de cultura e de respeito. Exige-se, de facto, uma justa valorização do trabalho realizado pela mulher na família. Assim, as mulheres que livremente o desejam poderão dedicar a totalidade do seu tempo ao trabalho doméstico, sem ser socialmente estigmatizadas e economicamente penalizadas. *As que, por sua vez, desejarem realizar também outros trabalhos poderão fazê-lo com horários adequados, sem serem confrontadas com a alternativa de mortificar a sua vida familiar ou então arcar com uma situação habitual de stress que não favorece nem o equilíbrio pessoal nem a harmonia familiar.*[4]

Constata-se nessa citação, o esforço da Igreja para adequar os seus dogmas às necessidades reais que desafiam as mulheres e as famílias nos tempos atuais e nessa direção, a *Carta aos bispos* empreende concessões com as quais pretende neutralizar a crítica de anacronismo a suas posições. Persiste, no entanto, o entendimento de que as transformações culturais, sociais e econômicas que impulsionaram contemporaneamente as mulheres para a esfera pública devem ser reguladas à luz da atribuição fundamental que foi ordenada às mulheres nas escrituras em relação à qual o comportamento feminino não pode, nesse entendimento, exacerbar.

---

4   Grifos nosso.

Assim, o direito à opção por uma carreira profissional, a conquista da emancipação econômica – da qual tanto depende, em grande medida, a superação da dependência ao masculino –, o direito de escolher pela realização ou não da maternidade são princípios da agenda feminista que, quando confrontados com a prioridade estabelecida para as mulheres pela doutrina religiosa segundo a qual todas as atividades que as mulheres possam ou queiram realizar devem estar mediadas pelo imperativo de suas funções no seio familiar, deixam claro o rol de contradições que se enredam quando tratamos da intercessão dos temas de relações de gênero no ensino religioso nas escolas pública[5] nos quais colidem tradições religiosas e proposições emancipatórias para as mulheres.[6]

A contribuição do feminismo ao estado laico

O *II Plano Nacional de Políticas para as Mulheres*, lançado em 5 de março de 2008 pelo presidente da República, Luiz Inácio Lula da Silva, no Palácio do Planalto, com a presença de ministras/os, deputadas/os, parlamentares, gestora/es de vários estados e municípios e representantes da sociedade civil, é resultado de um

---

[5] Entende-se que o ensino religioso em escolas confessionais seria tema para outra análise, condizente com a questão levantada na nota 1 deste trabalho.

[6] Cabe observar que essas posições da Igreja não são compartilhadas de modo absoluto pelos católicos e especialmente pelas mulheres católicas. Um exemplo de resistência a essas posições é o trabalho vigoroso realizado pela organização Católicas pelo Direito de Decidir, "uma entidade feminista, de caráter inter-religioso, que busca justiça social e mudança de padrões culturais e religiosos vigentes em nossa sociedade, respeitando a diversidade como necessária à realização da liberdade e da justiça (...) promove os direitos das mulheres (especialmente os sexuais e os reprodutivos) e luta pela igualdade nas relações de gênero e pela cidadania das mulheres, tanto na sociedade quanto no interior da Igreja Católica e de outras igrejas e religiões, além de divulgar o pensamento religioso progressista em favor da autonomia das mulheres, reconhecendo sua autoridade moral e sua capacidade ética de tomar decisões sobre todos os campos de suas vidas". Cf.: CATOLICAS ONLINE. Quem somos. Disponível em: <http://www.catolicasonline.org.br/QuemSomos.aspx>.

processo de construção coletiva das mulheres brasileiras por meio da participação em Conferências estaduais e municipais que desembocaram na II Conferência Nacional de Políticas para as Mulheres, ocorrida em agosto de 2007, convocadas pela Secretaria Especial de Políticas para as Mulheres sob o comando da ministra Nilcéa Freire. O *II Plano* amplia, e consolida, demandas históricas dos movimentos de mulheres do Brasil e as consagra como Plano de Governo. Tem por princípios norteadores: a igualdade e respeito à diversidade, à equidade, à autonomia das mulheres, à universalidade das políticas, à justiça social, à transparência dos atos públicos, à participação e o controle social e à laicidade do Estado assim compreendida em relação às questões de gênero:

> [as] políticas públicas de Estado devem ser formuladas e implementadas de maneira *independente de princípios religiosos*, de forma a assegurar efetivamente os direitos consagrados na Constituição Federal e nos diversos instrumentos internacionais assinados e ratificados pelo Estado brasileiro, como medida de proteção aos direitos humanos das mulheres e meninas.[7]

O *II Plano* é composto de onze eixos temáticos que expressam os objetivos, prioridades e metas definidas pelas mulheres brasileiras para a promoção da igualdade e equidade de gênero na sociedade brasileira. Consiste de um leque temário amplo, que é a expressão do acúmulo teórico e de proposições de políticas públicas para as mulheres que vem sendo gestado pelo feminismo em suas diferentes vertentes presentes nos movimentos de mulheres nacionais, revelando também os consensos que vêm sendo alcançados pelas mulheres brasileiras que, embora portadoras de diferentes experiências históricas, culturais, raciais, étnicas, de inserção social e orientação sexual, conformaram uma

---

[7] (SPM, 2008)

Plataforma Feminista que inspiram as formulações de políticas públicas para as mulheres e que o *II Plano* incorpora. Os eixos temáticos que organizam o *II Plano* são:

- autonomia econômica e igualdade no mundo do trabalho, com inclusão social;
- educação inclusiva, não sexista, não racista, não homofóbica e não lesbofóbica;
- saúde das mulheres, direitos sexuais e direitos reprodutivos;
- enfrentamento de todas as formas de violência contra as mulheres;
- participação das mulheres nos espaços de poder e decisão;
- desenvolvimento sustentável no meio rural, na cidade e na floresta, com garantia de justiça ambiental, soberania e segurança alimentar;
- direito à terra, moradia digna e infraestrutura social nos meios rural e urbano, considerando as comunidades tradicionais;
- cultura, comunicação e mídia igualitárias, democráticas e não discriminatórias;
- enfrentamento do racismo, sexismo e lesbofobia;
- enfrentamento das desigualdades geracionais que atingem as mulheres, com especial atenção às jovens e idosas;
- gestão e monitoramento do Plano.

Uma rápida mirada nesse temário permite perceber quão distante a concepção desse II Plano se encontra de posições religiosas acerca da natureza dos papéis sociais de gênero; ao contrário, ele se coloca em oposição a tais visões de mundo e colide, particularmente com propostas de ensino religioso nas escolas públicas, já que é possível supor que aqueles princípios mencionados na citada *Carta aos bispos* há de ser norteador das propostas desse ensino, no que tange ao catolicismo.

Em relação à educação (eixo II), o Plano tem como um dos seus objetivos gerais:

> Contribuir para a redução da desigualdade de gênero e para o enfrentamento do preconceito e da discriminação de gênero, étnico-racial, religiosa, geracional, por orientação sexual e identidade de gênero, por meio da formação de gestores/as, profissionais da educação e estudantes em todos os níveis e modalidades de ensino.

Destaca entre os objetivos específicos:

> Eliminar conteúdos sexistas e discriminatórios e promover a inserção de conteúdos de educação para a equidade de gênero e valorização das diversidades nos currículos, materiais didáticos e paradidáticos da educação básica.

O seu eixo IX - *Enfrentamento do racismo, sexismo e lesbofobia* contém entre suas metas "formar 120 mil profissionais da educação básica nas temáticas de gênero, relações étnico-raciais e orientação sexual, em processos executados ou apoiados pelo Governo Federal".

O *II Plano* se posiciona claramente em relação aos direitos sexuais e reprodutivos das mulheres, noções que *per se* contradizem valores cristãos segundo os quais a reprodução humana é a função essencial da atividade sexual, sendo ainda da alçada da vontade divina, e não da liberdade individual, ou da escolha dos casais definirem o tamanho de suas proles. Diferentemente das prescrições da Igreja Católica sobre as questões de sexualidade e de prevenção a elas associadas, para as quais a Igreja recomenda a castidade para os solteiros e a fidelidade para os casados, colocando-se peremptoriamente contra o uso e distribuição de preservativos e anticoncepcionais, esse *II Plano*, em conformidade com as reivindicações das mulheres engajadas em diferentes organizações e movimentos sociais de promoção das mulheres, tem, entre suas metas: "garantir a oferta de métodos anticoncepcionais reversíveis para 100% da população feminina usuária do SUS; disponibilizar métodos anticoncepcionais em 100% dos serviços de saúde". São estratégias de proteção da saúde das mulheres em relação às doenças sexualmente transmissíveis, em especial a Aids, de preservação do direito ao exercício da sexualidade e da livre escolha em matéria de reprodução.

Quanto à participação das mulheres nos espaços de poder (eixo V), o Plano se propõe a "promover e fortalecer a participação igualitária, plural e multirracial das mulheres nos espaços de poder e decisão e como objetivos específicos" busca "promover a mudança cultural na sociedade, com vistas à formação de novos valores e atitudes em relação à autonomia e empoderamento das mulheres". Para tanto, defende como uma de suas prioridades a

> [...] criação, revisão e implementação de instrumentos normativos com vistas à igualdade de oportunidades entre homens e mulheres e, entre as mulheres, na ocupação de postos de decisão nas distintas esferas do poder público.

Sobre o direito à terra (eixo VII), prevê, entre outras medidas, "garantir o acesso igualitário das mulheres à terra, por meio da inscrição, cadastro e titulação de assentamentos da reforma agrária, bem como orientação jurídica e capacitação sobre os direitos das mulheres assentadas".

Essa agenda de implementação de direitos das mulheres que o *II Plano* contempla decorre também de vários instrumentos do direito internacional dos quais o governo brasileiro é signatário e ratificou como Estado-membro das Nações Unidas e que foram forjados sobretudo pelo ativismo das mulheres, de todas as partes do mundo, nos fóruns internacionais convocados pela ONU, nos quais o Movimento Feminista Brasileiro tem sido um dos protagonistas mais ativos. Desse processo resultaram pactos, tratados, convenções tais como, entre outros:

- a Convenção para a Eliminação de Todas as Formas de Discriminação contra a Mulher, aprovada pela ONU, em 1979, e ratificada pelo Brasil em 1984 e 1994;
- a Convenção Interamericana para Prevenir, Punir e Erradicar a Violência Contra a Mulher (Convenção de Belém do Pará) aprovada pela ONU, em 1994, e ratificada pelo Brasil em 1995;
- a IV Conferência Mundial das Nações Unidas sobre a Mulher (ou Conferência de Beijing) realizada em Beijing, China, em 1995, que afirmou os direitos igualitários e específicos das mulheres e recomendou aos Estados as medidas necessárias para efetivá-los;
- a Conferência Internacional sobre População e Desenvolvimento, realizada no Cairo, em setembro de 1994, na qual foi afirmado o papel central da saúde reprodutiva e sexual e os direitos da mulher para os temas de população e desenvolvimento;
- a Conferência Mundial Contra o Racismo, Discriminação Racial, Xenofobia e Intolerância Correlata de 2001, em Durban, África do Sul, que recortou as formas particulares de opressão sofridas pelas mulheres pertencentes a grupos raciais e étnicos em função das discriminações decorrentes do racismo e do sexismo, e propôs medidas específicas para a superação das desigualdades que essas práticas produzem.

O compromisso do governo brasileiro em relação a cada um desses instrumentos internacionais é o de empreender ações, na forma de políticas públicas de promoção da igualdade e equidade de gênero, e de combate às ideologias, às crenças e aos valores que propugnam *status* subordinado ou inferior às mulheres. Deve ainda o Estado brasileiro apresentar periodicamente, às Nações Unidas, relatórios de progressos, que são devidos para cada um desses instrumentos quanto à erradicação dos fatores que subjugam as mulheres.

No entanto, os esforços que as mulheres vêm realizando em nível nacional e internacional para ampliar e/ou implementar sua carteira de direitos, sobretudo sua concretização nas políticas públicas, esbarram sistematicamente nas posições conservadoras notadamente de inspiração religiosa.

Dentre os fatores que ameaçam as conquistas das mulheres no Brasil têm lugar privilegiado as ambiguidades que cercam a laicidade do Estado brasileiro presentes na própria Constituição cidadã de 1988. Uma dimensão fundamental do Estado laico, segundo Coq,[8] além da separação entre esfera política e vida religiosa e do reconhecimento público do direito à liberdade de consciência e opinião e de crença, é o entendimento de que o Estado laico é produção essencialmente humana, marcada pela autonomia do poder temporal.

Ensino religioso nas escolas públicas e suas interações com a laicidade e a questão da mulher

A mesma Constituição de 1988, em seu Capítulo III Da Educação, da Cultura e do Desporto Art. 210. § 1º, concede que "O ensino religioso, de matrícula facultativa, constituirá disciplina dos horários normais das escolas públicas de ensino fundamental". São incoerências que denunciam as dificuldades do Estado brasileiro para romper com sua tradição de amálgama entre os interesses do Estado e da Igreja, como demonstrado por Fischmann.[9]

---

8   Coq *apud* FISCHMANN, Roseli. *Estado laico*. São Paulo: Fundação Memorial da América Latina, 2008. Coleção Memo.
9   FISCHMANN, Roseli. *Estado laico*. São Paulo: Fundação Memorial da América Latina, 2008. (Coleção Memo)

Essas contradições instauram as brechas que permitem a violação do princípio da laicidade como os encontrados em estados brasileiros nos quais o ensino religioso se tornou obrigatório no ensino fundamental, como é o caso de Mato Grosso do Sul,[10] e não facultativo, como prevê a Constituição Federal. Cabe notar que essa disposição desse estado, em relação ao ensino religioso nas escolas públicas, tem precedentes históricos apontados no estudo *O ensino religioso e a interpretação da lei,* de Dickie e Lui; nesse artigo, resgatam o papel de organização católica do Mato Grosso do Sul, no processo de aprovação da lei nº 9394 de dezembro de 1996, e mais especificamente o seu parágrafo 33, modificado pela lei nº 9475, de 22 de 1997. Segundo essas autoras,

> Um breve histórico da aprovação dessa lei e de sua modificação é importante para que se perceba, já na sua promulgação, o desempenho de um forte *lobby* das igrejas cristãs, em especial da liderança aberta ou não da Igreja Católica Apostólica Romana. [...] Esse *lobby* se fez desde o período da Assembléia Nacional Constituinte, quando entidades como a Associação Interconfessional de Educação de Curitiba (Assintec) do Paraná, o Conselho de Igrejas para Educação Religiosa (Cier) de Santa Catarina, o Instituto de Pastoral de Campo Grande, Mato Grosso (Irpamat), e o Setor de Educação da CNBB (Grere), assumiram as negociações, legitimadas por coordenadores estaduais de ensino religioso dos estados onde ele já era regulamentado.[11]

---

10 Coincidentemente, o estado do Mato Grosso do Sul foi palco de uma ação inédita: quase 10 mil mulheres que foram atendidas numa determinada clínica médica em Campo Grande (MS), no período de 1999 a 2007, estão tendo seus prontuários vasculhados com a suspeita de terem praticado crime de aborto e consequentemente ameaçadas de serem processadas. O juiz responsável pela ação insólita argumenta que "Não é crueldade. É pedagógico. Elas vão olhar para aqueles meninos da creche [...] e vão pensar no filho que elas poderiam ter tido". *Correio Braziliense,* 29 abr. 2008.
11 DICKIE, Maria Amélia Schidt; LUI, Janayna Alencar. O ensino religioso e a interpretação da lei. Horizontes Antropológicos, ano 13, n. 27 p. 239, 2007. Disponível em: <http://www.scielo.br/pdf/ha/v13n27/v13n27a11.pdf>. Acesso em: out. 2008.

O resultado dessa ação foi a inscrição do ensino religioso na Constituição de 1988, em seu artigo 210, parágrafo 1º, citado anteriormente. Mas, segundo as autoras, essa articulação política pró-ensino religioso nas escolas públicas não se esgota aí, ao contrário, dizem elas no mesmo estudo que esse *lobby*:

> [...] se fez mais intenso e mais abrangente durante o período de elaboração da nova Lei de Diretrizes e Bases da Educação, só promulgada em 1996, a que ficou conhecida como Lei Darcy Ribeiro. É durante esse período que se constitui o Fórum Nacional Permanente do Ensino Religioso (Fonaper), uma organização voluntária, de âmbito nacional, composta por cristãos de diversas origens.

Em consonância com essa história, no Mato Grosso do Sul, o Conselho Estadual de Educação aprovou a Deliberação CEE/MS Nº 7760, de 21 de dezembro de 2004 que *"Dispõe sobre a oferta do Ensino Religioso no Ensino Fundamental para as escolas públicas, do Sistema Estadual de Ensino de Mato Grosso do Sul"*.

No histórico e análise da matéria, o Conselho Estadual de Educação (Campo Grande – MS) dispõe sobre a oferta do ensino religioso no Ensino Fundamental na indicação nº 043/04 na qual se afirma que:

> [...] o oferecimento do Ensino Religioso no Ensino Fundamental deve respeitar essas diversidades culturais e religiosas presentes na sociedade, não podendo ser, de forma alguma, um agente de discriminação ou de proselitismo.

O Conselho reafirma ainda outra anomalia em relação à laicidade do Estado presente na Lei de Diretrizes e Bases da Educação nº 9.394/96, em seu art. 33, com nova redação dada pela Lei nº 9.475, de 22 de julho de 1997 que preconiza que

O ensino religioso, de matrícula facultativa, é parte integrante da formação básica do cidadão e constitui disciplina dos horários normais das escolas públicas do ensino fundamental, assegurado o respeito à diversidade cultural e religiosa do Brasil, vedadas quaisquer formas de proselitismo.

Ora, se o ensino religioso é compreendido como "parte integrante da formação básica do cidadão", essa assertiva põe em questão a plena cidadania de ateus, agnósticos, pagãos e outros grupos, na medida em que, ao recusarem ou qualquer filiação religiosa ou simplesmente o ensino religioso (embora facultativo), estariam assumindo uma espécie de subcidadania ou uma cidadania inferior àquela destinada aos que professam alguma religião.

A suposta coerção ao proselitismo e à discriminação religiosa no ambiente escolar, por sua vez, encontra o seu limite na prática social. Basta atentar para as práticas de demonização das igrejas eletrônicas evangélicas em relação às denominações religiosas que lhes são concorrentes ou afirmando-se como a única fé legítima. Se essas práticas desafiam, no espaço público, preceitos legais que prescrevem a tolerância e a não discriminação, como supor que no espaço privado da sala de aula, onde a autoridade e a assimetria de poder entre aluno e professor asseguram a liberdade unilateral do mestre de afirmar suas posições dogmáticas, seria diferente?[12]

---

12 Lembremos da imagem de Nossa Senhora Aparecida despedaçada pela fúria de um pastor em espaço televisivo; ou a persistente intolerância que praticam diuturnamente em relação às religiões de matrizes africanas, fato que motivou a realização em 21 de setembro de 2008 da Caminhada pela Liberdade Religiosa realizada em Copacabana, Rio de Janeiro, com a presença de mais de 10 mil pessoas entre intelectuais, políticos, artistas e representantes de diversas religiões, em repúdio ao preconceito e à perseguição praticados contra o candomblé e a umbanda pelos membros das igrejas evangélicas. De acordo com um dos organizadores da manifestação, o babalorixá Ivanir dos Santos, são inúmeros os casos de preconceito no Rio, principalmente, contra as religiões de matriz africana como umbanda e candomblé [...] os ataques são "sistemáticos", inclusive pelos veículos de comunicação. "Há vinte anos sabemos de casos de invasão a casas, ofensas, violência. Algumas pessoas põem a Bíblia na nossa cabeça. Na escola, as crianças são chamadas de macumbeiras, dizem que seguem o diabo". *Jornal Irohin*. Disponível em: <http://www.irohin.org.br/onl/clip.php?sec=clip&id=4549>.

Porém, apesar do caráter facultativo expresso na Lei de Diretrizes e Bases da Educação, dada pela Lei nº 9.475, de 22 de julho de 1997, o Art. 3º da deliberação de 2004 do CEE do Mato Grosso do Sul instituiu que "o Ensino Religioso constitui disciplina obrigatória nas escolas do Ensino Fundamental, da rede pública do Sistema Estadual de Ensino". E em sua análise da matéria prescreve ainda que:

> Como área de conhecimento, o Ensino Religioso deve, também, trabalhar transversalmente aspectos da cidadania como: *saúde, sexualidade, meio ambiente, trabalho, ciência e artes*, com vistas à liberdade de aprender, ensinar, pesquisar e divulgar a cultura, o pensamento, a arte e o saber. O pluralismo de ideias e de concepções pedagógicas, o respeito à liberdade e o apreço à tolerância, implica ver o outro como um igual, independente de crença religiosa, classe social, gênero e raça.[13]

O que parece estar subjacente nessa proposição é que temas afeitos à cidadania, que em si é laica, como saúde, sexualidade, trabalho, meio ambiente, ao serem tratados como temas transversais do ensino religioso, sejam perpassados por concepções ou dogmas religiosos acerca deles, com as contradições esperadas e, ainda pior, amalgamadas nos conteúdos comuns e corriqueiros da escola, sem que a própria criança ou adolescente possa se aperceber desse tipo de influência, passada de forma sorrateira.

Em relação, por exemplo, aos temas da saúde e sexualidade, há a interferência de posições doutrinárias de cunho religioso que conspiram contra a liberdade no exercício da sexualidade e da prevenção a doenças sexualmente transmissíveis, como a condenação pela Igreja Católica ao uso de preservativos, a

---

13 Grifo nosso.

despeito de se fazer ao custo de morbidades e mortes evitáveis, especialmente de mulheres, ou de estarem em discrepância com a mudança de padrões culturais e comportamentais que alcançam os próprios membros dessa religião.[14] Some-se a isso a ingerência dos atores políticos vinculados às denominações religiosas para dificultar a legalização da união estável para casais formados de pessoas do mesmo sexo e, sobretudo, a sua influência política determinante para a postergação da descriminalização do aborto e a negação ao direito ao aborto legal decorrente de estupro.

Um dos projetos de lei em tramitação no Congresso Nacional pretende que o Estado ofereça o subsídio de um salário mínimo durante dezoito anos para evitar que mulheres vítimas de estupro que engravidarem possam abortar. O projeto visa suprimir a permissão legal de aborto em caso legal em vigência. Apelidada de "bolsa-estupro", o projeto de lei de iniciativa de deputados evangélicos é assim fundamentado pelo deputado Henrique Afonso:

> O aborto, para nós, evangélicos, é um ato contra a vida em todos os casos, não importa se a mulher corre risco ou se foi estuprada [...]. Essa questão do Estado laico é muito debatida, tem gente que me diz que eu não devo legislar como cristão, mas é nisso que eu acredito e faço o que Deus manda, não consigo imaginar separar as duas coisas.[15]

Tem-se com isso a medida do limite das disposições sobre o ensino religioso nas escolas públicas, que supõe ser possível a observância do quesito presente na Lei, já citada: "não podendo

---

14 Pesquisa que mencionaremos adiante revela que a maioria das mulheres que fazem aborto no Brasil foram batizadas na Igreja Católica.
15 Disponível em: <http://www.estadao.com.br/geral/not_ger95333,0.htm>. Acesso em: jan. 2008.

ser, de forma alguma, um agente de discriminação ou de proselitismo". Ou seja, tudo estará nas mãos de professores e professoras, que bem poderão alegar, como o deputado, estarem apenas fazendo "o que Deus manda".

Por sua vez, o clero católico e seus representantes civis afirmam sua supremacia patriarcal impondo normas e os seus dogmas acima da vontade e dos direitos das mulheres. A evidência de que a cúpula da Igreja Católica opera à revelia dos desejos das mulheres em geral, e das católicas em particular, se manifesta nos resultados da pesquisa divulgada pela organização Católicas pelo Direito de Decidir, segundo a qual 72% das mulheres católicas apoiam o direito de escolha de grávidas de fetos sem cérebros (anencéfalos).[16] Os resultados de outra pesquisa realizada por professores da Universidade de Brasília (UnB) e da Universidade do Estado do Rio de Janeiro (UERJ) sobre o perfil das mulheres que abortaram revelam que os dados coletados "desmontam uma série de mitos sobre quem interrompe a gravidez. Elas não são adolescentes. São mulheres católicas como a grande maioria dos brasileiros e têm relacionamentos amorosos fixos".[17]

Outro caso acintoso de violação dos direitos das mulheres ocorreu em Jundiaí, cidade do interior de São Paulo, onde a Câmara de Vereadores aprovou a Lei nº 7.025/2008, sancionada pelo prefeito em 4 de abril de 2008, que proíbe as mulheres de utilizarem a "pílula do dia seguinte"[18] e interrompe sua distribuição pelos serviços públicos conveniados de saúde do município. Essa lei é objeto de ação de inconstitucionalidade movida por organizações de defesa dos direitos das mulheres, que iden-

---

16 Pesquisa realizada pelo IBOPE a pedido da organização Católicas pelo Direito de Decidir e do Instituto ANIS – Instituto de Bioética, Direitos Humanos e Gênero.
17 DINIZ, Débora. Entrevista. *Correio Braziliense*, 29 abr. 2008.
18 Essa pílula deve ser tomada até 72 horas depois da ocorrência da relação sexual desprotegida. Sua ação é impedir o encontro entre o espermatozoide e o óvulo. Ela só tem eficácia no caso da gravidez ainda não tiver ocorrido. Por isso ela não é abortiva, como argumentam os religiosos.

tificam a influência da hierarquia da Igreja católica nessa decisão. Essas organizações alegam, em sua ação de inconstitucionalidade, que a lei promulgada em Jundiaí viola disposição constitucional e também a Lei 9.263/96[19], que dispõem sobre o direito de acesso a métodos contraceptivos e ao planejamento.

Em síntese, a negação do direito à interrupção da gravidez, mesmo quando decorrente de estupro, a condenação do uso de preservativos e anticoncepcionais, a cândida defesa da castidade e da fidelidade como formas privilegiadas de prevenção de doenças sexualmente transmissíveis, a condenação à homossexualidade e à lesbianidade são conteúdos presentes nas tradições cristãs[20] que estariam orientando o ensino religioso nas escolas públicas no tocante aos temas de saúde e sexualidade, propostos como transversais ao ensino religioso pela legislação de Mato Grosso do Sul, como citado.

O tema do meio ambiente, também citado na norma de Mato Grosso do Sul, tem sido recortado e manipulado pela intolerância religiosa para desqualificar ou demonizar o candomblé e a umbanda e suas práticas rituais, colocando-as como violadoras dos respeitos aos animais e predatória em relação ao meio ambiente. Quanto ao tema do trabalho e seu recorte de gênero, repõe-se as diatribes já mencionadas acerca do papel fundamental da mulher na sociedade, e os limites de sua ação, como trabalhadora, na esfera pública, expressas na *Carta aos bispos católicos*.

---

19   Lei do Planejamento Familiar.
20   Cabe notar que há diferenças importantes entre as denominações cristãs e, no interior das mesmas, em relação a esses temas. Há, dentre elas, inclusive aquelas que defendem a legalização do aborto e até distribuem métodos contraceptivos ou de prevenção de DSTs, e que, ao mesmo tempo, condenam a homossexualidade e a consideram doença. Portanto, se essas denominações não têm um pensamento monolítico sobre esses assuntos, não há também nenhuma em que alguma interdição/condenação em relação a algum deles não sejam observadas. Para além dessas diferenças ou contradições, prevalecem para o interesse dessa análise as posições oficiais e as intervenções e proposições de seus representantes junto às diferentes esferas do Estado, em especial nas políticas públicas e em proposições legais.

Há, portanto, um conjunto de valores e princípios incompatíveis entre os que conformam a cidadania e os que são derivados de convicções religiosas no que diz respeito às relações e atribuições de gênero. Então, o que está em causa é: se o princípio da desigualdade natural entre os sexos é um dos fundamentos do sistema de valores religiosos, qual a possibilidade do ensino religioso nas escolas públicas ser conduzido, de maneira efetiva, pelo respeito à igualdade na diferença? Por outro lado, ao apropriar-se dos temas da cidadania, por meio do ensino religioso, as religiões se instituem, no sistema educacional, como elementos chaves da construção dos fundamentos da formação cidadã sem poder assegurar uma de suas dimensões fundamentais que é a liberdade de escolha, em todas as esferas da vida, e a igualdade entre todos os seres humanos; em contraposição a essa igualdade, apregoa o Vaticano, como também outras crenças, que "desde o primeiro momento da criação, homem e mulher são diferentes, e continuarão assim pela eternidade",[21] significando essa assertiva, para além da diferença biológica, diferença de direitos e deveres entre homens e mulheres. É essa concepção que ela ordena para os seus fiéis e aos que ministram o ensino religioso nas escolas públicas.

O antídoto a esse rol de ambiguidades presentes em diferentes dispositivos que regulam o Estado brasileiro, sobretudo no que tange à incompatibilidade do Estado laico com o ensino religioso nas escolas públicas, seria a supressão do referido inciso do artigo 210 da Constituição por meio de emenda constitucional de forma a reafirmar o dispositivo expresso em seu no art. 19, inciso I, do Título III – Da Organização do Estado que veda à União, estados e municípios "estabelecer cultos religiosos ou igrejas, subvencioná-los, embaraçar-lhes o funcionamento *ou manter com eles ou seus representantes relações de dependência ou aliança* [...].[22]

---

21   *Carta aos bispos católicos.*
22   Grifo nosso.

Conclusão

A laicidade do Estado impõe-se como condição inegociável e irrecorrível para a efetivação dos direitos das mulheres em especial nos campos da sexualidade e da reprodução. Somente o Estado verdadeiramente laico dispõe dos instrumentos capazes de realizar direitos que vem sendo arduamente conquistados pelas mulheres no Brasil e no mundo, que são hoje consagrados no direito internacional, embora alvo perene do combate dos fundamentalismos religiosos. A Conferência do Cairo constituiu-se em um dos palcos privilegiados dessa ação, adquirindo sob certos aspectos a forma do paradoxo. Nela, assistiu-se alianças inusitadas ao reunir num mesmo campo político a Santa Sé, cristãos de diferentes denominações e representantes de diversos países islâmicos irmanados no combate às proposições relativas à promoção da igualdade e equidade de gênero, e à afirmação dos direitos sexuais e reprodutivos das mulheres.

Há em comum entre as diferentes crenças religiosas a convicção de uma hierarquia natural entre os sexos com dominância masculina ditada pela vontade divina e pela diferença biológica. É uma visão incompatível com o princípio da autonomia que o feminismo advoga para as mulheres. J.A. Lindgren Alves, diplomata membro titular da Subcomissão de Prevenção da Discriminação e Proteção das Minorias da ONU e delegado da Conferência Internacional sobre População e Desenvolvimento (Conferência do Cairo), aponta que:

> Acima, portanto, das diferenças entre Oriente e Ocidente e entre formas de organização social coletivistas e individualistas, da contraposição política entre autoritarismo e democracia, das disputas socioeconômicas entre países ricos e países pobres, e das distinções e rivalidades entre as crenças coletivas de cada grupo de nações, o que se esboçou no Cairo não foi um conflito de civilizações,

mas sim outro paradigma de antagonismo internacional, contrapondo fé e realidade social, religião e secularismo, teocracia e Estado civil.[23]

No âmago dessas contraposições apontadas por Alves, está o estatuto da mulher nas tradições religiosas, posto que a agenda da Conferência do Cairo passava, de maneira inescapável, pelo corpo das mulheres sob o qual todas as denominações religiosas citadas por Alves, grandemente representadas por homens, disputavam controle e pretendiam deliberar notadamente no campo da sexualidade e da reprodução. A despeito das diferenças, há em comum, entre diferentes crenças, o fato de que, invariavelmente, a defesa de seu controle pelo poder patriarcal é um dos pontos de sustentação da moral religiosa que se consubstancia no controle da "virtude" feminina.

A luta feminista é expressão da recusa das mulheres à tirania e tutela masculina, advindas de líderes religiosos, políticos, maridos ou companheiros que se arvorem o direito de determinar, à sua revelia, os limites de seus direitos e o escopo de suas atribuições na esfera pública ou privada.

Os tentáculos da Igreja Católica, e outras denominações religiosas, nas diferentes esferas de poder, asseguram a defesa de suas posições nas instâncias do Estado, comprometendo a sua laicidade, em especial no tocante às políticas públicas de gênero, das quais o caso mais notório é a resistência pela descriminalização do aborto; um problema sério de saúde pública, diante do qual o Estado não pode se omitir pela quantidade de mulheres que morrem ou adquirem sequelas graves em decorrência de abortos mal-sucedidos realizados de modo clandestino.

---

23 ALVES, J.A. Lìndgren. A Conferência do Cairo sobre População e Desenvolvimento e o Paradigma de Huntington. p. 10. Disponível em: <http:// www.abep.nepo.unicamp.br/docs/rev_inf/r12/alves.doc>.

A decisão de interrupção da gravidez é de foro íntimo da mulher ou do casal, cabendo ao Estado laico apenas assegurar os meios seguros de sua realização para aqueles que têm liberdade de consciência para assim o decidir. Aos que estão impedidos de adotar essa prática por convicções religiosas, lhes cabe ter quantos filhos a providência divina lhes prover sem interferência na decisão dos outros. Esse é o sentido da laicidade no Estado democrático de direito, o respeito à liberdade de consciência e de crença de todos sob a égide da imparcialidade e neutralidade do Estado em termos religiosos.

Com sua agenda de direitos, o feminismo aprofunda a concepção de democracia dotando de substância noções que lhe são intrínsecas, como as de igualdade e liberdade, traduzindo-as nas vivências concretas das mulheres. Assim, *slogans* feministas como "Nosso corpo nos pertence" são expressões sintéticas de um ideário que busca instituir às mulheres direitos igualitários negados pela ideologia patriarcal e religiosa que sustenta e naturaliza um direito indevido dos homens de controle sobre o corpo feminino, de imposição de limites e controle a sua liberdade de escolha, em especial no campo sexual e afetivo, que são as fontes inesgotáveis da violência doméstica e sexual das quais incontáveis mulheres são vítimas cotidianamente e que têm no caso recente da adolescente Eloá um de seus casos mais emblemáticos e trágicos.[24]

São essas condições que tornam teoria e política feminista um dos pilares do Estado laico, como apontado por diversas pensadoras feministas, na medida em que ele empreende a desnaturalização dos papéis de gênero e se situa na raiz do enfrentamento aos fundamentalismos que operam na perpetuação da subjugação do feminino ao masculino e destina às mulheres o

---

24   Caso da adolescente Eloá Cristina Pimentel, de 15 anos, feita refém e assassinada em outubro de 2008, pelo ex-namorado ciumento que se recusou a aceitar a separação.

papel social da reprodução e administração familiar como seus atributos essenciais.

Torna-se, portanto, evidente, os riscos que representam para a autonomia das mulheres o ensino religioso nas escolas públicas, pois é impossível incorrer na ingenuidade de supor que essa prática no cotidiano escolar possa se dar dissociada dos valores que alicerçam os dogmas religiosos particularmente em relação à mulher. Basta lembrar que, numa dessa doutrinas, enquanto o homem é concebido como à imagem e semelhança de Deus, a mulher é vista como subproduto do homens, posto que feita de sua costela, sendo também ela culpada pela perda do paraíso, razão pela qual, cita a *Carta dos Bispos*, "nas palavras que Deus dirige à mulher a seguir ao pecado, é expressa de forma lapidar, mas não menos impressionante, o tipo de relações que passarão a instaurar-se entre o homem e a mulher: 'Sentir-te-ás atraída para o teu marido e ele te dominará'".

Os dogmas religiosos são claros na sua incompatibilidade com a agenda dos direitos humanos das mulheres defendidos pelo feminismo no Brasil e no mundo. Por isso, o tema da laicidade conforma, entre outros, um campo de disputa sobre um território muito bem demarcado que é o corpo feminino, sobre o qual a ideologia e o poder patriarcal e religioso insistem em manter o controle, apoiado fortemente em dogmas religiosos que conspiram contra a plena emancipação das mulheres, em todas as dimensões da vida. Dessa perspectiva, a educação religiosa nas escolas públicas constituiu-se em estratégia de normalização do comportamento feminino, de educar para a submissão. A atribuição à religião do papel de conformação da ética para a cidadania passa ao largo de todos os crimes praticados historicamente em nome de Deus por diferentes religiões e ademais silencia sobre as perversões sexuais praticadas por líderes religiosos suficientemente divulgadas na esfera pública, contemporaneamente. A ética republicana e laica independe da religião para conformar o sujeito moral no sentido kantiano do termo.

Bibliografia consultada

ALVES, J.A. Lindgren. A Conferência do Cairo sobre População e Desenvolvimento e o Paradigma de Huntington. Disponível em: <http:// www.abep.nepo.unicamp.br/docs/rev_inf/r12/alves.doc>.
CATOLICAS ONLINE. Quem somos. Disponível em: <http://www. catolicasonline.org.br/QuemSomos.aspx>.
DELIBERAÇÃO CEE/MS Nº 7760, de 21 de dezembro de 2004. Deliberação do Conselho Estadual de Educação que dispõe sobre a oferta do Ensino Religioso no Ensino Fundamental para as escolas públicas, do Sistema Estadual de Ensino de Mato Grosso do Sul.
DICKIE, Maria Amélia Schidt; LUI, Janayna Alencar. O ensino religioso e a interpretação da lei. *Horizontes Antropológicos*, ano 13, n. 27 p. 237–252, 2007. Disponível em: <http://www.scielo.br/pdf/ha/v13n27/ v13n27a11.pdf>. Acesso em: out. 2008.
DINIZ, Débora. Entrevista. *Correio Braziliense*, 29 abr. 2008.
ESTADÃO. Disponível em: <http://www.estadao.com.br/geral/not_ger95333,0.htm>. Acesso em: jan. 2008.
FISCHMANN, Roseli. *Estado laico*. São Paulo: Fundação Memorial da América Latina, 2008. (Coleção Memo)
JORNAL IROHIN. Disponível em: <http://www.irohin.org.br/onl/clip.php?sec=clip&id=4549>.
RATZINGER, Joseph Card; AMATO, Ângelo. Carta aos Bispos da Igreja Católica Sobre a Colaboração do Homem e da Mulher na Igreja e no Mundo. Disponível em: <http://wwwgations/cfaith/documents/rc_con_cfaith_doc_20040731_collaboration_po.html>. Acesso em: jan. 2008.
SECRETARIA Especial de Políticas para as Mulheres SPM. II Plano Nacional de Políticas para as Mulheres. Brasília, 2008. Presidência da República Esplanada dos Ministérios, Bloco L, Edifício Sede, 2º andar. Disponível em: <http://200.130.7.5/spmu/docs/Livreto_Mulher.pdf>.

Política cultural e cultura política: contradições e/ou complementaridades?

Texto apresentado no III Fórum Nacional de Performance Negra em julho de 2009.

Boa noite a todas e a todos. Estou aqui incumbida de realizar uma tarefa sobre um tema sobre o qual eu tenho, antes de tudo, muitas dúvidas, inquietações e perguntas e nenhuma reflexão suficientemente articulada. Então, por que estou nesta mesa?

Este é o preço que se paga por se ser refém de certas pessoas às quais não se consegue dizer não, às quais a gente simplesmente atende porque elas têm poder de convocação sobre a gente.

Poder conquistado pela admiração e pelo respeito que essas pessoas gozam quase e entre diferentes "tribos" de militantes de diferentes áreas. Este é evidentemente o caso de Cobrinha, que me fez o honroso convite para aqui estar, embora eu mantenha a dúvida de que possa atendê-lo como ele merece. Como risco adicional me cabe falar na cidade da cultura negra por excelência, onde se concentra o maior acúmulo de reflexão sobre esse tema.

Portanto, o título pomposo dado à minha fala não reflete absolutamente o que estou em condições de dizer sobre o tema; na verdade, trago apenas, como já disse, as inquietações que ele produz em mim.

E esses questionamentos vêm desde lá de casa. Sou mãe de uma mulher negra que entendeu ser a cultura negra, particularmente na expressão da dança, a forma por excelência de sua manifestação política e de afirmação racial e pessoal. Em muitos momentos, ela me inquiriu acerca dessa minha negritude que prescindia do jongo, do makulelê, do maracatu e de tantas outras manifestações culturais negras das quais eu sempre estive distante. Aliás, sou mãe de bailarina negra sem nunca ter sido capaz de dançar razoavelmente qualquer coisa.

Em verdade, compreendi os questionamentos de minha filha como um puxão de orelha, a presença de uma dívida que eu tenho em relação à questão cultural que ela se dispõe a resgatar por amor e como uma espécie de redenção da velha militante devedora diante deste tema, seja do ponto de vista da reflexão, seja do ativismo cultural.

Este débito não é fortuito, fruto de algum desleixo intencional. Ele talvez seja antes consequência de uma cultura política que marcou muitos militantes de minha geração. Uma cultura ativista dotada de estreita ou insuficiente concepção do que seja política cultural. Limitação que por longo tempo permeou e tensionou as relações entre os movimentos sociais culturais negros e os movimentos negros convencionais. Tais limitações revelam as dificuldades de uma certa visão de movimento para compreender e incorporar, de forma estratégica, a cultura negra no âmbito da luta negra ou, dito de outra forma, para perceber o que há de estratégico para a luta negra no âmbito da cultura negra.

Entendo, então, que o processo de dominação cultural produz ônus em nossos esforços tanto de preservação e afirmação identitária, como nos de superação do racismo e conquista de igualdade racial.

Isso se expressa no enquadramento do movimento negro em paradigmas políticos oriundos de um mesmo sistema de dominação sem a construção de uma crítica política suficientemente eficaz para evitar a subordinação ou a domesticação.

Do ponto de vista da cultura política, pertenço a uma geração de militantes negros que manifestou em inúmeras oportunidades a dificuldade de dialogar de maneira séria e consequente com a questão cultural. Em muitos momentos, essa geração foi acusada, justamente, de ter uma visão instrumental da cultura negra incapaz de perceber a forma particular de politização e a ação política que a dimensão cultural contém.

Em grande parte, essa visão distorcida do fato cultural decorreu de certa concepção que informou, ao menos em São Paulo, o Movimento Negro pelo que emergiu no bojo do processo de redemocratização da sociedade brasileira, na década de 1970, instituindo-se grandemente em posição crítica ao caráter culturalista das organizações negras da época.

A nova geração de militantes advogava pela "politização" do Movimento Negro e isso passou a significar uma aproximação maior do Movimento com as formas institucionalizadas de luta política, como os partidos políticos e/ou as tendências políticas notadamente de esquerda, tendo por matriz teórica privilegiada de análise e compressão do real o materialismo histórico e dialético ou, de maneira mais genérica, o pensamento e os pensadores de esquerda.

E são bem conhecidas as dificuldades que tal concepção tem para dialogar e lidar com os fatos culturais, em especial com a experiência religiosa.

Temos aí um primeiro ponto de tensão para o diálogo e o equacionamento político de duas dimensões essenciais da luta: o ativismo político e o ativismo cultural, sendo este último o *lócus da resistência* mais persistente da experiência negra desde a escravidão. No entanto, não será essa tradição de resistência, em suas formas mais (puras) autênticas ou atualizadas, que irá informar o ativismo político negro que emerge na década de 1970, aquele que, em sua inspiração, é mais devedor da influência da revolução cultural de 68, das lutas de libertação do continente africano do jugo colonial de forte inspiração marxista.

Nesse contexto, perguntava-se qual o lugar da cultura negra nos processos de libertação interna. Como atualizá-la de forma a torná-la contemporânea e assim capaz de oferecer respostas aos nossos desafios atuais?

Acho que o ativismo cultural respondeu a essas questões de diferentes maneiras, mas creio que o ativismo estritamente "político" permaneceu sem saber exatamente o que fazer com a cultura negra. Como torná-la referência para sua prática política de forma a conformar algo mais em termos de ação política do que em simulacros de organizações, tendências ou aparelhos de esquerda ou de direita?

Esta me parece ser uma das dimensões da dominação cultural e dos desafios de descolonização de nossa ação política que nunca enfrentamos suficientemente, a elaboração de uma concepção política na qual cultura e política fossem heuristicamente consideradas. Portanto, estávamos diante de uma cultura política que de certa forma batia de frente com a política cultural aspirada ou vivenciada pelos produtores culturais negros.

Embora essa geração de militantes não pudesse e nem desejasse descartar a importância das diferentes expressões da cultura negra no âmbito da resistência negra, tal fato não foi suficiente para que, na maioria das vezes, a cultura negra e, particularmente, os agentes culturais fossem instrumentalizados, por vezes folcloricamente, na luta política em detrimento de seu reconhecimento como sujeitos políticos. Isso significava, grosso modo, que as manifestações culturais negras se prestavam ou estavam a serviço da mobilização social das massas negras, criando a audiência necessária para a fala militante. Tal atitude era objeto de várias críticas e denúncias dos produtores culturais, e criava em alguns momentos nichos incomunicáveis.

Talvez seja possível afirmar que foram os blocos afro-baianos os primeiros a nos mostrar os caminhos de uma provável síntese dessas duas perspectivas de condução da luta racial, revelando as amplas possibilidades da ação política pela via cultural.

Ou, dito de outra maneira, talvez tenham sido eles na contemporaneidade os que de maneira mais contundente ousaram ressignificar as relações entre cultura e política no interior do Movimento Negro e instituir um novo sujeito político que sintetiza as duas dimensões, obrigando o reconhecimento de uma identidade política específica na qual a autonomia e a prevalência do cultural seriam afirmadas.

Depois deles, o Movimento Hip Hop nos colocou diante das mesmas dificuldades ao revelar uma construção coletiva da juventude negra que se organizava à margem do Movimento Negro tradicional, produzindo novos atores com grande poder de vocalização na esfera pública e, em particular, na mobilização da juventude negra. Com ritmo e poesia, dança e grafite, conformaram tanto uma expressão artística como um modelo de denúncia e combate à exclusão de base racial e cultural, além de ampliarem as fronteiras do pertencimento racial e cultural que extrapolavam as fronteiras nacionais, guardando reservas e desconfianças em relação às práticas usuais das organizações negras, sobretudo no que tange à instrumentalização da cultura.

Ao contrário, com a cultura hip hop, jovens negros nele organizados, recusaram a tutela do Movimento Negro e afirmaram-se como "jovens protagonistas, porque temos nos posicionado como sujeitos em busca de real autonomia e desenvolvido ações próprias muito relevantes".

Dificuldades semelhantes encontramos na relação com as religiosidades de matriz africana, em que códigos diferentes se confrontavam provocando arestas e incompreensões.

São rápidos exemplos com os quais quero pontuar as dificuldades que temos enfrentado para o ajuste de nossa perspectiva sobre a complexa relação entre política e cultura, resguardando de início que entendo estarmos diante de duas formas legítimas de ação política e de politização da questão racial, mas que guardam especificidades e requerem mediações para um diálogo mais eficiente e a potencialização da estratégia de luta coletiva.

Então, se do ponto de vista da ação política militante vivemos contradições derivadas de limitações de nossa perspectiva política para integrar estrategicamente a dimensão cultural, de outro lado, a questão da cultura negra está prenhe de desafios. Um dos mais inquietantes é a dificuldade que temos de libertar a cultura negra da fossilização e da folclorização em que a dominação cultural branca a inscreveu e que, de certa forma, reproduzimos. Isto faz, sobretudo, que tendamos mais a reiterar, em nosso processo de afirmação cultural, as representações consolidadas no imaginário cultural do que a buscar a atualização e a recriação de nosso patrimônio cultural.

Nesse sentido, temos aqui o desafio de descolonização de certa representação das manifestações culturais negras que, a pretexto de valorizá-las, também as reificam. Para Stuart Hall, o estereótipo é central para a representação da diferença nas sociedades racializadas. Indo mais além, o autor adverte que "o estereótipo é um elemento-chave nesse exercício da violência simbólica". Dessa maneira, libertar as manifestações culturais negras das formas congeladas de representação com as quais elas foram apropriadas me parece ainda uma questão pendente.

Por outro lado, se a resistência cultural tem sido fundamental na preservação de nossa identidade e na sustentação de muitas comunidades negras, quais são os valores, os princípios, as estruturas, os saberes e as relações de poder que se extraem de nossas manifestações culturais e como eles podem ainda, no presente, ancorar nossos sonhos de liberdade?

Essas questões exigem que nos detenhamos nos mecanismos de fixação e imobilismo que impedem o avanço do próprio processo de transformação cultural como um dos eixos fundamentais da transformação social.

O movimento de *preservação/atualização* cultural exige a subversão dos processos de expropriação da cultura negra – um dos aspectos da questão cultural no Brasil responsáveis pela folclorização, a fossilização e a fixação das culturas negras em imagens de controle que legitimam essa expropriação e deslocam as culturas negras do âmbito da contemporaneidade por meio do branqueamento dessas expressões da modernidade negra.

Explico: há a necessidade de ultrapassar os padrões fixados e introjetados de apresentação da cultura negra que, na maioria das vezes, as inscrevem no registro do arcaísmo.

O fato exige a atualização do patrimônio cultural e, sobretudo, a reversão dos processos de expropriação cultural que se processa quando as marcas culturais negras sofrem transfiguração de produtos culturais "nacionais" desencarnados de sua negritude.

Como assinalou o poeta Arnaldo Xavier, "A classe média [branca] constitui-se no *lócus* privilegiado da criação cultural, interagindo entre a modernização dependente e a busca de uma identidade que somente pode vir das raízes populares".[1] Reene-

---

[1] ARNALDO, Xavier. Ori or not ori. *Revista Teoria e Debate*, Secretaria Nacional de Combate ao Racismo do Diretório Nacional do Partido dos Trabalhadores, n. 31.

grecer o que foi embranquecido torna-se uma questão estratégica para a ruptura com os mecanismos de fixação, porque a produção cultural negra embranquecida pela indústria cultural branca transforma-se em produto nacional e as expressões culturais tradicionais convertem-se em representação cultural negra efetiva, algo da dimensão do folclore.

Nesse contexto, as imagens de controle que persistem sobre as culturas negras conspiram contra a emergência do novo descolonizado. Coloca-se, diante disso, o desafio da produção de novas narrativas sustentadas na experiência histórica que atualizem o ser negro no presente e diversifiquem a representação de suas potencialidades humanas.

As imagens fixadas sobre os negros prestam-se a ocultar o que há de extraordinário nesse processo de subalternização, que é a resistência que ele inspira produzindo tipos humanos insondáveis pelas condições que o originam e que seriam argamassa de uma poderosa dramaturgia que só engrandeceria os negros em geral, e os brasileiros em particular.

Como já questionei em outras oportunidades, como um negro pôde se tornar o maior escritor nacional, como Machado de Assis, ou outro, como Cruz e Sousa, pôde ser a expressão do Simbolismo à altura de um Baudelaire? Como foi possível uma Carolina de Jesus ou um Luiz Gama?

Como o maior prêmio internacional conquistado por um intelectual brasileiro é do negro Milton Santos? Como a cultura negra, tão desprezada e vilipendiada, pôde se tornar a parte mais celebrada da identidade nacional no plano internacional? Como os maiores astros brasileiros são jogadores negros?

Que gente é essa que, submetida desde sempre a uma opressão que beira o genocídio, consegue dar estes e tantos outros exemplos de superação humana, cada qual merecedor de um grande personagem shakespeariano?

São essas trajetórias humanas, de alto grau de dramaticidade, que são relegadas em nossa sociedade e em nosso imaginário. A maior expressão ficcional dos negros não reside na sua condição de subalternidade social. O grande tema é como, apesar de todas as estratégias de exclusão, eles aqui permanecem e se afirmam e recusam a redução de sua humanidade persistentemente negada pelo racismo.

Em síntese, a despeito de minha insuficiência para tratar do tema cultural, seja do ponto de vista teórico, seja do próprio fazer cultural, ele persiste em mim como desafio: a busca para compreender ou estabelecer os nexos, as complementaridades e as especificidades que estão postos na relação entre a ação política em sentido estrito e a ação política cultural.

E esse desafio se concretiza na necessidade que ele coloca de construção de um projeto político que estabeleça os nexos históricos e culturais que enlaçam todas as nossas lutas nos planos nacional e internacional, configurando africanos e afrodescendentes numa comunidade de destino, como bem o demarcou a perspectiva pan-africanista.

Tal projeto político a ser construído exige que revisitemos permanentemente a contribuição de africanos, negros e/ou afrodescendentes nas mais variadas modalidades de expressões culturais, e que entendamos que as culturas africanas e os afrodescendentes compõem o patrimônio cultural de africanos e afrodescendentes de qualquer lugar do mundo. Assim, será possível manter viva a memória de nossa incomparável capacidade de sobreviver nas condições mais dramáticas já conhecidas por um grupo humano – desconstruindo narrativas tradicionais e/ou colonizadas, expressando o nosso orgulho de pertencer às lutas empreendidas por homens e mulheres africanos e afrodescendentes, do passado e do presente, em incansável busca pela realização de seus sonhos de liberdade e igualdade.

Mulheres negras e poder: um ensaio sobre a ausência

A relação entre mulher negra e poder é um tema praticamente inexistente. Falar dele é, então, como falar do ausente. A oportunidade de discorrer sobre o assunto é um desafio proposto pela Secretaria Especial de Políticas para Mulheres (SPM/PR) e expressa a vontade política desta Secretaria de se ocupar com as questões concernentes às mulheres negras, o que é consistente e compatível com o esforço que essa Secretaria efetivamente vem fazendo no sentido de incorporar essa temática. Acredito que o eixo nove do II Plano Nacional de Políticas para Mulheres (II PNPM) é a política pública mais bem definida já elaborada em relação à questão de raça. Nele, foram contempladas questões críticas como a proposição de metas e a questão ideológica do combate ao racismo. Ou seja, do ponto de vista do que está no papel, é uma política que contempla, respeita e atende à perspectiva que as mulheres negras querem introduzir nas políticas públicas de gênero.

Publicado originalmente na revista do Observatório Brasil da Igualdade de Gênero pela Secretaria Especial de Políticas para as Mulheres em 2009.

Ao pensar as experiências concretas e poucas que as mulheres negras têm com instâncias de poder, o que me volta à lembrança são, por exemplo, os processos que culminaram com a saída da Ministra Matilde Ribeiro da Secretaria Especial para Promoção da Igualdade Racial (SEPPIR), e, antes dela, as circunstâncias que também desalojaram Benedita da Silva da Esplanada dos Ministérios. Duas mulheres que ocuparam as instâncias de poder, e é muito curioso o que nos diz o desenlace da presença dessas mulheres nessas instâncias. Na realidade, nas poucas experiências que nós temos nessa relação da mulher negra com o poder emerge, a meu ver, a força que essas determinações de raça e de gênero têm sobre as mulheres negras, mesmo as poderosas, conduzindo-as a trajetórias erráticas e diferenciadas nas instâncias de poder a que lhes têm sido possível ascender.

No caso da Matilde Ribeiro, por exemplo, encontramos imbricados todos os elementos que transformam as mulheres negras na antítese da imagem com a qual se associa o poder. O seu caso, a meu ver, revela ainda que há certas coisas que são admissíveis de serem feitas somente quando as personagens envolvidas são mulheres e, particularmente, negras. Como afirmei, em artigo no *Correio Braziliense* a propósito do caso de Matilde, não há como acusar de racismo a demissão de uma gestora pública sobre a qual pairam suspeitas de uso indevido de dinheiro público, o erro administrativo, tratando-se ou não de uma pessoa negra.

Houve, no entanto, sensível diferença no tratamento que foi dispensado à ex-ministra Matilde Ribeiro, dentro e fora do governo, quando esse tratamento é comparado ao dado a outros casos semelhantes ou mais graves do que o dela. A imprensa divulgou largamente que a Ministra sob acusação não fora chamada pelo Presidente da República, de quem teria cargo de confiança, para se explicar. Divulgou ainda que a ex-ministra foi sabatinada com direito a muitos pitos e puxões de orelha e aconselhamento para se demitir por outros três ministros, supostamente equivalentes a ela. Evidencia-se aí o que parece ter sido o caráter apenas simbólico do seu título de ministra. Demitida, é exposta a uma patética coletiva de imprensa, jogada aos leões, sem a presença de nenhuma das figuras de expressão do governo ou de seu partido para emprestar-lhe solidariedade, como houve em outros casos similares que envolveram homens brancos.

Na mídia, proliferaram charges sobre ela que extrapolaram em muito o objeto central da irregularidade de que era acusada. De forma grotesca, deram plena vazão aos estereótipos. As ilustrações de sua figura nos órgãos de imprensa serviram-se de todos os clichês correntes em relação às pessoas negras. Em uma delas, ela é representada sambando com batas africanas e tranças rastafári. Como se esses traços de identidade falassem por si só e, portanto, explicassem os erros que lhe custaram o cargo.

Foucault já explicou como se dá o processo que nomeou de "dobrar o delito". Dobrar o delito acoplando-lhe toda uma série de outras coisas que não são o delito mesmo, mas uma sequência de comportamentos, de maneiras de ser, que são apresentadas como causa, origem, motivação ou ponto de partida do delito. O resultado dessa operação é que a falha cometida se torna a marca, o sinal, de uma suposta imperfeição congênita de uma pessoa ou, mais ainda, de um grupo social. É como se estivesse inscrito em sua natureza, devendo por isso ser objeto de humilhação pública para servir de alerta para os que se esquecem dessa ausência natural de qualidade e os eleva a posições para as quais não estariam talhados.

Este "dobrar o delito" presta-se, também, como ameaça aos outros. Os outros do mesmo grupo inferiorizado que, porventura, ousem desejar atingir os mesmos postos. São formas de punição preventiva e educativa em que a estigmatização e a humilhação funcionam para afirmar a incapacidade e o despreparo para assumir funções diretivas. Em outras palavras, a necessidade de controle social e tutela desse segmento social considerado inferior.

Adicional e imediatamente, promoveu-se a confusão entre a pessoa da ministra e sua base. Passaram a pedir não apenas a sua cabeça, mas a extinção do órgão que dirigia. Alguém imagina pedir a extinção de qualquer outro Ministério ou Secretaria Especial por que seu titular cometeu desvio de conduta? Veiculou-se na imprensa que o presidente Luiz Inácio Lula da Silva estaria particularmente aborrecido porque lutou muito pela criação da Secretaria da Igualdade Racial, que era uma antiga reivindicação do movimento negro e por cuja criação o Presidente teria sido muito criticado. Segundo o presidente, a atitude de Matilde Ribeiro acabou dando argumentos a seus adversários, para os quais a Secretaria não teria função. Teria dado força para aqueles que propagam que não somos racistas no Brasil e que, portanto, negam as mazelas sociais que o racismo produz e, consequentemente, esvaziam de sentido essa Secretaria.

Mas, enquanto Matilde Ribeiro era convidada a se demitir, outros se tornaram ministros ou assumiram mandatos parlamentares com suspeitas bem mais graves, se a memória de todo mundo estiver suficientemente acesa para lembrar. Portanto, há discriminação quando as regras não se aplicam igualmente a todos, ou melhor, no fato de que alguns devam ser exemplarmente punidos e outros não. Houve racismo na associação entre a negritude da ministra e seus atos. Houve racismo no aproveitamento político de uma falha pessoal de uma gestora pública para a desqualificação da pasta que ela dirigia. Houve racismo na utilização das supostas irregularidades cometidas para negar a existência do problema racial e da necessidade de que seu combate seja objeto de políticas.

Fátima Oliveira, em artigo sobre o tema no *Jornal Hoje* de Belo Horizonte, também compara o tratamento dispensado a Matilde Ribeiro. Diz ela:

> Fui expectadora atenta do *affair* Ministra Matilde Ribeiro e do *affair* Rabino Henry Sobel. Duas personalidades pelas quais tenho enorme

e profundo respeito decorrente da história devida de ambos, cuja marca é o empenho pela democracia e pelos direitos humanos. É nítida a disparidade de tratamento da grande mídia nos dois casos. Também vale a pena mirar como cada setor de pertencimento de ambos reagiu. Em nota, o rabino declarou que jamais teve a intenção de furtar qualquer objeto em toda a sua vida. Está habituado a enfrentar crises e acusações de que possa se defender. E afirmou que não admite que tentem desqualificar os valores morais que sempre defendeu.

Exige respeito, diz Fátima Oliveira. E está certo. A nota do rabino foi referendada pela Confederação Israelita Paulista. Não houve um só judeu que se atrevesse a dizer o contrário, nem os declarados desafetos do rabino. Fátima chama isso de solidariedade. Por sua vez, a mídia acatou aversão da não intencionalidade do acontecido e passou a tratar o ocorrido como súbito distúrbio de comportamento. Ao contrário, Matilde Ribeiro foi crucificada em praça pública.

Com Benedita da Silva, assistiu-se, em diferentes ocasiões, a manifestações acerca do caráter inusitado de sua presença em redutos do poder. Quando Deputada, teve que suportar o presidente do Sebrae, à época, dizer, a propósito de ilustrar a desfiguração de projetos de lei que sua área sofre no Congresso, que "no Congresso entra uma coisa, assim, tipo Marilyn Monroe e sai outra, tipo Benedita da Silva". Quando Governadora, as manchetes alardeavam: "Mulher negra ex-favelada assume pela primeira vez o governo do Rio de Janeiro". Essa foi a tônica das manchetes sobre a ascensão de Benedita da Silva ao governo do Rio. As ênfases à condição de raça, gênero e de classe da governadora eram exemplares do ineditismo de que o fato se revestia. E, algumas vezes, foram ambíguas o suficiente para deixarem à mostra, misturada à celebração do fato, o desconforto com a sua inadequação.

Millôr Fernandes foi um dos que reagiram às reações celebrativas dizendo "ser preciso acabar com essa demagogia porque a favela do Chapéu Mangueira é favela de granfino, o *slogan* 'Black is beautful' já superou a identificação entre negros e pobres e, a não ser como piada, nunca ouvi alguém ser contra mulher". Poderia ser, e deveria ser simplesmente assim, mas não o é. Na "favela de granfino", onde nasceu Benedita, as mulheres são estupradas aos 7 anos, perdem filhos por doenças evitáveis, abortam em condições subumanas e a fome é rotina cotidiana. Essa é a história de Benedita da Silva que, segundo a ex-deputada Heloneida Studart, conseguiu ser mais forte que o seu destino. Um destino que condena a maioria daqueles, sobretudo daquelas que nascem e vivem sob essas condições – a marginalidade, a prostituição e toda sorte de degradação humana. Benedita, como toda exceção, confirmou a regra.

Outras manchetes acentuavam a condição de "fora de lugar" da governadora. Dizia uma delas: "Nova governadora do Rio se transfere com o marido-ator para endereço símbolo da riqueza carioca". Ou, como dizia outra: "Primeira governadora negra se muda com o marido para o palácio construído no século passado pela família Guinle, a mais tradicional representante da elite carioca". Sem dúvida, Benedita aparecia como "fora de lugar".

Mais expressivas ainda foram as reações em relação à montagem de sua equipe de governo. Diziam as manchetes: "Governadora coloca sete negros no primeiro escalão". Outra alardeava: "Priorização da escolha pela raça". Na verdade, eram apenas sete pessoas negras nomeadas por Benedita num conjunto de 36 secretários, mas ainda assim esses sete foram considerados demais. As reações foram imediatas. Um dos leitores do jornal *O Globo* exigiu explicações sobre o critério cor negra da pele adotado pela governadora para a escolha de seu secretariado e acrescentou: "Certamente, se alguém afirmasse ter feito semelhante escolha priorizando a cor branca da pele, já teria sofrido toda sorte de retaliações".

O racismo é assim, cruel. Ao instituir a superioridade de um grupo racial e a inferioridade de outro, gera diversas perversidades.

A excelência e a competência passam a serem percebidas como atributos naturais do grupo racialmente dominante, o que naturaliza sua hegemonia em postos de mando e poder. Nunca ouvimos alguém se levantar, além da minoria de mulheres feministas ou militantes negros, quando o secretariado é composto em sua totalidade por homens brancos. Encara-se como natural. Não se coloca em questão se a competência ou a qualificação técnica foram devidamente contempladas nas nomeações. Menos ainda nos atos insanos quando um engenheiro assume uma pasta da cultura ou da saúde. Entende-se que isso se deva às composições partidárias, necessárias à governança. Ou, pior, em geral esses "seres superiores" são considerados naturalmente aptos, a despeito de sua formação ou trajetória profissional, para assumir qualquer cargo de poder. O estranhamento se dá quando esse mundo inteligível ao qual nos habituamos sofre alguma alteração. E, sobretudo, quando muda por ações intencionais ditadas pelo princípio democrático de respeito à diversidade. Somente quem pertence a grupos historicamente discriminados sabe dos inúmeros negros, das incontáveis mulheres e homossexuais que deixaram e deixam de ser lembrados para ocupar posições nas estruturas de poder por essa lógica de exclusão que o racismo e o ceticismo determinam.

Combinar os critérios de qualificação técnica com recorte de gênero e de raça é a única maneira de romper com a lógica excludente, que historicamente norteia as estruturas de poder do país, e, sobretudo, é requisito para o aprofundamento e a radicalização de uma perspectiva democrática no Brasil. Um risco e um desafio que, naquele momento, apenas uma mulher negra e ex-favelada se dispôs a enfrentar, ao nomear sete secretários negros. Coragem típica de quem teve que reescrever com dor e lágrimas o seu próprio destino. Sabíamos que ela pagaria um preço alto pela ousadia. Pedimos a Deus que a protegesse, porque os homens não teriam complacência. Talvez, por ser homem, nem sequer Deus a escutou.

Diz Roberto da Matta que uma das características do sistema racial brasileiro é que cada categoria racial conhece o seu lugar em uma hierarquia. Essa "sabedoria" aprendida em séculos de racismo e discriminação explica outras experiências vividas por mulheres negras que almejam o poder. Tome-se o caso da Juíza Luislinda Valois Santos, outro exemplo de percepção do senso comum acerca do destino socialmente reservado às mulheres negras.

Certo dia, um professor pediu um material de desenho. Com muito custo, o pai de Luislinda conseguiu comprar um, meio remendado. Bastou o professor ver o material para magoá-la para sempre. Disse ele: "Menina, deixe de estudar e vá aprender a fazer feijoada na casa dos brancos". Ela chorou e ainda se emociona quando relembra, 58 anos depois, desse fato. Mas tomou coragem e retrucou ao professor: "Vou é ser Juíza e lhe prender". A primeira parte ela cumpriu. Em 1984, a baiana Luislinda Valois Santos tornou-se a primeira Juíza negra do país. Não à toa, também foi quem proferiu a primeira sentença de racismo no Brasil. Em 28 de setembro de 1993, condenou o supermercado "Olhe o Preço" a indenizar a empregada doméstica Aíla de Jesus, acusada injustamente de furto.

Estou relatando esses "causos" para ressaltar como parece insólita, no imaginário social, a presença de mulheres negras em instâncias de poder, em nossa sociedade, e para destacar como as representações consolidadas acerca das mulheres negras determinam tanto a sua ínfima presença nas instâncias de poder como as dificuldades adicionais que as espreitam quando ousam romper portas e adentrar lugares para os quais não foram destinadas. São condições e condicionantes que tornam mais desafiante ainda o tema "mulher negra e poder", pois o racismo, o ceticismo e a exclusão social a que as mulheres negras estão submetidas se potencializam e se retroalimentam para mantê--las numa situação de asfixia social, que põe em perspectiva as condições mínimas necessárias para o empoderamento das mulheres negras em nossa sociedade, de forma a, quem sabe um dia, potencializá-las para a disputa de poder.

Entre essas condições mínimas para permitir o empoderamento de mulheres negras, se encontra, evidentemente, o combate ao racismo, bem como a necessidade de uma política de formação de quadros políticos e de gestores públicos. É preciso, ademais, que haja fortalecimento das organizações de mulheres negras.

Em relação ao combate ao racismo, temos falado sobre as desigualdades raciais e sobre as políticas públicas capazes de reduzi-las, mas pouco temos formulado sobre o combate ideológico ao racismo a partir de uma política de governo e de Estado. A ausência de uma política consistente de combate ao racismo permitiu que uma inusitada reação conservadora se organizasse, envolvendo parcelas diversificadas das elites nacionais que se somam, neste momento, no combate às políticas de promoção da igualdade racial. Intelectuais, políticos, formadores de opiniões de diferentes esferas, conglomerados midiáticos, empresários e juristas, ou seja, um conjunto de forças que instituiu um verdadeiro "pelourinho eletrônico" contra as políticas de ação afirmativa e aqui, sobretudo, contra as cotas. No combate que essas elites nacionais travam contra políticas de promoção da igualdade racial, elas se servem da desqualificação pública dos movimentos negros, de seus parceiros e aliados. Da negação do racismo e da discriminação racial. Da deslegitimação acadêmica de estudos e pesquisas que há décadas vêm demonstrando a magnitude das desigualdades raciais e da negação do negro como sujeito social, demandador de políticas específicas, bem como de seu direito democrático de reivindicá-lo.

Estamos diante de velhas técnicas a serviço de novas estratégias que pretendem nos levar de volta à idílica democracia racial. Hoje, como ontem, as estratégias são as mesmas. Como nos mostrou Florestan Fernandes, a resistência negra das décadas de 1930, 40 e parte dos anos 50 suscitou o reacionarismo das classes dominantes que logo denunciaram o racismo negro nas estratégias de resistência da população negra. Essa reação conservadora tem por efeito, sobretudo, potencializar o racismo institucional impregnado nas instituições públicas e em seus gestores, legitimando-o com o suposto conceito negativo acerca do tema que procura incutir na opinião pública em geral e no gestor público em particular.

Em relação às mulheres negras, o tema do combate ao racismo assume, ainda, outras particularidades. Persistem operando no imaginário social, ao lado dessa reação conservadora, os estigmas e estereótipos que desvalorizam socialmente as mulheres negras e que carecem de estratégias para serem repelidos. Requerem campanhas de caráter publicitário e pedagógico que tanto empreendam a valorização social da imagem das mulheres negras como, simultaneamente, confrontem as diferentes práticas discriminatórias de que são alvo essas mulheres, sobretudo no mercado de trabalho.

Coloca-se, portanto, como desafio, a necessidade de incidir sobre as construções culturais racistas que permanecem reproduzindo a imagem estereotipada das mulheres negras e sua desqualificação estética. É preciso confrontar o peso da hegemonia da brancura nessa desqualificação estética das mulheres negras, que tem impactado a sua empregabilidade e a sua possibilidade de mobilidade social, além de impactar negativamente a sua capacidade de disputa no mercado afetivo. Além da reconstrução de um imaginário sobre as mulheres negras, capaz não apenas de reverter essas imagens de controle que as aprisionam, faz-se necessária a formulação de propostas que permitam a circulação igualitária das imagens das mulheres recortadas pela raça. Em síntese, urge que se proponham novas imagens para as mulheres negras brasileiras, que rompam com os paradigmas do passado e com as novas discussões midiáticas em que as imagens das mulheres negras são, à sua revelia, revestidas de vernizes de modernidade, sem alteração na essência dos estereótipos consagrados.

Então, tal como prediz o capítulo IX do II Plano Nacional de Políticas para as Mulheres, a dimensão ideológica significa produzir iniciativas capazes de confrontar o *status quo* racista, ceticista e lesbofóbico por meio de diferentes ações de confronto ideológico, de questionamento sistemático do potencial de reforço conservador incutido em diferentes iniciativas e do empoderamento das mulheres nos diferentes segmentos. Tal prescrição exige a implementação ousada das estratégias que vêm sendo defendidas pelos movimentos de mulheres em geral, para a qual a vindoura Conferência de Comunicação cria uma oportunidade.

Pelo menos em tese a Conferência de Comunicação criaria uma oportunidade de se avançarem propostas de democratização nos meios de comunicação, no combate à oligopolização e na implantação de políticas públicas de comunicação de caráter regulador e fiscalizador que afiancem o acesso efetivo dos diferentes segmentos da população à informação, garantindo a liberdade da expressão das mulheres, que vêm tendo sua imagem constantemente desrespeitada pela mídia. Regulamentar as cotas de espaço de mídia para campanhas educativas governamentais e não governamentais do sistema privado de comunicação, visto que são concessões públicas. Estimular a elaboração, em conjunto com o Conar, órgão regulamentador da publicidade, de um código de ética sobre a imagem das mulheres na publicidade.

O segundo ponto que quero destacar como desafio para o empoderamento das mulheres negras é a questão da formação de quadros. A luta dos movimentos de mulheres negras para conquistar reconhecimento público e adentrar espaços de representação política em diferentes esferas de participação que vêm se abrindo na sociedade brasileira revelou a insuficiência de quadros qualificados para as diferentes missões colocadas.

Essas deficiências implicam em centralização das tarefas mais complexas e em morosidade e falta de prontidão para responder às oportunidades de incidência política sobre as políticas públicas e para a viabilização de projetos e estratégias.

É, portanto, necessário um esforço para o desenvolvimento de uma política de formação de quadros políticos e técnicos, em especial em políticas públicas, que dê conta da formação de especialistas em áreas estratégicas para o movimento, por meio de uma busca intencional de talentos e vocações que possam impulsionar efetivamente as demandas das mulheres negras, ofertando, portanto, sustentação a uma estratégia de empoderamento dessas mulheres.

Esses processos de formação e capacitação de mulheres negras devem se voltar para as necessidades concretas ditadas pelos objetivos estratégicos definidos pelas mulheres negras organizadas. Portanto, introduz-se aí a terceira questão essencial para o desenvolvimento dos temas anteriores e, particularmente, para promover o fortalecimento político e o processo de busca de autonomia das mulheres negras às instâncias de decisão e poder, e ao fortalecimento estadístico-institucional das organizações de mulheres negras, de cujo protagonismo depende o avanço dessa agenda e que foi força motriz para pautar o tema da mulher negra tanto na esfera pública como na agenda governamental.

Nesse contexto, um eixo fundamental da estratégia de empoderamento das mulheres negras é o de busca e viabilização de pontes de sustentação das organizações de mulheres negras, o sujeito político no qual reside sobremaneira a possibilidade de pressão, proposição e monitoramento das formulações em relação à promulgação da igualdade de gênero e raça.

E, por fim, tal como expressa a nossa plataforma feminista, urge garantir financiamento público para as campanhas eleitorais feministas com recortes de raça. Urge garantir financiamento das candidaturas femininas nos partidos políticos e também levar em consideração a proporção das cotas estipuladas em lei, de modo a assegurar o acesso das mulheres às instâncias públicas. Assegurar, também, que sejam previstos recursos para a capacitação e formação política das mulheres. Radicalizar a democracia participativa fortalecendo os movimentos organizados da sociedade civil e ampliando a participação das mulheres no comando e decisão política de movimentos e partidos.

Parece-me que esses são alguns requisitos necessários para construir as condições para operar a desnaturalização do lugar da mulher negra na sociedade brasileira. Um lugar no qual a subalternidade aparece como uma dimensão ontológica do ser mulher negra.

Pela permanência das cotas raciais nas universidades brasileiras

Apresentação de Sueli Carneiro na Audiência Pública convocada pelo ministro do STF Ricardo Lewandowski sobre a constitucionalidade das cotas para negros no ensino superior em 5 de março de 2010.

Exmo. Ministro Ricardo Lewandowski, Exmo. Ministro Joaquim Barbosa, como todos que me antecederam ressalto, inicialmente, a importância de sua iniciativa de convocação desta audiência pública, que está permitindo que a pluralidade de vozes que se posicionam sobre as cotas para negros no ensino superior possa ser ouvida por esta Corte e pelo conjunto da sociedade. Sabemos perfeitamente que essa multiplicidade de atores não está democraticamente presente no debate público sobre o tema, o que torna sua iniciativa ainda mais relevante.

Quero começar lembrando o Seminário Internacional "Multiculturalismo e Racismo: O papel da ação afirmativa nos Estados democráticos contemporâneos", realizado pelo Ministério da Justiça em julho de 1996. Naquela oportunidade, o então vice-presidente Marco Maciel postulou que a realização daquele seminário era um indicativo de que o

> Estado brasileiro estaria finalmente engajado em um aspecto que diz respeito às suas responsabilidades históricas, em relação às quais sucessivas gerações da elite política brasileira sempre demonstraram um inconcebível alheamento.

E afirmava o vice-presidente:

> Creio que este é o grande legado da lição de Nabuco, cuja atualidade [...] assenta-se na visão profética de que 'a escravidão permanecerá por muito tempo como característica nacional do Brasil', uma vez que a abolição não foi seguida de 'medidas sociais complementares em benefício dos libertados, nem de qualquer impulso interior, de renovação da consciência pública'.

Assinalava também o vice-presidente:

> É chegada a hora de resgatarmos esse terrível débito que não se inscreve apenas no passivo da discriminação étnica, mas sobretudo no da quimérica igualdade de oportunidades virtualmente assegurada por todas as nossas Constituições aos brasileiros e aos estrangeiros que vivem em nosso território.

Coerente com essa leitura de nosso processo histórico, foi naquele governo que se iniciaram as primeiras medidas para a promoção social dos negros brasileiros, medidas que se ampliam no governo atual.

Exmo. Ministro, sirvo-me das palavras do hoje senador Marco Maciel do Partido Democrata (DEM) para situar alguns dos desafios inscritos no debate sobre cotas para negros nas universidades brasileiras. Porque aqueles que as condenam satisfazem-se com essa noção quimérica e virtual de igualdade a que se referiu o senador Marco Maciel.

Tal concepção, intencionalmente, omite no debate público todo o acúmulo teórico empreendido no âmbito da ciência política no sentido da superação da noção abstrata de igualdade que desconsidera a forma concreta como ela se realiza ou não na experiência humana. Dentre vários autores, Norberto Bobbio, por exemplo, nos mostra sob que condições é possível assegurar a efetivação dos valores republicanos e democráticos. Para ele, impõe-se a noção de igualdade substantiva, um princípio igualitário porque "elimina uma discriminação precedente".[1]

Bobbio compreende a igualdade formal entre os homens como uma exigência da razão que não tem correspondência com a experiência histórica ou com uma dada realidade social, o que implica que "na afirmação e no reconhecimento dos direitos políticos, não se pode deixar de levar em conta determinadas diferenças, que justificam um tratamento não igual. Do mesmo modo, e com maior evidência, isso ocorre no campo dos direitos sociais".[2]

No entanto, essa exigência de reconhecimento das diferenças assinalada por Bobbio e a necessidade de enfrentamento objetivo dos obstáculos à plena realização do princípio da igualdade são estigmatizados, por alguns setores no debate nacional, como racialização das políticas públicas, por referirem-se a negros, sabidamente exposto a processos de exclusão de base racial.

No entanto, de acordo com o senador Marco Maciel,

---

1 BOBBIO, N. *A era dos direitos*. Rio de Janeiro: 1992. 71 p.
2 Idem.

Se o Estado e a sociedade não caminharem juntos na superação dessa odisseia vamos transformar os dispositivos da Carta de 1988 (artigos 3º, 5º e 7º), no que respeita a discriminação, apenas em novas e melhoradas versões da Lei Afonso Arinos, [...] isto é, em postulados ideais e utópicos de escassos efeitos práticos. Prossegue o senador afirmando que "as conquistas jurídicas, por isso mesmo, tem de ser seguidas de conquistas econômicas, capazes de reverter a crença de que o sucesso, a ascensão e a afirmação dependem apenas do esforço individual na superação do preconceito."[3]

Aqueles que as condenam compreendem que elas teriam o poder de ameaçar os fundamentos políticos e jurídicos que sustentam a nação brasileira, ferir o princípio do mérito, colocar em risco a democracia e deflagrar o conflito racial. Poderosas, essas cotas!

Contra esses argumentos, Exmo. Ministro, o senador Marco Maciel vem novamente em meu socorro. Segundo ele, "[...] medidas compensatórias em favor dos negros não representam apenas uma etapa da luta contra a discriminação, mas o fim da era de desigualdade, da exclusão, se pretendemos uma sociedade igualitária e mais justa".[4]

Indo além, afirmou o vice-presidente que:

> O caminho da ascensão social, da igualdade jurídica, da participação política – vale dizer, o fim da discriminação – terá de ser cimentado pela igualdade econômica que, em nosso caso, implica o fim da discriminação dos salários, maiores oportunidades de emprego e participação na vida pública. Nesse sentido parece-me que o papel da educação será essencial.[5]

---

3 *Ibidem*, p. 21.
4 BOBBIO, N. *A era dos direitos*. Rio de Janeiro: 1992. p. 21.
5 *Idem*.

Aqueles que as condenam utilizam-se da retórica da diversidade, da miscigenação, para negar aos negros o direito de apresentar à sociedade uma agenda de reivindicações específicas derivada de sua peculiar experiência histórica. No entanto, e mais uma vez recorrendo ao senador Marco Maciel, afirmo com ele que: "A riqueza da diversidade cultural brasileira não serviu, em termos sociais, senão para deleite intelectual de alguns e para demonstração de ufanismo de muitos".[6]

Por fim, aqueles que as condenam servem-se dos estudos genéticos para negar a existência das racialidades historicamente construídas. Nesse caso, ofereço breve descanso ao senador Marco Maciel porque, felizmente, temos precedente animador oferecido por esta Corte.

O caso Siegfried Ellwanger, condenado pelo crime de racismo por edição de obra antissemita, é emblemático nessa direção. Ele ofereceu a oportunidade para que o STF debatesse e examinasse o sentido da noção de raça.

Na ementa do acórdão dessa ação, o STF explicita que "A divisão dos seres humanos em raças resulta de um processo de conteúdo meramente político-social. Deste pressuposto origina-se o racismo, que, por sua vez, gera a discriminação e o preconceito segregacionista".

As diversas manifestações dos ministros nesse caso reafirmaram com absoluta pertinência que a racialidade não está assentada em determinações biológicas. O excelentíssimo Ministro Gilmar Mendes defendeu que a Constituição compartilha o sentido de que "o racismo configura conceito histórico e cultural assente em referências supostamente raciais, incluído aí o antissemitismo".

Em consonância, o então ministro do STF, Nelson Jobim, recusou o argumento da defesa de Ellwanger, segundo a qual

---
6 *Ibidem*, p. 19.

judeus seriam um povo e não raça e, portanto, não estariam ao abrigo do crime de racismo, como disposto na Constituição. Por sua vez, a ministra Ellen Gracie cunhou uma interpretação da maior importância para o entendimento das relações raciais no Brasil. Segundo o seu entendimento, "é impossível, assim me parece, admitir-se a argumentação segundo a qual se não há raças, não é possível o delito de racismo".

Exmo. Sr. Ministro,

- se esta Corte entende que pode haver racismo mesmo não havendo raças;
- se esta Corte também entende que o racismo está assentado em convicções raciais, que "geram discriminação e preconceito segregacionista";
- se todas as evidências empíricas e estudos demonstram o confinamento dos negros nos patamares inferiores da sociedade, e
- se a inferioridade social não é inerente ao ser negro posto que raças biológicas não existem, então esta persistente subordinação social só pode ser fruto do racismo que, como afirma a ementa do referido acórdão, repito, "gera a discriminação e o preconceito segregacionista". Isso requer, portanto, medidas específicas fundadas na racialidade segregada para romper com os atuais padrões de apartação.

Exmo. Ministro, entendemos que o que está em jogo no debate sobre as cotas são dois projetos distintos de nação. Em cada um deles, como essa audiência tem demonstrado, encontram-se negros e brancos de diferentes extrações sociais, de campos políticos e ideológicos semelhantes ou concorrentes.

O primeiro desses projetos está ancorado no passado. Sobre esse passadismo, o psicanalista Contardo Calligaris empreende a seguinte reflexão: "Em meus primeiros contatos com a cultura brasileira, acreditei inevitavelmente ter encontrado o paraíso de uma democracia racial. Não era o primeiro, como se sabe, a confundir o Brasil como um paraíso terrestre".

E continua: "Mas essa sensação inicial não demorou muito tempo, pois logo tive a oportunidade, ao me estabelecer no Brasil, de analisar alguns pacientes negros. Bastou para descobrir imediatamente que minha impressão de uma paradisíaca democracia racial devia ser perfeitamente unilateral. Meus pacientes não eram militantes do movimento negro, e – com uma só exceção – nem tematizavam, por assim dizer, sua "negritude" como algo de imediatamente relevante em suas vidas. Apesar disso, as histórias que se desdobravam para meus ouvidos todas testemunhavam justamente um constrangimento, senão um sofrimento social ancestral ligado ao ser negro nesta sociedade.

Restava-me perguntar de onde surgia minha impressão – unilateral, então – de democracia racial. Pergunta que pode ser estendida: de onde surge, em tantos brasileiros brancos bem-intencionados, a convicção de viver em uma democracia racial? Qual é a origem desse mito? A resposta não é difícil: o mito da democracia racial é fundado em uma sensação unilateral e branca de confronto nas relações interraciais. Esse conforto não é uma invenção. Ele existe de fato: é o efeito de uma posição dominante incontestada. Quando eu digo incontestada, no que concerne a sociedade brasileira, quero dizer que não é só uma posição dominante de fato – mais riqueza, mais poder. É mais do que isso. É uma posição dominante de fato, mas que vale como uma posição de direito, ou seja, como efeito não da riqueza, mas de uma espécie de hierarquia de castas. [...] a desigualdade no Brasil é a expressão material de uma organização hierárquica. Ou seja, é a continuação da escravatura. [...] Corrigir a desigualdade, que é herdeira direta, ou melhor, continuação da escravatura, no Brasil, não significa corrigir os restos da escravatura. Significa finalmente aboli-la".[7]

Calligaris conclui que:

> Sonhar com a continuação da pretensa "democracia racial brasileira' é aqui a expressão da nostalgia do que foi descrito antes, ou seja, de uma estrutura social que assegura a tal ponto o conforto de uma posição branca dominante que o branco – e só ele – pode se dar ao luxo de afirmar que a raça não importa.[8]

O segundo projeto de nação dialoga com o futuro. Os que nele apostam acreditam que o país que foi capaz de construir a mais bela fábula de relações raciais é capaz de transformar esse mito numa realidade de conforto nas relações raciais para todos e todas. Porém, isso só será possível pela ação intencional da sociedade brasileira e especialmente de suas mais nobres instituições. Dentre todas, a mais alta Corte do país é aquela que pode aportar a maior contribuição a esse processo e reverter o vaticínio proferido por Joaquim Nabuco sobre a perenidade da escravidão como característica nacional, do que nos dá testemunho atual Contardo Calligaris.

Os que vislumbram o futuro acreditam, ainda, que se as condições históricas nos conduziram a um país em que a cor da pele ou a racialidade das pessoas tornou-se fator gerador de desigualdades. Essas condições não estão inscritas no DNA nacional, pois são produto da ação ou inação de seres humanos e por isso mesmo podem ser transformadas, intencionalmente, pela ação dos seres humanos de hoje.

---

7 CALLIGARIS, Contardo. Notas sobre os desafios para o Brasil. In: *Anais do Seminário Internacional Multiculturalismo e Racismo: O Papel da Ação Afirmativa nos Estados Democráticos Contemporâneos.* Brasília: Ministério da Justiça/Secretaria Nacional de Direitos Humanos, 1997. p. 243-244.

8 *Ibidem*, p. 245.

É o que esperamos desta Suprema Corte, que ela seja parceira e protagonista de um processo de aprofundamento da democracia, da igualdade e da justiça social. E, num esforço cívico de tamanha envergadura, as cotas para negros, mais do que uma conquista dos movimentos negros, são parte essencial da expressão da vontade política da sociedade brasileira para corrigir injustiças históricas e contemporâneas que permitem que talentos, capacidades, sonhos e aspirações sejam frustrados por processos de exclusão que comprometem o nosso processo civilizatório.

O STF pode ofertar à sociedade brasileira segurança jurídica para a criação de um círculo virtuoso de mudanças em contraposição ao círculo vicioso estabelecido pelas hierarquias instituídas com base em raça, cor e aparência.

Desse círculo vicioso nos diz o senador Marco Maciel, "Terminamos todos escravos do preconceito, da marginalização, da exclusão social e da discriminação que caracterizam, ainda hoje, o dualismo social e econômico do Brasil".

Exmo. Ministro, milhões de brasileiros e brasileiras depositam nesta Corte as esperanças de que a sua decisão em relação às cotas para negros nas universidades seja uma sinalização para a sociedade forte o suficiente para tocar mentes e corações e transformar sensibilidades que se habituaram à exclusão em agentes ativos da construção de uma verdadeira democracia racial. Isso é uma urgência histórica pois "não poderemos ser o que podemos e devemos ser continuando a ser o que somos".

Muito obrigada.

Este livro foi impresso em agosto de 2023,
na Edições Loyola, composto nas fontes
Mercury Text G4 e Aktiv Grotesk, e impresso
em papel Pólen Bold 70g no miolo
e Supremo 250g na capa.